EN VOITURE!
de Guy Deshaies
est le deux cent neuvième ouvrage
publié chez
VLB ÉDITEUR.

Du même auteur, chez le même éditeur

ATTACHEZ VOS CEINTURES! carnets de voyage, tome 1, 1986

Guy Deshaies

En voiture !
Carnets de voyage, tome 2

vlb éditeur

VLB ÉDITEUR
4665, rue Berri
Montréal, Qc
H2J 2R6
Tél.: (514) 524.2019

Maquette de la couverture:
Mario Leclerc

Photos:
Michel Dubreuil

Photocomposition:
Atelier LHR

Distribution en librairies et dans les tabagies:
AGENCE DE DISTRIBUTION POPULAIRE
955, rue Amherst
Montréal, Québec
H2L 3K4
Tél. à Montréal: 523.1182
        de l'extérieur: 1.800.361.4806

Données de catalogage avant publication (Canada)

Deshaies, Guy
    En voiture!
    2-89005-234-6 (v. 1)
    2-89005-259-1 (v. 2)

1. Voyages — 1951-   . 2. Tourisme. 3. Deshaies, Guy. I. Titre.
G151.D48 1986   910.4   C86-0961125

Dépôt légal — 2e trimestre 1987
Bibliothèque nationale du Québec
ISBN 2-89005-259-1

Pays

1. L'OUEST SUR RAIL

«Pourquoi l'avion
à moins d'être pressé?»

À 21h25, ce mercredi 3 mars, le Super-Continental numéro un du Canadien National, au quai numéro quatorze de la gare Centrale, à Montréal, est sur le point de s'ébranler pour entreprendre son voyage de 2 914 milles vers Vancouver, la plus longue liaison ferroviaire au monde après le Transsibérien.

Mais à 22h, il est toujours en gare. À l'arrière, entre les wagons-lits Evendale et Entreprise, destinés aux passagers, et la voiture de queue qui loge le personnel, Oscar, le Noir préposé aux wagons-lits, est suspendu au-dessus du quai presque désert, debout sur le marche-pied, et vocifère des choses incompréhensibles à travers les sifflements de la vapeur qui s'échappe des systèmes de chauffage des wagons.

On s'impatiente, Oscar, 34 années de service pour le CN, est découragé. Il circule rapidement dans les deux wagons-lits parmi les bruits de rangement de valises, de portières qui s'ouvrent et se ferment, de stores qui s'abaissent. Il répond aux questions, s'informe du confort de chacun et consulte à tout instant sa grosse montre pendue à une chaînette dans la poche de sa veste.

Quinze minutes plus tard, les trois locomotives diesel, de 2 700 chevaux chacune, sont enfin mises en marche par un geste du conducteur à l'ingénieur et le train glisse doucement sur la voie, à travers une petite neige triste. Les voitures se balancent légèrement et le plancher frissonne à chaque claquement des roues sur le fer.

Dans son compartiment, Mlle Pilar Jimenez, la trentaine, essuie la buée de sa vitre et pleure en silence en regardant s'éloigner derrière elle la Place Ville-Marie et les lumières de cette ville qui l'a accueillie lorsqu'elle a quitté le Chili il y a huit ans et qu'elle abandonne aujourd'hui pour aller s'installer à Vancouver, seule.

Dans le compartiment d'en face, Mme Tinia, en route pour visiter ses enfants en Colombie-Britannique, se parfume. Le détail a son importance car il s'agit d'un parfum agressif, qui ne sollicite pas mais qui attaque brutalement le nerf olfactif. C'est un défi. Il me faudra deux jours pour en établir la probable composition, à savoir un peu de jus de citron, beaucoup d'alcool à friction et un soupçon de jus de framboise. Mais cette dame est par ailleurs fort aimable et amusante. Ce n'est pas la peur de l'avion qui l'a poussée à prendre le train mais le désir de voir le pays une bonne fois de près.

La plupart des passagers de wagons-lits sont des gens âgés qui confessent avoir peur de l'avion mais qui adorent le train et souhaitent aussi voir défiler lentement le Canada sous leur vitre.

Immédiatement en avant des deux voitures-lits, il y a la voiture-salon, pratiquement déserte à cette heure. Des fauteuils confortables, des tables, des guéridons où sont étalés divers magazines et un petit bar à l'avant où le préposé fait lentement des inventaires très compliqués. C'est là que le préposé au service voyageur amuse les enfants durant la journée et que les «gens biens» prennent leur consommation, le soir. À Winnipeg, cette voiture sera remplacée par le wagon-dôme, une voiture toute vitrée à deux étages qui permet d'admirer les Rocheuses.

Vient ensuite le wagon-restaurant avec ses tables blanches et sa cuisine. Encore là, des employés remplissent des longues feuilles en silence. Puis, c'est la voiture super-confort dont les sièges inclinables et spacieux offrent une meilleure détente que les voitures-coach ordinaires. Il y a là des gens qui s'installent dans la demi-obscurité.

Certains sont en route pour l'Ouest et passeront deux ou trois jours sur leur siège. Il y a une jeune femme avec son enfant de trois ans. Il y a un commerçant de Winnipeg, témoin de Jéhovah, qui revient de Montmagny où il est allé visiter ses deux fils, des témoins de Jéhovah en route pour Vancouver; et d'autres, d'autres personnes avec des enfants pour qui le train, même en voiture super-confort, reste moins cher que l'avion.

En remontant toujours vers les locomotives, on arrive ensuite au wagon-café. Il est 23h00 et il y a déjà plus d'une bonne demi-heure qu'on a quitté la station de Dorval après un arrêt de dix minutes. On sent que l'ingénieur veut rattraper le retard et on fonce vers Ottawa en s'agrippant aux banquettes et aux tables à cause des secousses latérales du train dont le crissement sur les rails annonce une vitesse fort respectable.

Encore ici, les montres à chaînettes sont à l'honneur. Le conducteur, assis au comptoir devant un café fumant, estime qu'on sera à Ottawa vers minuit quinze, soit en retard d'environ vingt-cinq minutes.

Aux tables, diverses personnes bavardent discrètement tandis que Bernie, le steward du café, amorce pour la énième fois, tant pour lui-même que pour le conducteur, la discussion sur l'avenir des trains au Canada.

«Yes man, affirme Bernie dans son anglais mâchouillé de la rue Saint-Antoine, s'ils abandonnent le Super-Continental, cela veut dire que ce pays s'en va à la débandade.»

«Pourquoi l'avion? reprend-t-il. Quel plaisir il peut bien y avoir à voyager au-dessus des nuages: à moins d'être bien pressé.»

Et le conducteur d'expliquer: «Le service a déjà été bien meilleur. On pourrait aller à Vancouver en trois jours

mais au lieu d'améliorer, on ne fait que maintenir les installations existantes. Pourtant, l'avenir est au train. C'est
connu. Les Américains le savent, eux.»

On sent tout de suite beaucoup de nostalgie parmi ces
employés qui comptent vingt, trente et quarante années de
service. Ils ne peuvent oublier l'époque des fleurs fraîches
sur chaque table et des quais remplis de voyageurs. C'est
leur train mais il est devenu le refuge de certains vieillards
et de jeunes gens sans argent qui ne sollicitent même pas
leur attention.

Un crayon roule sur le comptoir, obéissant aux mouvements du train et de temps à autre, quelqu'un vient chercher un sandwich et une eau gazeuse, maintenant ainsi un
certain rythme dans le va-et-vient et le mouvement des
portières entre les wagons. Chaque fois que l'une d'elles
s'ouvre, on entend le bruit des claquements de roues sur les
rails et un petit air froid se glisse dans la voiture.

Côté bar, deux hommes et deux femmes, en route
seulement pour Ottawa, font connaissance tandis que
Charlie, le steward, fait le ménage en servant ses bières
joyeusement.

Les amitiés se lient plus rapidement dans la voiture
coach, en avant, entre le bar et la voiture aux bagages. Sur
leurs banquettes droites, certains jeunes se sont déjà
regroupés par îlots de quatre se faisant face.

On fait des blagues «newfie» à l'intention de Marylin,
partie lundi en train de Saint John et qui file vers Vancouver. Une semaine de banquette droite en perspective.
Sylvain Gagné, jean, chemise kaki, 24 ans, petite barbe,
de Saint-Hubert de Témiscouata, en route pour Prince-
Rupert où il espère travailler dans une «canerie de poissons», offre du pain et du fromage à trois nouveaux amis:
Michel Prud'homme, dresseur de chiens en chômage, 28
ans, en route pour Calgary où il pense travailler dans un
abattoir, Gerry Dumont, 25 ans, de Québec, en route pour
Edmonton pour travailler «dans l'huile», et Paul Coutu-

rier, 20 ans, de Québec, qui ne sait pas ce qu'il fera à Vancouver.

«En tout cas, déclare péremptoirement Michel, si ça parle pas français à Calgary, mois je défais même pas mon *packsack*, pis je redescends à Montréal par le premier train.»

«Avec les quarante dollars que j'ai, pis toute la bière qu'on va boire en montant, moi, dit Paul Couturier, il va falloir que je travaille tout de suite, quasiment en sautant en bas du train, sans ça je suis cuit.»

Gerry, qui en est à son cinquième voyage vers l'Ouest, les rassure en parlant d'assurance-chômage. On s'enveloppe dans ses hardes chaudes tandis que le train quitte Ottawa pour se diriger vers North Bay, puis toujours vers le nord à Capreol où il s'arrêtera à 8h30, le lendemain matin.

Dans le wagon-lit Entreprise, M. et Mme Carson, des Écossais habitant Ottawa depuis quinze ans, s'installent dans leur chambrette avec leur fils de seize ans. M. Carson, muté par le ministère du Travail à Vancouver, a décidé de traverser le Canada en train.

Déjà les passagers de Montréal sont habitués aux mouvements et aux bruits du Super-Continental qui fonce à grande allure dans la nuit ontarienne.

9 mars 1976

2. L'OUEST SUR RAIL

Une Mauricie sans fin d'épinettes et de sapins

Une fois passé North Bay, le jour se lève, blafard, parmi les épinettes qui défilent sous les vitres embuées du Super-Continental. Le train serpente et la locomotive du devant siffle souvent, bien que les passages à niveau soient rares et déserts.

Pendant ce temps, sur la voie du CN qui sépare Toronto de Capreol, le long de la baie géorgienne, un autre train file vers le nord pour venir accrocher ses deux wagons-coach au Super-Continental.

Il a quitté Toronto à minuit avec sa cargaison de passagers, pour la plupart des jeunes gens à la conquête de l'Ouest. À 8h25, le Super-Continental numéro un rentre à l'heure à Capreol et se glisse le long du convoi de Toronto arrivé quelques minutes plus tôt.

Il fait très froid mais les quatre jeunes Québécois se promènent en riant le long du quai de la petite gare. On procède au décrochage et à l'accrochage des wagons tandis que Pierre, le préposé au service voyageur, traverse le train en annonçant que le petit déjeuner est servi dans la voiture-restaurant.

C'est le premier service. C'est à nouveau les bruissements de rideaux, les voix endormies qui demandent à Oscar où on est rendu, les grincements des portes coulissantes des compartiments. Oscar consulte sa grosse montre, soulève son képi rouge de sa main droite pour se gratter la tête et annonce triomphalement de toutes ses dents blanches: «On est à l'heure.»

Cela veut dire qu'à l'intérieur des 424 milles qui nous séparent maintenant de Montréal, on a rattrapé quarante-cinq minutes de retard. Et pourtant, outre les arrêts statu-taires à Daventry et Field, il y a eu quelques convois de marchandise à faire passer en priorité. Lorsqu'un train venant en sens inverse franchit avant son opposé les feux qui sont situés à un mille de part et d'autre de la voie d'évi-tement, un aiguillage automatique dirige l'autre train sur cette voie.

Les mécaniciens appellent cela «faire du siding». Par-fois, l'hiver, les aiguillages sont gelés et les mécaniciens doivent descendre sur la voie avec leurs lanternes et un outil spécial pour ouvrir l'aiguillage.

«Ça prendrait deux voies», répète le conducteur, qui nous parle du temps où les locomotives à vapeur étaient plus rapides en temps moyen que les trains diesel d'aujour-d'hui, même si ces derniers peuvent filer à plus de quatre-vingts milles à l'heure. En réalité, la moyenne de vitesse du Super-Continental est d'environ trente-cinq milles à l'heure entre Montréal et Vancouver puisqu'il met quatre-vingt-quatre heures à couvrir les 2 914 milles qui séparent les deux villes.

Mme Tania émerge de son compartiment dans un étourdissant tourbillon parfumé à la framboise, se plaint d'avoir mal dormi et dirige ses pas vers la voiture-restaurant.

À 9h35, le train démarre. Ce ne sera que le lendemain matin, vers 9h, qu'il quittera l'Ontario pour entrer au Manitoba. La traversée de l'Ontario dure 33 heures.

On décrit une grande boucle autour des lacs Huron et Supérieur mais à cent milles plus au nord, dans la partie la plus large de l'Ontario, d'est en ouest. On passe au sud de la réserve Timagami pour rejoindre la ligne reliant l'Abi-tibi à Nakina, au cœur de l'Ontario.

On passe ensuite au nord de la réserve forestière de Nipigon, file sur Superior Junction et Sioux Lookout, avant de quitter la frontière ontarienne à Ophir.

En clair, cela veut dire des épinettes et des trembles tout au long, de la neige, des lacs gelés, des ponts de bois, des chemins blancs déserts, de temps à autre un convoi de bois de pulpe et, avec de la chance, un chevreuil qui enjambe une cascade: on dirait une Mauricie sans fin.

Dans le wagon-café, Sylvain Gagné joue aux échecs. Son partenaire, Bernie Payne, joue à distance car il doit servir les clients en quête de sandwiches et de café. Gagné, chaussé seulement de gros bas de laine, chemise à carreaux rouges, ne lève pas la tête. Il sifflote «amenez-en de la pitoune» et ne consent à interrompre sa concentration que pour sortir son gros paquet de tabac Export et se rouler une cigarette. De temps à autre, le noir débonnaire s'approche et bouge une pièce, au grand amusement des quelques spectateurs silencieux. Vient un moment où Sylvain Gagné demande: «Comment on dit ça, en anglais, échec et mat?» On le lui dit et il annonce: «Ben, je l'sus.» On rit.

De l'autre côté, au bar, l'atmosphère s'anime déjà. Le gros Dave, un homme d'une quarantaine d'années, jovial, explique tout bonnement à Charlie que le Canada est désormais un pays communiste, surtout depuis la visite de Trudeau à Cuba.

Charlie est entièrement d'accord, de même que les petits Ontariens de Guelph, Margaret, Fern, Bill et les autres dont la voiture aux banquettes droites a été accrochée au Super-Continental à Capreol.

Dave s'informe ensuite de la situation du séparatisme au Québec puis passe à son histoire personnelle. Employé de la compagnie Shell au Nouveau-Brunswick, il a été victime, il y a quelques mois, d'un accident d'hélicoptère.

Opéré à plusieurs reprises à la colonne vertébrale, il nous fait voir ses cicatrices et confesse que son dos le fait abondamment souffrir à bord du train. Mais jamais plus il ne prendra place dans un aéronef, quel qu'il soit.

Il espère pouvoir arrêter à Winnipeg pour se reposer dans sa famille.

Entre-temps, il parle tout le temps, fait rire tout le monde et se promène sans cesse dans ce train paisible qui flotte dans l'air froid sous un ciel maintenant très bleu et ensoleillé.

Muni d'une boîte de sardines et d'un morceau de pain, Sylvain Gagné rejoint ses trois compagnons dans le bar et demande à Charlie une bière et une fourchette. Michel Prud'homme est en train de dire à Paul Couturier qu'il n'y a rien à faire à Vancouver et qu'il ferait mieux de descendre avec lui à Edmonton pour prendre l'autobus vers Calgary. Il exhibe sa lettre de recommandation. Il s'agit d'une feuille défraîchie sur laquelle un ami, dont on ne sait pas le nom, annonce l'arrivée du dresseur de chiens. Il y a l'adresse de l'abattoir. C'est écrit en français et au son. Le jeune Couturier hésite mais finit par décider de descendre à Edmonton. «On va être gras dur, assure Michel. Logé, nourri, du travail pas trop forçant et la grosse palette à l'automne.»

«Moi, dit Sylvain Gagné, je débarque à Jasper (il prononce Jassepeur), je me rembarque pour Prince Rupert et si mon chum est encore là et que je me trouve une bonne place dans une "canerie", je ne reviendrai pas avant les Fêtes. Ça sert à rien, il n'y a plus rien au Québec.»

À l'autre table, ce sont les Anglais. Bill qui joue aux cartes avec sa sœur Margaret sous l'œil triste de Judy, seize ans, enceinte de quatre mois et qui file vers Vancouver où elle ne connaît personne mais mise sur le YWCA pour être hébergée avant de se trouver un emploi.

«Ils s'imaginent tous qu'ils vont frapper de l'or dans l'Ouest», m'explique un employé. Il précise que la vraie immigration des jeunes n'est pas encore commencée, il est trop tôt. C'est vers la fin d'avril que les trains se remplissent de jeunes Québécois et d'Ontariens à l'assaut de leurs espoirs et en quête d'un changement d'air.

Dans la voiture-salon, des gens lisent le *Globe and Mail* et apprennent que le juge Kenneth Mackay accuse des membres du cabinet Trudeau d'avoir fait des interventions illégales auprès de certains juges du Québec. Ça discute ferme. Une jeune Australienne, institutrice, qui fait le tour de l'Amérique en train et en autobus, estime que le gouvernement devra démissionner. Un autre annonce des élections imminentes. Des enfants se concentrent sur les livres à colorier que Pierre a sortis de son coffre à jouets.

Au dehors, la forêt d'épinettes et de sapins passe toujours comme un ruban sans fin. Ce soir, lorsque la fête battra son plein dans le bar avec Michel à la guitare et Sylvain à l'harmonica, et que les populations âgées des sleeping-cars seront au lit depuis longtemps, elle sera encore là, à la fenêtre, dressant ses têtes de conifères sur un fond de nuit étoilée. À minuit, nous sommes déjà à quelque 1 000 milles de Montréal.

10 mars 1976

3. L'OUEST SUR RAIL

Comment ça plus de «50»?
Quelle sorte de train que c'est ça?

Ce matin du vendredi 5 mars, alors que le jour se lève aux environs de Canyon et Farlane, aux confins ouest de l'Ontario, l'agitation est encore plus grande parmi le personnel.

À 10h45, les vingt-deux membres du personnel du train, steward, préposés aux voitures-lits, garçons de table, conducteurs, mécaniciens, devront abandonner le Super-Continental.

À Winnipeg, en effet, tout le personnel est renouvelé. Ceux qui sont partis de Montréal ou de Toronto reprendront ce soir à 17h le Super-Continental numéro deux en provenance de Vancouver tandis que l'équipe qui est partie de Vancouver et qui est arrivée à Winnipeg la veille monte à bord du Super-Continental numéro un pour revenir à Vancouver.

Les ingénieurs de train changent plus souvent. Il y a, entre Montréal et Vancouver, vingt-deux changements d'ingénieurs et neuf changements de mécaniciens.

En d'autres mots, les ingénieurs, pilotes de locomotives, font chacun un tronçon d'environ cent trente-cinq milles chacun sur cet interminable voyage. «C'est pourquoi, m'explique l'un d'eux, on peut faire notre bout les yeux fermés.» En effet, lorsqu'il y a du brouillard ou une tempête de neige, l'ingénieur sait où il se trouve même s'il

n'y voit rien. «On connaît toutes les courbes, me dit l'ingénieur en question. On sait toutes les défectuosités des voies
et on sent sous nos pieds les particularités de l'endroit où
nous sommes.» Même dans les Prairies où la voie est toute
droite, les ingénieurs peuvent naviguer à l'estime, d'autant
plus qu'un récepteur magnétique leur donne, à l'intérieur
de la locomotive, la couleur des feux d'aiguillage à l'avant.

Une fois le petit déjeuner servi, les employés s'agitent
et s'empressent de compléter leurs inventaires, de faire
leurs valises en se demandant mutuellement s'ils font le
«turn-off» ce soir: cela veut dire s'ils reviennent tout de
suite à Montréal ou à Toronto ou s'ils passent la nuit à
Winnipeg. Ils ont le choix mais celui qui passe la journée à
Winnipeg a une journée de congé de moins à Montréal ou
Toronto. Ainsi, on travaille cinq ou six jours et on est en
congé cinq ou six jours au retour.

Oscar a déjà rangé son sac de voyage sur le plancher
tout blanc de frimas de la passerelle, entre les deux
wagons-lits. Il a la tête sortie au dehors, tenant serré son
collet autour de sa grosse bouille, tandis que le train passe
lentement derrière les élévateurs de Winnipeg dans un tin-
tamarre de clochettes qui s'animent aux nombreux passages à niveau. À Winnipeg, le froid est mordant.

Quelques passagers, dont le témoin de Jéhovah, s'apprêtent à descendre, tandis qu'on se souhaite bonne fin de
voyage et qu'on se dit «enchanté d'avoir fait votre connaissance».

Après plus de 36 heures de voyage, à 1 355 milles de
Montréal, c'est la fin d'une étape: celle des épinettes ontariennes, des convois de bois de pulpe, des voies qui serpen-
tent, des lacs gelés et des cascades sous ponts de bois. On
aborde les Prairies mais avant, rien n'empêche de passer
une bonne heure à Winnipeg.

Le Super-Continental est entré exactement à l'heure
à Winnipeg. Déjà, Couturier, Gagné, Dumont et
Prud'homme sont dans la gare, sous l'immense coupole de
cet édifice antique. Le froid interdit d'en sortir et les jeunes

gens espèrent pouvoir prendre une douche dans la gare. Il n'y en a pas. Dans les voitures-coach où ils voyagent, il n'y a rien d'autre que les sièges et une toilette au bout du wagon.

«Il n'y a pas l'air d'avoir grand femmes icitte», constate Dumont qui aurait souhaité faire de nouvelles connaissances durant le reste du voyage. À vrai dire, la gare est presque déserte. On aperçoit des stewards du train dans la cafétéria, on voit la demoiselle chilienne traverser rapidement la gare et le gros Dave qui fait la navette entre le comptoir de sandwiches, et les téléphones publics.

Couturier tente vainement de faire changer son billet pour Vancouver, étant donné qu'il descendra à Edmonton. On lui dit qu'il n'a que son reçu et qu'il faudrait avoir le billet resté dans son sac sur le train.

Il y a aussi quelques Indiens que les Montréalais prennent volontiers pour des Asiatiques. «C'est plein de Chinois», fait remarquer l'un des Québécois. En face de la gare, les ruines d'un hôtel incendié. C'est triste. Il y a un petit kiosque à journaux qui vend des eaux de toilette à bon marché et des livres de poche en anglais. Les horaires des trains sont bilingues.

Mais le plus étonnant pour les voyageurs qui viennent de descendre, c'est de sentir la terre ferme. En débarquant d'un navire, surtout après le mauvais temps, tout le monde sait que le voyageur se sent balancer inexorablement en touchant terre. Mais c'est une sensation de roulis très lent quoique plus accentué. Parfois même, des gens sont victimes du mal de mer, non pas sur le navire mais en y débarquant. En descendant du train, on éprouve une sensation de perte d'équilibre: c'est comme un mouvement brusque, horizontal, qui fait vaciller de gauche à droite. «On est tout étourdi, s'étonne Sylvain Gagné. Ma tête bourdonne.» C'est vrai.

Les deux filles de la Nouvelle-Écosse et la grosse «newfie» aux cheveux rouges sont attablées à la cafétéria tandis qu'au dehors, sur la voie numéro six, on procède au décrochage de la voiture-salon pour la remplacer par la voiture panoramique, le *domecar* qui fait l'orgueil du CN.

Bientôt, les voyageurs devront remonter à bord du Super-Continental en même temps que les quelque quinze nouveaux passagers embarqués à Winnipeg.

À midi trente, soit avec une vingtaine de minutes de retard, le Super-Continental s'ébranle en gare de Winnipeg. Le nouveau préposé au service voyageur, Yves Vallée, ancien garçon de table de l'hôtel Nelson dans le Vieux Montréal, immigré à Vancouver depuis deux ans, annonce le premier service du déjeuner.

Les voyageurs se connaissent maintenant. On échange des idées et des adresses. Les petites histoires de chacun se propagent, des gens à qui je n'ai jamais parlé savent que je suis journaliste. Pour tout le monde, je fais partie des «Français» (*Frenchmen*). On apprend que le billet d'un voyageur solitaire du wagon super-confort a été mal préparé à Montréal et qu'il faudra faire des modifications d'itinéraires et des remboursements. Le préposé au wagon-lit Evendale, un gros Noir qui ressemble tellement à Oscar qu'il n'y a aucun dépaysement dans l'esprit de ses protégés, se révolte. «Si, dit-il, les vendeurs de billets de Montréal font des erreurs pareilles, pas surprenant que les gens délaissent le train!»

On reparle de l'avenir du train au Canada. Les jugements sont sévères parmi le personnel. Une pétition à l'intention de M. Otto Lang, ministre du Transport, se prépare.

Au dehors, un nouveau paysage s'est installé à la vitre.

Il sera là jusqu'au lendemain matin. C'est un océan blanc parsemé d'îlots de boisés avec, ici et là, un élévateur à grain qui ressemble à une plate-forme de forage pétrolier sur la mer. De chaque côté du train, la plaine s'étend à perte de vue, sauf aux rares villages groupés serrés le long de la voie du CN.

Le train roule très vite et le nouveau steward du bar,

Lloyd Loxton, un garçon distingué et discret, fait la connaissance de ses clients québécois.

«Comment ça plus de "50"? Quelle sorte de train que c'est ça», s'insurge le jeune Couturier qui vient d'apprendre, grâce à une grossière traduction de Gerry Dumont, que la seule bière qu'on sert désormais est de la «lager» ou «beer». Les jeunes gens font alors l'amère découverte que ce n'est qu'au Québec qu'on boit de la «ale» et qu'il vaut mieux l'oublier tout de suite.

Un nouvel arrivant, qui parle français, se mêle à la conversation. Il s'agit de Guillaume Chevrette, la trentaine, qui a abouti à Winnipeg après avoir passé cinq ans en Amérique du Sud, en Colombie, où il fabriquait des colliers de pierrailles.

On parle de l'Amérique du Sud et Sylvain Gagné annonce qu'il ira sûrement, peut-être même dès son départ de Rupert. Guillaume s'en va à Edmonton où il espère travailler.

Il est 17h40 lorsque le train passe à Yarbo, en Saskatchewan, et que Vallée annonce le service du dîner.

À minuit, ce soir-là, alors que les wagons-lits sont endormis dans l'obscurité et que les préposés et conducteurs somnolent sur leurs petites banquettes, le Super-Continental rentre à Saskatoon, à 1 827 milles de Montréal.

11 mars 1976

4. L'OUEST SUR RAIL

Est-ce ainsi que les hommes voyagent?

C'est en plein milieu de la troisième nuit à bord du Super-Continental qu'on quitte la Saskatchewan pour entrer en Alberta. À 6h10, le matin du samedi 6 mars, après cinquante-sept heures de voyage et à 2 150 milles de Montréal, le train s'arrête à Edmonton.

Il a fallu reculer la montre d'une heure à Winnipeg et il faudra faire de même à Edmonton.

Sur le quai de la gare, Gerry Dumont, Paul Couturier et Michel Prud'homme s'éloignent en riant sans même regarder le train derrière eux. C'est l'avenir, l'aventure qu'ils aperçoivent devant sans le moindre regret. C'est la nouvelle génération du train transcanadien.

Jusqu'à 14h ce samedi, on sera en Alberta, avec des puits de pétrole et de gaz de chaque côté du train et un paysage qui rappelle un peu celui de l'Ontario, avec ses boisés. Cependant, dès 11h30, on aperçoit tout à coup des sommets neigeux, éblouissants: les Rocheuses.

Dans le wagon panoramique, les gens se bousculent presque. Des Japonais se ruent sur leurs caméras: nous sommes au pied des impressionnantes montagnes qui se dressent devant nous, avec leurs pics majestueux. Le train longe le lac Brûlé à l'entrée du parc national de Jasper.

«En somme, me dit le hideux bouffi qui se trouve devant moi, vous n'êtes rien d'autre qu'une grenouille.» (*You're nothing but a frog.*)

Il s'agit d'un être dont l'âge est difficile à déterminer et

dont les premières paroles à mon endroit ont été cette sin-
gulière remarque. Il ne regarde pas le paysage grandiose
qui se découvre mais me regarde fixement.

Cette chose-là doit être du sexe masculin. C'est circulaire, monté sur des petites pattes de pingouin. Une grosse
tête blanche, en lune, coiffe le tout. Sur la tête, à moitié
chauve, il y a des cheveux blonds tout raides, tout hirsutes, qui se dressent comme sur un porc-épic.

La famille des cétacés ne le renierait pas. Il ajoute:
«Non. Vous êtes le type même du Français, votre façon de
vous habiller, vos cheveux noirs; votre peau brune, ça fait
latin, ça fait voleur de femmes des autres, ça fait mal-
honnête.»

Alors là je trouve que le yéti blond, que la baleine des
Prairies en met trop. Je me prépare à lui signifier des choses pas gentilles lorsque Sylvain Gagné se pointe tout à
coup, «en pied de bas», comme il dit, avec son paquet de
tabac: «Ça commence à être de la montagne, mon homme,
déclare-t-il. As-tu vu comme les épinettes sont fines par
icitte?»

Il me raconte alors que c'est dans son pays, à Sainte-
Rose-du-Dégelis, tout près de Saint-Hubert de Témis-
couata, qu'on a coupé le fameux sapin de Noël que M.
Robert Bourassa a envoyé en France récemment.

On admire les Rocheuses, toutes blanches, défiant le
ciel bleu et le train s'arrête bientôt à Jasper. Plusieurs
voyageurs, dont l'abominable homme des Prairies, y descendent en même temps que Gagné.

Ce sera la seule fois de toute la traversée canadienne
qu'un passager ou toute autre personne aura été désagréable.

Les Rocheuses, ça ne se décrit pas vraiment. Il faut
voir. De midi on peut dire, jusqu'au coucher du soleil, on
y passe, lentement, en montant, avant de se remettre à
descendre toute la nuit vers le Pacifique.

Il y a des cascades bouillonnantes, des gorges qui cou-
pent le souffle et qui font penser aux pionniers du début du

siècle qui ont construit ce chemin de fer. On se demande, en voyant les sommets devant soi, où le train va passer. Or il n'y a presque pas de tunnels.

À Entwistle, on passe à cent quatre-vingt-douze pieds au-dessus de la rivière Pembina, sur le plus haut pont du trajet. C'est là, me raconte Yves Vallée, qu'il y a quelques années, un ingénieur du train en a profité pour mettre fin à ses jours. Il a arrêté le train sur le pont et s'est jeté dans la gorge.

Rares sont les habitations et villages. Partout, on voit des chèvres de montagne broutant les maigres pousses vertes sur les flancs des montagnes, et les deux Japonais du train sont en passe de manquer de pellicule tant tout cela est grandiose et sauvage.

À Yellowhead, on est à 3 717 pieds au-dessus du niveau de la mer et les monts Fitzwilliam, Henry et Robson s'élèvent de chaque côté du train qui passe lentement, comme exténué d'avoir grimpé jusqu'ici depuis le matin.

C'est là qu'on entre en Colombie-Britannique et que le convoi amorce sa descente le long de la rivière North Thompson qui se jettera dans le fleuve Fraser, à Lytton, à deux cents milles de Vancouver.

Nous sommes encore à cinq cents milles de Vancouver et le train mettra dix-sept heures à s'y rendre car la descente n'est pas plus rapide que la montée.

Très souvent, le Super-Continental est pris de secousses et les roues grincent sur la voie lorsque l'ingénieur applique les freins. La voie serpente et l'on notera, avant que le jour se couche, que la neige se fait plus rare et que les eaux de la North Thompson sont d'un beau vert limpide.

C'est dans ce décor que les voyageurs prennent leur dernier dîner à bord en se disant la hâte qu'ils ont maintenant de descendre.

Yves Vallée répète pour la énième fois qu'il réveillera les passagers à 6h, demain matin, étant donné que le train ne peut se rendre jusqu'à Vancouver à cause d'un pont arraché par une barge récemment. Le train ne peut en effet se rendre plus loin que Port Mann, à une vingtaine de milles de Vancouver.

Ce matin du dimanche 7 mars, l'air est doux et humide le long du Fraser. Le préposé des wagons-lits a déjà rangé les bagages sur la passerelle entre les deux wagons et il a ouvert le panneau de la portière pour respirer l'air du dehors.

Des goélands planent dans le matin alors que le Super-Continental glisse lentement dans la vaste cour de triage de Port Mann. Il s'immobilise enfin à côté de deux autobus qui attendent les voyageurs.

Il est 7h mais à l'heure de Montréal il est 10h. Le train a mis quatre-vingt-quatre heures pour faire ces 2 900 milles de Canada. Il repartira à 18h45 ce soir pour Montréal avec quelques touristes, des gens âgés et des jeunes désillusionnés par l'Ouest qui retournent chez eux aussi fauchés qu'au départ.

Il aura rendu néanmoins des services à plusieurs voyageurs qui l'utilisent sur de courtes distances dans ces contrées lointaines. Il aura apporté des colis, du courrier et surtout de la vie dans plusieurs petits villages des Rocheuses et d'ailleurs. Il aura montré à ceux qui ne pouvaient s'en faire une juste idée à quel point le Canada est étendu.

L'Orient-Express, le prestigieux train Paris-Istanbul, ne parcourait que 1 000 milles. Seul au monde actuellement, le Transsibérien, 7 000 milles en neuf jours, est plus long, en une seule liaison et en distance, que notre Super-Continental.

Ce dernier fait travailler 1 500 personnes le long de son parcours et il rassemble des citoyens qui ne se seraient jamais rencontrés et qui, autrement, n'auraient surtout jamais vécu une expérience aussi profondément humaine. Son avenir est hélas incertain. L'an dernier, le Super-Continental a accumulé un déficit de cinquante-six millions de dollars.

Les employés aident les derniers voyageurs à descendre: des vieux couples qu'on fait sauter sur le petit tabouret de bois rouge posé sur le sol, sous la marche du wagon. On regarde une dernière fois les fleurs artificielles roses placées dans les verres sur les tables de la voiture-restaurant tandis qu'en avant, les trois locomotives ont été décrochées et ont disparu.

Dans l'air de Vancouver, qui sent le poisson et la cuisine chinoise, les voyageurs se font des adieux brefs avant de se répandre dans la gare. C'est la toute fin d'un périple de trois jours et quatre nuits.

Pour Michel Drolet et Yves Larochelle, de Québec, il s'agit là d'un voyage très bref. Ils viennent de mettre pied à terre, sur les quais à charbon du port de Vancouver, où leur navire, le St. Lawrence Prospector, 29 000 tonneaux, a jeté les amarres. Ils étaient partis de Sept-Îles le 19 janvier. Bien qu'ils soient passés à Panama, ils ignorent totalement qu'il y a eu des tremblements de terre au Guatemala.

C'est aussi de cette façon que les hommes voyagent, se retrouvent et s'échangent les nouvelles de leur pays et d'ailleurs.

12 mars 1976

Miami Beach, quoi qu'on en dise

Il y a des Québécois, intellectuels surtout, très portés sur le «fait français», défenseurs aveugles de notre culture québécoise et généralement indépendantistes, qui vous regardent avec autant de considération qu'une mouche morte dans leur soupe dès lors que vous leur annoncez que vous revenez de Miami.

À la rigueur, ils admettraient les Antilles mais il vaudrait beaucoup mieux pour votre standing être de retour d'Agadir, de Djerba, des plages du Kenya ou encore de Rio de Janeiro. Méfiez-vous du Mexique: il ne passe plus, surtout Acapulco. Pourquoi? Parce que là aussi «c'est plein de Québécois!» Textuellement. C'est comme pour Old Orchard l'été. Ces beaux, ces grands Québécois, ces Québécois de bon goût, méprisent les lieux de repos assaillis par les Québécois. Ils se sauvent dans des endroits où l'argent leur permet de se retrouver entre Français, Scandinaves ou mieux, entre Anglais prenant le thé. Et s'ils entendent par malheur un accent québécois surgir des pourtours de la piscine, dans leur retraite marocaine ou tunisienne, ils font semblant de dormir.

D'abord cette attitude m'agace de la part de ces personnes qui vivent avec des Québécois et bien souvent grâce à des Québécois, mais qui ne peuvent en souffrir un à proximité lorsqu'il s'agit d'aller se faire rissoler l'épiderme au soleil étranger comme s'ils appartenaient à la lignée élisabéthaine. Deuxièmement, ce snobisme est très relatif. À Paris, par exemple, le touriste qui revient bronzé dans son bistrot du coin et qui annonce ses vacances en

Tunisie, au Maroc ou sur une île grecque, n'impressionne personne. C'est le petit forfait bon marché, pour tout le monde. Les Antilles françaises, c'est un peu mieux, les Antilles anglaises, c'est encore plus intéressant, le Mexique, ça commence à aller chercher dans l'exotisme rare. Seulement, Miami c'est le sommet. Les palaces roses et blancs, les Cadillac mauves ou jaunes, les Américains en vacances, l'Atlantique bleu et chaud, le rock et les voitures de police à sirène. Ça, c'est loin, c'est déroutant et exaltant pour un Européen. Comme quoi ce ne sont pas les lieux mais les gens qui s'y rendent qui portent en eux leurs préjugés.

Bref, j'arrive justement de Miami Beach comme l'un des trois millions de touristes qui y dépensent 1 millard$ par année; dans cette population venue de partout aux États-Unis, où les hispanophones, venus de Cuba et de Porto Rico surtout, sont plus nombreux que les Noirs, et où vivent plus de 40 000 Québécois qui, pour la plupart, s'ennuient mortellement du Québec dans leur quartier borné par les 70e et 90e Avenues, entre Dickens et Collins.

Bien sûr, il y a, par endroits, des effluves de frites sur la plage, des cinémas porno, des spectacles burlesques, des Québécois qui se crient «ti-cul» en pleine rue et qui achètent des «souvenirs» dans des boutiques largement approvisionnées à Taiwan; il y a des «jungles» de perroquets, de singes, de serpents et autres attractions plus ou moins douteuses. Et le dimanche, il y a tellement d'aéronefs dans le ciel que le soleil ne passe plus; c'est une journée nuageuse. En plus des Boeing, Douglas, Lockheed et autres avions de ligne qui viennent déverser leurs flots de chair blanche à Miami, il y a les avions qui remorquent des banderoles publicitaires, le dirigeable de Good Year, les hélicoptères de la police, les avions de la garde côtière américaine toujours à l'affût d'un navire soviétique dans les parages sans doute, les patrouilles volantes, les avions privés, les cerfs-volants. C'est un spectacle aérien continuel, vrombissant, étourdissant.

Mais il y a aussi à Miami, par exemple, le Musée d'art Bass où l'on peut admirer, entre autres, des toiles de Botticelli, Rubens, Renoir, Gainsborough, Van Gogh, El Greco et, plus près de nous, Modigliani, Guillaumin, Rouault et Picasso. Au théâtre Zero, Mostel donnait son «Fiddler on the Roof» au moment où je m'y trouvais. Il y avait quelques bons films à l'affiche en plus des bonnes attractions comme le «Seaquarium» ou le Planetarium.

Mais ce n'est pas tellement là encore que je vois l'intérêt de cette ville. Car c'est une ville où on peut trouver ce que l'on veut. Miami, c'est certainement, en plus du soleil et de la mer, une occasion d'aller dans le sud à bon marché. On peut s'organiser une petite vie tranquille à Miami, sans dépendre de qui que ce soit, comme c'est souvent le cas dans les îles où les hôtels se trouvent loin de tout. Et puis, si on en a marre, il y a des avions qui partent au moins toutes les heures vers le pôle Nord. Si quelqu'un tombe malade, il y a des hôpitaux et des médecins à profusion; il y a les nouvelles à la TV, on peut acheter les journaux à portée de main, que ce soit le *Miami Herald*, le *New York Times* ou le *Journal de Montréal*. Le téléphone fonctionne, contrairement à d'autres pays qu'on ne nommera pas, et bien qu'il n'y ait rien vraiment de dépaysant, on peut y séjourner avec plaisir.

L'ennui peut-être avec la Floride c'est le climat un peu capricieux, moins stable que dans les Antilles et plus frais. Les plages aussi, à Miami Beach, ne sont pas tellement engageantes et l'eau n'est ni trop propre ni trop chaude.

Mais normalement, on s'étend aux abords des piscines, on a toujours un Québécois pas loin pour parler d'élections et de mauvais temps, on lit les journaux, on écoute les nouvelles CBS à la télé, on achète des oranges, et le soir, on découvre un nouveau restaurant ou une nouvelle boîte avec de nouveaux amis.

Je ne vois rien là de méprisable ou de plus insignifiant que de bouffer des croissants pas frais le matin et le même couscous tous les soirs au même restaurant du même hôtel,

après avoir distribué toute la journée des dinars aux enfants pauvres sur fond de cris gutturaux allemands ou
scandinaves de touristes blonds buvant de la bière au bord
de la piscine mauresque.

23 décembre 1976

Un 5 à 7 au Poodle Room

Pareil à une grosse émeraude provocante entre l'océan et la rue Collins, l'hôtel Fontainebleau de Miami Beach, joyau de l'hôtellerie non seulement floridienne mais américaine au début des années 50, est devenu un lieu de rapatriement des nostalgiques qui ont décrépi au même rythme que les murs du palace mais qui y reviennent comme des survivants, dans l'espoir secret d'y revivre quelque moment glorieux.

C'est par curiosité que je m'y suis pointé le mois dernier, et plus particulièrement au Poodle Room du Fontainebleau, une sorte d'immense salle circulaire, éclairée faiblement par des lustres et au milieu de laquelle serpente un bar en forme de rein où s'affairent machinalement d'anciens barmans alcooliques devant une clientèle qui ferait les délices de n'importe quel gérontologue.

Le Poodle Room, entre 17h et 19h surtout, c'est tout un spectacle, triste peut-être mais rare, émouvant, à la fois grotesque et profond. Les protagonistes, c'est-à-dire les clients, sont des vieillards; ils pourraient être sympathiques, paisibles, sages et heureux mais ceux-là n'ont pas accepté leur âge. Ils luttent opiniâtrement contre leur vieillesse; ils se maquillent, se camouflent, évitent les miroirs, demandent de l'éclairage faible, seraient partant pour un récital d'Elvis Presley pour mieux se replonger dans l'atmosphère d'il y a vingt ans où ils faisaient étinceler leur fortune à l'avant-garde du luxe américain.

Les hommes, habillés de noir, portant le nœud papillon, promènent des yeux bouffis et glaireux sur l'assistance en se tenant debout, le plus souvent aux côtés de leurs ancestrales compagnes.

Ils ne se disent plus grand-chose, sirotent leurs cock-tails, et sourient en regardant partout comme s'ils allaient trouver du neuf, de l'inattendu, ne serait-ce qu'un nouveau barman plus jeune que les autres.

Les dames aussi font l'inventaire de l'assistance en dis-tribuant des «darling» et des «honey» à tout le monde tan-dis qu'un Cubain exilé chante des tangos et des sambas en sourdine au bout de la salle, sur fond de tapisserie qui se décolle.

La grosse, assise non loin de moi, en ce soir de décem-bre, mérite tout de suite un accessit en camouflage. Ses mains, semblables à des escalopes oubliées au soleil, sont tellement couvertes de bagues qu'il faut mettre un certain temps et une attention soutenue pour voir les ravages de l'eczéma. Le cou est prudemment enveloppé d'un col de fourrure sur lequel tombe une chevelure blond platine. Il faut le faire: s'afficher en blond platine quand on a dépassé les trois quarts de siècle, c'est un défi de taille. Mais elle est là, fidèle au Poodle Room, même si, depuis une lointaine époque, elle n'a certes pas eu de choses croustillantes à raconter à son rabbin au confessionnal de la synagogue du quartier.

Une autre, à proximité, n'en lutte pas moins contre l'outrage des ans en s'accrochant à son verre comme à une bouée de sauvetage, sous les yeux impuissants des autres naufragés. Toute petite, ratatinée, les joues en forme de trous, les bras squelettiques, les épaules s'affaissant comme des ailes fermées d'oiselet blessé. Avec ce qui doit lui rester de foie, avec ses souvenirs de poumons et son cœur de poulet, c'est son médecin qui doit bien se demander par quel miracle sa cliente vit encore.

Cette chose-là est le repaire de la tumeur maligne, des métastases en chaîne, du sarcome pernicieux. Elle est le lieu des dédoublements cytologiques, la plaque tournante de la leucoplasie: c'est la femme-cancer. Mais elle est là, elle aussi, avec des faux cils noirs, régnant dans le Poodle Room, nous contemplant du haut de son siècle, à tel point que la voilà qui me fait de l'œil et me sourit. C'est le choc. Un cancer me lorgne, me regarde et m'appelle!

En pareils moments, on fixe désespérément le sol, on examine attentivement le bout de sa chaussure, on évite à tout prix de lever les yeux, on se concentre en relisant attentivement tout ce qu'il y a d'écrit sur son paquet de cigarettes. Et puis, regard furtif mais prudent vers la blonde «lady». Elle n'est plus là. Se serait-elle désagrégée sur place? Son organisme a-t-il décidé de prendre tout de suite la forme qui lui sied? Est-elle dans le cendrier? Que non! Elle danse.

Le cancer-dansant. Aux bras d'un vieux hibou noir parmi les autres danseurs centenaires qui minaudent sur la piste et gesticulent maladroitement.

Vous me direz que j'exagère mais en tout cas, le Poodle Room, il est à ne pas manquer, ne serait-ce que pour se rassurer sur sa propre personne et se jurer qu'on vieillira décemment, comme il se doit, avec le présent, c'est-à-dire avec franchise et non pas sous le faux cil, la perruque platine et l'émeraude, et en évitant tous les Poodle Room.

Mais concluons aussi que Miami, à part les nombreux spectacles sans surprise qu'il nous réserve, n'est pas exempt de ces originalités qui, quoique bouleversantes, n'en sont pas moins gratuites.

13 janvier 1977

Un paradis sous-marin en Floride

Dans le Sud, toutes les boutiques de souvenirs proposent des étalages abondants de coquillages: des petits, des gros, des blancs, des roses, qui font entendre le bruit de la mer et qui finissent souvent leur carrière sous forme de cendriers.

Ils sont ramassés dans la mer par toutes sortes de plongeurs qui fouillent les récifs de corail et ramènent aux boutiques leurs récoltes.

Mais en Floride, les coquillages exposés en vitrine sont importés des Antilles et même du Pacifique parce que les autorités de l'État de Floride protègent la faune et la flore aquatiques.

Ainsi, le principal banc de corail floridien qui se trouve au large de Key Largo, à une cinquantaine de milles au sud de Miami, est un parc national baptisé au nom du chroniqueur du *Miami Herald*, M. Ed. Pennekamp, qui a fait campagne pour faire de cette zone sous-marine un paradis de la photographie et de la plongée mais où il est strictement défendu de pêcher au harpon et de ramasser des coquillages.

C'est là, à l'entrée du Pennekamp Park, à Key Largo, que Bill Crawford, ancien plongeur de la Marine américaine, spécialiste et instructeur de plongée, a ses quartiers généraux sous le nom de Tropic Isle Dive Shop.

Le plus étonnant chez Bill Crawford, c'est son physique. Moi, en tout cas, ça m'a frappé énormément. Voilà un homme un peu trapu, qui marche en sautillant légèrement, qui a des grosses lunettes circulaires sur une face toute ronde, fendue d'une extrémité à l'autre par une grande bouche. Qu'on le veuille ou non, ce gars-là ressemble à une grenouille. Il y a quelque chose du batracien chez ce sympathique garçon. Bref, c'est l'homme-grenouille parfait, complet, dans toute l'acception du terme.

Quand on le voit scruter l'onde verte sur son bateau de quarante-huit pieds de long, se pencher pour voir le fond en agitant les bras, chaussé de ses «pattes de grenouille», prêt à disparaître à la brasse sous la surface, on se trouve bête de n'avoir jamais cru à la réincarnation. Dans sa vie antérieure, cet homme-là était grenouille, c'est couru.

Mais dans cette étendue de plus de cent milles carrés où les hauts-fonds ont été le lieu de plusieurs naufrages mais où l'eau est si claire qu'on voit le fond à plus de douze pieds de profondeur, il y a environ six cents variétés de poissons et quarante sortes de coraux. Il y a une statue, le Christ de l'abysse, déposée dans les profondeurs en 1965 par l'Italien Egidio Cressi, manufacturier d'équipement de plongée sous-marine. Il y a des épaves dont certaines recèlent des pièces de monnaie anciennes et autres trésors. Bill Crawford connaît tous ces endroits et dirige son bateau, complètement équipé pour la plongée, là où ses clients le désirent, sans utiliser en apparence le moindre point de repère.

Pour l'amateur de plongée, l'endroit est excellent parce que riche en beautés sous-marines. Ce n'est pas loin de Miami, donc facilement accessible, et la température de l'eau n'interdit jamais de pratiquer ce sport. Au surplus, le vent, sauf exception, n'est jamais trop fort et les requins ne sont pas fréquents. Il y a bien un requin marteau que Bill a baptisé José et qui se prélasse constamment dans le «parc» mais il ne se préoccupe aucunement des plongeurs. Moi, pour tout dire, je suis du genre méfiant côté requins et c'est José qui a restreint considérablement mes ambitions de m'éloigner du bateau.

Il est entendu que pour pratiquer la plongée à cet endroit, comme partout ailleurs aux États-Unis, il faut détenir un permis d'une organisation reconnue. Sinon Bill donne un cours de cinq jours et octroie le permis international pour une somme d'environ 100$.

On peut aussi faire simplement de la plongée de surface (scuba) en louant l'équipement et en profitant des excursions à bord du «Good Time Charlie», le bateau de Bill, homme-grenouille de profession et de naissance qui organise, enfin, des excursions nocturnes de plongée sous-marine.

Voilà un endroit, en tout cas, où le plongeur, qu'il soit amateur ou expérimenté, est certain de trouver de la compétence, c'est-à-dire de la prudence et de l'équipement complet, dont un appareil pour vérifier l'étanchéité des réservoirs d'air sous haute pression.

Un paradis sous-marin qui devrait servir d'exemple de conservation à plusieurs gouvernements des Caraïbes qui ne se soucient pas de voir leurs poissons tropicaux se faire transpercer de harpons et de fléchettes et dont les espaces sous-marins se dépouillent dangereusement du magnifique corail.

20 janvier 1977

Au soleil des Bahamas

Étant donné que l'eau chaude et verte bordée de sable blanc n'a jamais existé, n'existe pas et n'existera jamais chez nous, il n'est pas utile de s'emballer à la première fonte des neiges et de congédier à jamais de son esprit les destinations tropicales.

À cette époque où l'on risque encore grandement la tempête de neige (communément appelée «la tempête de Pâques»), il n'y a rien de saugrenu à aller passer une petite semaine ou une quinzaine dans le Sud.

La Floride a fait beaucoup parler d'elle cet hiver. D'abord parce qu'il a neigé à Miami mais aussi parce que les esprits snobinards se sont acharnés plus que jamais à dire combien cet endroit était vulgaire, notamment à cause de la présence de Québécois. J'ai eu l'occasion de dire ce que je pensais de cette attitude et j'ai fait valoir pour ma part d'autres aspects de la vie floridienne dont la vie culturelle, les prix abordables, la plongée sous-marine et les étranges 5 à 7 au Poodle Room du Fontainebleau.

Bref, laissons la Floride se reposer de tout cela et songeons aux Bahamas puisqu'il s'agit de sable blanc, de mer verte et chaude et de soleil.

Mon récent voyage à Freeport et à Nassau m'amène d'abord à faire la remarque générale qui s'applique aux Antilles et à toute autre ancienne, nouvelle ou future colonie britannique ou américaine. Il faut y éviter trois choses: manger, visiter et faire du shopping.

Ici et là, avec un peu de chance, arrive-t-on à trouver un steak qui, quoique trop cuit, réussit à ne pas être exagérément rébarbatif. Il y a aussi le classique «poisson local», dont on n'arrive pas à connaître avec précision les origines puisque son nom et sa forme diffèrent selon les îles et que je soupçonne fort d'arriver tout droit des aquariums d'élevage du Japon. J'ajoute qu'aux Bahamas en particulier, et surtout à Freeport, sur l'île Grand Bahama, il faut s'enlever de la tête toute idée de boire du vin. Ça crée d'inutiles remous dans les cuisines locales, ça amène des discussions, des pourparlers, des négociations, des conciliabules parmi le personnel et ça se termine fatalement par une bouteille de Taylor rouge glacée, importée des grands vignobles de New York.

Non, pourquoi ne pas saisir l'occasion de perdre quelques kilos en mangeant des oranges, des noix et du fromage et en buvant beaucoup d'eau?

Deuxièmement, il faut éviter de visiter parce que, simplement, il n'y a rien à voir. Nassau peut-être, parce que cette vieille ville anglaise est plantée au milieu d'un véritable jardin, l'île de New Providence où, aux abords des verdoyants terrains de golf, il n'est pas encore trop rare de voir des jeunes gens blonds jouer au tennis sous l'œil admiratif des «mothers» en train de prendre le thé sous ombrelle. Mais, en dehors de vagues poupées autochtones dangereusement semblables à celles qui nous arrivent de Corée et des paniers de paille tressée, ce n'est pas dans les boutiques de Bay Street à Nassau qu'on atteindra la limite de la résistance à la tentation. Donc, pas de shopping.

Les Bahamas ont une vocation restreinte: la mer et le soleil. Par conséquent, il s'agit de ne pas trop chercher autre chose. Ces sept cents îles, formant un arc de sept cents milles dans l'Atlantique, depuis la proche côte de la Floride en descendant vers le Sud, sont un paradis pour le tennis, le golf, la voile, la plongée, la natation et le populaire bain de soleil sur la plage.

Ce dernier, du reste, n'est pas si banal qu'on le croit. Par exemple, il permet d'assister à des épreuves de courage extraordinaire. Des dames, le nez couvert d'une sorte de masque blanc, munies de bouteilles d'huiles variées, le corps enduit de produits à «filtre solaire», bravent à l'horizontale les rayons ardents du soleil. C'est le rissolage en règle avec manœuvres délicates pour détacher la partie nord du bikini sans perdre le contrôle et le soir, c'est souvent l'évanouissement dû à l'insolation, le repos du guerrier des sables, l'heure Noxzema avant celle de la peau qui cloque et qui pèle dans les atroces douleurs de la brûlure.

Mais tous n'ont pas la même ténacité et ceux-là fuient dans les retranchements arrière, sous des cocotiers déformés par le vent, sous des parasols en quête de clients ou encore sous les auvents des bars de plage.

C'est dans ces olympiades du soleil qu'on assiste à des transformations de personnalités. Je prends pour exemple cet homme d'une soixantaine d'années, fraîchement débarqué sur le champ de bataille, la peau couleur de cercueil d'enfant et qui venait de s'installer sur une chaise longue, non loin de moi, avec sa femme, sur la plage du Holiday Inn à Freeport. Un Américain, mâchouillant un cigare, regardant toujours l'heure à sa grosse montre, par habitude, parlant sèchement à sa femme et tentant de lire une revue d'affaires. Malgré son dénuement vestimentaire, son allure grotesque et le contexte général, il faisait toujours penser à l'homme d'affaires qu'il devait sûrement être. Rigide, important, puissant peut-être. C'est tout juste si, par habitude, il ne décrochait pas instinctivement un téléphone imaginaire à côté de sa chaise longue.

Mais le soleil travaillait vilain. L'homme devenait mou, abandonnait sa lecture et commençait à se passer très souvent la main sur le crâne dégarni. C'est là que sa dame a pris les choses en main. Elle a sorti de son sac une sorte de fichu rouge dont elle a coiffé son mari, ce dernier se couvrant les épaules d'une serviette rayée jaune et noir; et le couple, se sentant incapable de résister passivement à l'attaque solaire, s'est mis à marcher le long de la mer.

En moins d'une heure, cet homme, probablement président de quelque firme importante, faisant trembler les

secrétaires et les subalternes dans ses gratte-ciel, ressemblait à s'y méprendre à une grosse paysanne ukrainienne
sur le point d'être attaquée par un bourdon géant. C'est
curieux comme les hommes changent, en maillot sous les
rayons de soleil. Voilà en tout cas des scènes qui ne coûtent pas cher et qui apportent énormément de satisfaction.

Aux Bahamas comme plus loin aux Antilles anglaises,
la musique nocturne dans les boîtes est particulièrement
bonne et la danse constitue de ce fait une activité non
négligeable. Pour ceux qui veulent dépenser dans les casi-
nos ou qui veulent louer des voiliers ou s'adonner à la
pêche ou à la plongée, il est évident que les Bahamas n'ont
rien à envier à personne. Mais ce qui différencie ces îles,
finalement, c'est leur proximité par rapport à nous. À
vingt minutes de vol de Miami, Nassau et Freeport nous
offrent encore à meilleur compte ce que la Jamaïque, la
Barbade et Trinidad nous proposent à des centaines de
milles plus au sud, soit la mer verte et chaude et le sable
blanc.

24 mars 1977

Premier dépaysement finlandais: la langue

À mesure que l'avion descend sur Helsinki, on se demande s'il n'y a pas erreur. C'est un paysage de conifères, de lacs bordés de petits chalets, de routes sinueuses, avec des terres en culture derrière les villages dans leurs teintes de vert et ocre.

Bref, c'est Saint-Calixte, Saint-Alphonse, l'approche typique de Mirabel. Le pilote de Finnair nous a-t-il joué un tour? S'est-il permis, durant les sept heures de vol, de faire un grand cercle pour revenir au Québec?

Non, car tout au fond, au sud, il y a la mer, les fjords brumeux du matin qui disparaissent maintenant derrière quelque basse colline, juste avant l'atterrissage.

Mais une fois au sol, plus d'erreur possible. S'il y a eu lacune côté dépaysement du haut des airs, il faut se rendre à l'évidence une fois les pieds dans l'aérogare. Non pas qu'il y ait là rien de tellement différent de ce qu'on trouve dans n'importe quel petit aéroport moderne de chez nous, avec de larges baies vitrées, beaucoup de bois verni, du mobilier moderne et ce petit air frais qui rappelle notre situation septentrionale.

C'est la langue! Alors là, grosse déroute, l'envers du monde, le choc. Quand on lit sur les cabines téléphoniques le mot «puehlin», qui signifie «téléphone», quand on se rend compte, au comptoir de change, que ce mot s'écrit «valuutanvaihto», quand, à l'entrée du restaurant, c'est écrit en toutes lettres «ravintola» (restaurant) et lorsque, ébaubi, on constate que l'aéroport se dit «lentokentta» et que le terminus d'autobus s'épèle «kaupunkitoimisto», on lâche sec. On ne veut plus.

Le mot «barrière de langue» fait rire. C'est ici un mur de béton armé. Cherchez un point commun, un repère quelconque, une base, si fragile soit-elle, pour comprendre ne serait-ce qu'un mot de cette langue finnoise et vous êtes cuit net. Il n'y en a pas.

N'oublions pas que les Finlandais ont réussi, contrairement à tous les autres pays du monde, à appeler un tramway: «ratiovaunu». Alors.

Alors on descend à l'hôtel. Un magnifique emplacement au bord d'une baie, légèrement en banlieue d'Helsinki. De l'air pur, du silence, de la propreté nous envahissent. Seulement il y a encore un problème. L'hôtel a été baptisé «Kalastajatorppa». Ce qui fait que le gars qui s'engouffre en hâte dans un taxi pour explorer la ville ne peut plus en revenir car il ignore le nom de son hôtel et mettra, dans les meilleurs cas, trois jours avant de pouvoir le prononcer dans les formes.

Ça c'est le premier dépaysement. On conviendra qu'il est de taille mais heureusement, empressons-nous de dire que l'anglais est très répandu. Les chauffeurs de taxi ne parlent pas anglais en général (vous pouvez vous rattraper avec le suédois) mais comme on n'a rien à leur dire, ça va. Dans les grands magasins et même les petits, dans les hôtels, les restaurants, les boutiques, il n'y a aucun problème.

Les gens, d'un naturel très réservé, même timide, parlent lentement et ils aiment parler anglais. Ça les change de leur étrange langue; ils prennent une vacance de «k» en même temps et ça leur plaît.

D'ailleurs cette langue d'origine finno-hongroise, mais qui a été mise au point par un homme d'État du début du siècle, finit vite par constituer une distraction. On s'amuse malgré divers inconvénients. Ainsi le compagnon qui me dit, en parlant d'une rue aux belles boutiques près du magasin Stokeman: «C'est facile à trouver, le nom finit par "katu".» Oui mais les noms de toutes les rues finlandaises finissent par «katu», qui signifie «rue».

En tout cas, l'esprit d'indépendance de ce peuple courageux de 4,6 millions d'habitants, ayant successivement appartenu à la Russie et à la Suède, se manifeste par cette langue qui ne ressemble à rien mais qui les identifie pleinement. Bravo. Quand le petit déjeuner est le «kahviaamiainen», que la bière est «olut», que le rôti de bœuf est simplement du «häränpaisti» et que l'addition en fin de programme est le «lasku», on a droit à son indépendance et pour longtemps.

Mais la Finlande, en gros, c'est plus que ça. C'est le cinquième plus grand pays d'Europe, la dernière réserve de vie sauvage de l'Europe occidentale, équivalent à peu près au Québec habitable et habité mais développé selon la loi de l'architecture — l'un des arts les plus populaires en Finlande —, de l'environnement et de la qualité de vie. Pays riche dont le niveau de vie est supérieur au nôtre, c'est le royaume de la propreté, du sport, de la vie de plein air. Comme ambiance, ça fait un peu froid mais on comprend tout de suite pourquoi la Finlande obtient depuis toujours le plus grand nombre de médailles d'or aux Jeux olympiques que tout autre pays, compte tenu de sa population.

Quand on songe qu'à Helsinki, ville de 500 000 habitants et capitale de la Finlande, il y a plus de bateaux de plaisance (surtout des voiliers) que d'automobiles, quand on sait qu'en Finlande, il y a plus d'un million de saunas, soit un pour quatre habitants, que la plupart des routes sont bordées de pistes cyclables et que la loi interdit de construire sur plus de 40% d'une superficie municipale donnée, laissant le reste aux espaces verts et aux terrains de jeu, il y a de quoi trouver des bons côtés aux harengs saurs ou aux steaks trop cuits qui sévissent sur toutes les tables en l'absence regrettée de tout vin passable. Je ne veux pas dire qu'on mange nécessairement mal en Finlande mais enfin, il faut quand même s'enlever de l'idée — et vite — toute ressemblance possible avec les tables françaises, italiennes, montréalaises et même londoniennes.

De la Finlande, je dirais que ce n'est pas exactement l'entrée idéale en Europe pour quelqu'un qui n'a jamais visité l'Europe et qui préférera s'envoyer une ou deux grandes capitales en guise d'introduction.

Mais pour ceux qui cherchent du neuf européen, c'est bon. On peut se répandre dans les forêts finlandaises où on offre des gîtes confortables dans des chalets ou des auberges toujours très modernes. On se repose en Finlande. Il y a 30 000 îles le long des côtes du golfe de Botnie ou du golfe de Finlande où l'on peut louer aussi des chalets isolés.

L'industrie touristique de ce petit pays collé à l'URSS se développe à un rythme extrêmement rapide et les bureaux de tourisme finlandais ne demandent pas mieux que de préparer des itinéraires intéressants et d'offrir les possibilités insoupçonnées qu'ils réservent aux touristes, y compris les croisières vers Leningrad ou vers Stockholm à bord de navires modernes et luxueux.

J'ai personnellement beaucoup aimé prendre le «lentokone» (avion) pour me rendre en Suomi (Finlande).

23 juin 1977

Du sauna au lac gelé...

L a perspective de me plonger dans un lac mi-gelé en sortant d'un sauna à cent degrés Celsius me paraissait aussi engageante que celle de traverser le désert de Gobi à dos de mulet en compagnie de Mme Golda Meir.

Vous me direz que le mulet est une bête gentille et d'un commerce plutôt agréable, mais quand même.

Mais comme quatre jeunes filles venaient justement d'accomplir cette étrange routine finlandaise, il n'était pas question que les hommes se dégonflent bêtement au bord de ce lac désert, couvert d'une mince couche de glace, dans la banlieue nord de Rovaniemi, capitale de la Laponie, située sur le 70e parallèle, c'est-à-dire par où passe le cercle polaire.

Le corps fumant, je marchais donc sur le quai de bois vers ce que je pensais être certainement l'embolie instantanée, l'arrêt cardiaque, la polarisation de l'aorte avec congélation subséquente du nerf médian.

Mais non, on ne sent pas le froid. On descend par l'échelle dans le trou pratiqué à même la glace et c'est moins saisissant que la plongée ordinaire dans une piscine normale. Il ne s'agit pas cependant d'y rester longtemps, histoire de prendre un refroidissement. En somme on est comme la pomme-vapeur trempée dans l'eau froide l'espace d'une seconde. La chaleur interne persiste. Je n'ai pas senti le grand bienfait qu'on attribue à cette discipline mais je suis content de l'avoir fait, ne serait-ce que pour l'expérience.

Bon. Eh bien, c'est ainsi que nous nous sommes familiarisés avec la Laponie en ce mardi 24 mai, non sans avoir goûté au lait de renne aimablement offert par une Lapone en costume traditionnel qui nous jetait de la glace concassée dans le dos, à l'intérieur de la chemise, en guise d'initiation à notre entrée de plain-pied dans le cercle polaire. Bien que l'été ait lieu dans ce secteur un après-midi de juin ordinairement, il ne faisait pas très froid et il faisait jour. Cela veut dire beaucoup. En Laponie, lorsqu'un juge d'instruction, après avoir demandé à l'accusé ce qu'il faisait au cours de la nuit du 11 septembre au 3 mai, le condamne à trois jours et trois nuits de prison, c'est une sentence sévère. Car la nuit est longue par là et la journée dure 720 heures approximativement. Ça bronze égal aussi car le soleil n'est jamais au zénith. Il ne tourne pas au-dessus de vous mais autour. Le matin, il est à l'est puis il passe au sud, à l'ouest et revient à l'est et ainsi de suite sans jamais se coucher. Mais il est à peine au-dessus de l'horizon. C'est une aube perpétuelle sauf quand vient la nuit où il disparaît carrément de l'horizon pour quelques mois.

À cette latitude, au Canada, il n'y a pas de vie possible, c'est la glace à perte de vue. En Finlande, c'est habité, c'est carrossable, c'est sportif, c'est accueillant et c'est touristique. Ce sont des belles forêts de conifères, des plateaux rocheux, de grands espaces parsemés de lacs et où on fait l'élevage du renne, de la culture maraîchère, des tapis brodés, de l'industrie minière et du sport.

Certes, les gardiens de nuit passent pour des paresseux et les vendeurs d'huile à bronzer vivent maigre, mais nous sommes dans un environnement protégé, sauvage, et où on aime se reposer et jouir de cet air frais tellement chargé d'oxygène qu'il faut le respirer presque à la paille pour ne pas être en délicatesse avec ses poumons résignés à l'anhydride sulfureux des villes.

La Laponie est la plus grande des douze provinces de la Finlande. Il n'y a pas de parlements provinciaux et les provinces ne sont que des départements représentés au parlement finlandais par un gouverneur nommé à vie. Il y a 400 000 habitants en Laponie, dont 3 500 Lapons pure laine. Ces derniers néanmoins, comme nos Indiens, ont été les premiers habitants du pays. Ils ont été refoulés au nord par les Finnois aux cheveux blonds mais ils ont les mêmes droits que tous les autres citoyens de Finlande et on commence à ouvrir des écoles de langue lapone dans leur territoire.

La Laponie offre présentement plus de 10 000 chambres d'hôtel ou de motel, la plupart près des pentes de ski aménagées et bien équipées. Et les hôtels finlandais sont presque tous neufs et très confortables tout en étant peu coûteux.

Mais pour les excursionnistes et amateurs de grande nature, la Laponie propose non seulement des sentiers innombrables à travers la forêt mais des chalets sur le bord des lacs où on peut s'installer pour la nuit gratuitement, à la condition seulement de remplacer les bûches qu'on a fait brûler dans le foyer et de laisser l'endroit propre pour les prochains visiteurs. Tout le territoire est propriété publique et à la disposition des gens. Or, comme il y a beaucoup d'espace et peu de personnes, voilà de quoi ne pas se marcher sur les pieds. Hiver comme été, il y a des activités et les restaurants, les bars et les discothèques de Rovaniemi sont toujours ouverts pour ceux qui en ont marre de la solitude.

En tout cas, la Laponie devrait faire partie d'un itinéraire de voyage dans ce pays paisible et grandiose qu'est la Finlande. À quatre-vingt-dix minutes par avion de Helsinki, Rovaniemi se trouve sur l'important réseau routier qui sillonne tout le pays jusqu'au pôle. Quant au bain glacé, pas de problème, il ne fait qu'aiguiser l'appétit.

30 juin 1977

Barrière de langue sous les tropiques

On l'a déjà dit, le cri québécois, à l'étranger, frappe plus durement l'oreille compatriote que tout autre puisqu'il est compris.

Aux abords d'une piscine d'hôtel, comme c'était mon cas récemment à la Martinique, on ne porte guère attention aux interpellations de l'Allemand blond, en convalescence d'insolation, muni d'une bière froide sous parasol et dirigeant à distance les opérations de ses enfants tapageurs.

Pas plus du reste qu'on ne se formalise de la conversation, pourtant animée, de la grosse Italienne soumise à la rigueur du soleil, malmenant par son poids les bandes de vinyle de sa chaise longue.

Personne ne soulève davantage la tête aux propos réjouis du Britannique en bermuda dont l'épouse vient de marcher sur un oursin.

Mais qu'une personne prononce dans la rumeur générale une phrase comme: «M'as t'gager cinq piasses que les nègues pognent des coups de soleil par icitte!» (textuel) et c'est la panique à bord de la francophonie environnante.

Les Français sourient sans trop savoir et ils ne détestent pas, mais les autres Québécois, soucieux de discrétion et d'internationalisme, s'en trouvent mal à l'aise. Et puis c'est la réponse: «J'sais pas si i pognent des coups de soleil mais i pognent avec les femmes en cibouère.»

On trouve ce dialogue trop bruyant, trop cru; on souhaiterait un ton plus sourd tout au moins et pourtant, ces Québécois ne parlent pas plus fort que les autres. Le «joual» n'est que plus sonore pour celui qui le comprend.

Or, il est impossible d'y échapper dans les Antilles françaises puisque 25% des touristes qui fréquentent ces îles sont des Québécois et qu'il y a concentration de monde forcément, étant donné le nombre relativement restreint d'hôtels.

À Paris, le Québécois vit son drame, c'est-à-dire rien d'autre que la barrière de langage, isolément. Personne n'assiste à sa déconvenue lorsqu'il dit au vendeur de la Samaritaine, en essayant une veste, qu'il n'aime pas le *patron* (pattern), ce à quoi le vendeur répond qu'il le déteste également mais que cela n'a rien à voir avec la veste. Ou encore lorsqu'il dit au chauffeur de taxi parisien de «garder la balance» pour se faire répondre: «Qu'est-ce que vous voulez que je fasse avec une balance?»

Mais en Guadeloupe ou en Martinique, ces difficultés sont pour ainsi dire publiques. On assiste à cette lutte de tous les instants, dont les premières manifestations se présentent au petit déjeuner où les Québécois demandent des «œufs retournés et des rôties», bouleversant ainsi des coutumes séculaires parmi les populations qui ne sont pas partantes pour servir du rôti de bœuf ou de porc le matin et pour qui le retournement de l'œuf demeure un mystère.

Au bout de quelques jours, il y a résignation dans la communauté québécoise, comme chez cette brave dame qui, après avoir mangé en silence son croissant aux confitures, déclara: «Moé, la première chose que je fais en arrivant à Monrial, c'est des vrais œufs avec du vrai béquine (bacon).»

Et puis, comme on se trouve en zone tropicale, les Québécois se font «griller» plutôt que bronzer, risquant ainsi de se faire passer pour des feux rouges. C'est l'embêtant du français modifié. L'Américain, pas drôle, demande, exige, vitupère en anglais en parlant de cheeseburger, de ketchup, de dry Martini et tout le monde se précipite à son secours et à son service sans chercher à comprendre ses étranges manies. Le Québécois est plus surprenant puisqu'en principe, il parle français et devrait avoir des coutumes moins américaines ou anglaises.

C'est un problème. Ainsi ce jeune homme qui venait de s'entailler légèrement le pied et qui s'adressait à la boutique-pharmacie de l'hôtel pour avoir un «plaster». L'Américain aurait carrément montré son pied et il aurait eu ce qu'il désire. Mais le Québécois, lui, parle français. Après cette première tentative, le blessé passa donc à «diachylon», ce qui ne fut pas plus fructueux, puis il s'agrippa à son ultime bouée de sauvetage: «Band-Aid», qui laissa aussi perplexe la vendeuse. Il exhiba donc finalement l'objet de sa visite et la jeune fille lui donna tout de suite un sparadrap. «Il fallait le dire», se crut-elle obligée d'ajouter.

Et puis, pris d'une légitime envie de mâcher et comme si son cas n'était déjà pas assez sérieux, le brave garçon déclara: «M'as prendre un paquet de gomme avec», laissant ébaubie la fille désormais convaincue d'un trouble majeur dans les zones cérébrales de son client, d'autant plus que l'amie de celui-ci, accourue sur les lieux, commençait à confier que sa «brassière» lui faisait mal à son coup de soleil.

Bref, du langage qui, contrairement à ses usagers, ne franchit pas les frontières. Les populations guadeloupéennes et martiniquaises, lorsqu'elles ne veulent pas être comprises des étrangers, utilisent le créole et passent au français lorsque nécessaire. Mais le Québécois, quoique bilingue, ne jouit pas de ce double outil linguistique. Son malheur est de ne pas penser qu'il s'engage carrément dans l'inédit linguistique lorsqu'il «met ses claques pour marcher à pied quand il mouille».

Tout cela n'a rien de grave et ce n'est qu'un spectacle spécial réservé à ceux qui connaissent le français parlé au Québec et qui se trouvent dans ces Antilles françaises où, empressons-nous de le dire, les Québécois sont bien vus et appréciés.

Tous ceux qui sont au cœur des installations touristiques à la Guadeloupe et à la Martinique le disent et le répètent sincèrement. Les Québécois ont la réputation d'être de bons vivants, très généreux, pas revanchards, généralement contents et heureux de leur séjour, et d'une honnêteté et d'une franchise hautement goûtées par les populations locales qui souhaitent sincèrement, je crois, visiter un jour l'*homo quebecensis* dans son habitat naturel. Qu'ils y viennent, en février de préférence, qu'on rigole un peu de les voir constater, quand on demande beaucoup de glace dans notre rhum punch et qu'ils insistent pour nous faire dire «glaçon», qu'on sait de quoi on parle.

13 octobre 1977

1.DE PHOENIX À SEATTLE SUR RAIL

Le Sunset Limited
n'était jamais allé si vite

À minuit, sur le quai de la gare de Phoenix, Arizona, ce n'est pas exactement l'atmosphère de la gare de Lyon la veille de Pâques.

Il n'y a rien. Pas un bruit. Et la petite gare de crépi blanc, aux planchers de tuiles rouges, monument espagnol perdu au fond d'une avenue sans issue, dort aussi profondément que ces quelques voyageurs étendus sur des bancs de bois.

On sent tout de suite, par cette autre poignée de clients silencieux sur le quai, par ce préposé à visière derrière une vitre qui rappelle les anciens télégraphistes de l'époque du rail, par l'absence de restaurants, de comptoirs, par les dépendances barricadées de la gare, que le train n'a pas encore reconquis la place qu'il dispute, aux États-Unis avec plus d'opiniâtreté qu'au Canada, aux autres modes de transport.

Les activités ferroviaires pour voyageurs se résument au passage, trois fois par semaine, du Sunset Limited d'Amtrack qui met quarante-trois heures à relier, dans les deux sens, La Nouvelle-Orléans à Los Angeles.

Nous attendons donc le Sunset Limited qui accuse déjà près d'une heure de retard, tel que prévu par le chef de gare, lorsqu'un grand jeune homme s'engage sur la voie ferrée, se penche et pose carrément l'oreille sur le rail sous le regard attentif et grave des autres voyageurs. Moi, ce geste-là, je ne l'avais vu qu'au cinéma auparavant. Mais l'ausculteur de rails se relève lentement, revient sur le quai et donne son diagnostic: «Il s'en vient», tranche-t-il imperturbable, en s'approchant de moi pour me demander une cigarette, comme tout héros venant d'accomplir son exploit.

Début d'activité parmi ces gens visiblement pauvres, venus peut-être de l'arrière-pays et en attente depuis de longues heures.

Un Mexicain accourt ramasser ses hardes et réveiller ses enfants. Il sait que s'il rate le Sunset Limited en ce jeudi à minuit, il lui faudra attendre à dimanche pour le prochain. Moi, homme de ville, je n'espère même pas. À Phoenix, on m'a dit être prêt à passer la nuit dans la gare; que le train accusait souvent des retards de plus de huit heures, lorsqu'il n'était pas carrément annulé. L'après-midi même, j'avais parlé à un certain Tom Parker, d'Amtrack, qui m'avait dit: «Surtout, ne vous rendez pas à la gare pour rien. On ne sait pas encore si le train sera là. Téléphonez vers 8h.» À 8h, on m'avait dit qu'il passerait à Phoenix à minuit et demi.

À 0h15 pourtant, c'est-à-dire dix minutes environ après la prophétie du grand jeune homme, c'est l'éclatement d'un coup de sifflet dans la nuit puis l'apparition éblouissante d'un phare monstrueux derrière des édifices obscurs. Déjà on sent le sol vibrer sous nos pieds tandis que les voyageurs s'affolent, s'éveillent, récupèrent les bagages, se précipitent sur le quai les yeux rivés sur la voie d'où l'on entend maintenant, très fort, le rugissement de la locomotive diesel et la clochette du passage à niveau tout près.

C'est un moment émouvant. On sent que les cœurs — dont le mien je le confesse — palpitent. Ce n'est pas un train qui entre en gare, mais la vie. Et elle a, à son bord, plus haut que nous, l'«ingénieur» agitant la main en passant devant le quai en arborant un large sourire, puis les porteurs noirs, vêtus de rouge, accrochés aux portières des voitures, prêts à mettre en place les petits escabeaux de bois. L'homme à visière est sorti de son repaire vitré et court comme un fou le long du convoi bleu, blanc, rouge, avec des enveloppes plein les mains.

Il y a des cris de femmes, l'adieu prolongé d'un couple que le train va séparer, des jets de vapeur qui sifflent sous les roues, un individu qui pousse rapidement un chariot de colis mais à qui on donne des directives vraisemblablement contradictoires puisqu'il va et vient en tout sens, de plus en plus vite, sans savoir où embarquer son chargement et qui soudain, sous l'empire de la panique, éclate de colère, vitupère et gesticule à tout va pour le plus grand amusement des voyageurs derrière les vitres.

Je monte à bord du wagon-lit Pine Brooke où, tout de suite, le porteur m'arrête en riant pour me dire, sortant sa grosse montre à chaîne: «Je ne pensais jamais qu'on pourrait le faire.»

Il m'explique qu'entre El Paso, ville jumelle de la Ciudad Juarez, aux frontières du Texas, du Nouveau-Mexique et du Mexique, le train a heurté un camion à un passage à niveau, en début d'après-midi, et qu'il a été retardé de trois heures. Or, il a pratiquement rattrapé deux heures sur moins de cinq cents milles. L'«ingénieur» avait de quoi sourire et mon porteur paraît essoufflé, comme s'il avait dû mettre la main à la roue: «Man, dit-il, le Sunset n'a jamais été aussi vite.» Puis, avisant mon nom sur le billet, il m'indique le sien sur son insigne de veste et me dit carrément, en français dans le texte: «Bonjour, monsieur.» Son nom est étrange: Omer Deshôtels. Il me baragouine quelques mots de français que je feins de comprendre, puis je m'enferme dans ma cabine en songeant, non sans amusement, que dans la transmission des noms en Louisiane, par la force des réalités quotidiennes, l'autel du culte et du sacrifice avait ainsi cédé sa place pour Omer à l'hôtel des libations et du plaisir. Bravo! À bien y penser, Deshôtels, ça fait plus moderne, plus gai et plus facile à retenir.

Phoenix est maintenant retombée dans sa nuit pleine d'étoiles derrière nous et le Sunset Limited, avec 424 milles à franchir jusqu'à Los Angeles, fonce dans la nuit désertique, tandis qu'à bord tout est éteint et tout dort.

À 6h, ce vendredi matin, en ouvrant le store, c'est déjà la riche Californie. Palm Spring, avec des orangers d'un côté, des troupeaux d'élevage de l'autre, et des autoroutes le long du rail, déjà remplies de voitures qui rivalisent de vitesse avec le Sunset Limited. Le petit déjeuner est servi dans la voiture-restaurant où font déjà la queue les voyageurs, dont certains venant de La Nouvelle-Orléans.

Comme au Canada sur les trains de longue distance, ce sont des jeunes gens, des personnes aux revenus modestes ou encore des hommes et des femmes, souvent plus âgés, qui ont peur de l'avion et ne voyagent qu'en train.

Les voitures d'Amtrack, à l'exception du nouveau matériel qui entre en service périodiquement, sont aussi vieilles que celles du CN et du CP, les services sont les mêmes grosso modo, tout comme, selon ce qu'on m'a dit, les retards; mais il y a une différence de fond. Au Canada, on attend toujours les décisions et surtout les budgets qui devraient relancer le transport voyageur par VIA-Rail. Il ne faut pas préjuger de cette relance pas plus qu'il ne faut omettre de parler du turbo du CN. Mais jusqu'à présent, les trains de voyageurs canadiens, notamment le Super-Continental, ont une image de survie difficile. Le personnel s'inquiète de l'avenir, les voitures les plus neuves, qui datent de 1952, sont plus ou moins délabrées malgré les rénovations, les heures de trajet sont désespérément longues avec une moyenne d'à peine trente milles à l'heure entre Montréal et Vancouver, les trains sont parfois presque vides et il n'y a pas de véritable mise en marché. Aux États-Unis, sur un réseau de 26 000 milles, la nationalisation s'est faite, les budgets énormes ont été votés et il y a cette volonté, ce dynamisme dans la relance du transport voyageur par rail qui se sent partout, dans les détails, dans la bonne humeur des porteurs dont plusieurs n'avaient jamais travaillé sur des trains avant l'avènement d'Amtrack — nouvelle source d'emplois —, dans la rénovation fort réussie des voitures dont certaines sont âgées de plus de quarante ans et peuvent rivaliser de confort avec d'autres beaucoup plus modernes.

Il m'a semblé aussi, du moins sur le Coast Starlight, entre Los Angeles et Seattle, que le train servait plus directement la population avec des gares au milieu des villes, mais surtout parce que beaucoup de voyageurs utilisent ce train long courrier, même sur de courtes distances.

Il est 9h20 lorsque le dernier crissement des roues du Sunset Limited se fait entendre en gare Union de Los Angeles. En tout et pour tout, malgré l'accident avec le camion, il accuse un retard de cent minutes sur un trajet de 2 022 milles.

17 novembre 1977

2. DE PHOENIX À SEATTLE SUR RAIL

Los Angeles,
ville hispano-nipponne

Le chauffeur de taxi me menant de la gare Union à l'hôtel Hilton est un Irlandais de Belfast ayant travaillé à Montréal. Il m'informe, en guise d'introduction, que Montréal est la ville la plus infecte qu'il ait eu l'occasion de voir, surtout, explique-t-il sans se douter de mes origines, à cause de la présence des Canadiens français qui habitent cet enfer boueux et neigeux.

Le chauffeur de taxi me conduisant de l'hôtel Hilton à la gare Union, quarante-huit heures plus tard, sera, lui, un Argentin de Buenos Aires, débarqué à Los Angeles en 72 avec femme et enfants et qui rêve de voir s'ouvrir partout en Californie des écoles espagnoles.

À l'angle des rues Wilshire et Figueroa, juste sous la fenêtre de ma chambre d'hôtel, il y a, à gauche, la Mitsubishi Bank, à droite, la Bank of Tokyo, sur l'autre côté, la California Japanese Bank et, en face, les bureaux de Japan America Credit.

Au fond, parmi ces édifices de béton et de verre coiffés de restaurants tournants (*revolving restaurant*), il y a aussi, en grosses lettres, la Banco do Brazil agrémentée, au rez-de-chaussée, d'un immense comptoir de Japan Air Lines et faisant face à un restaurant japonais fait de jardins, de fontaines, de palmiers «intérieurs et extérieurs» mais où je n'ai pas vu de tables. Au restaurant français Chez François, au Atlantic Richfield Towers Plaza, j'ai vu un chef japonais ou peut-être chinois dans les cuisines, et la seule personne d'origine californienne que j'ai rencontrée à Los Angeles est une jeune fille du nom de Nancy Penferman, de parents allemands, travaillant chez Delta Airlines et dont le patron est d'origine grecque.

Dans les hôtels et les endroits publics, les affiches sont rédigées en espagnol et en japonais avec un peu d'anglais au cas où il resterait quelques Américains, et il y a même un «Occidental Centre» sur la 12e Avenue pour nous rappeler avec courtoisie que nous ne sommes ni à Caracas ni à Nagasaki-by-the-sea mais bien à Los Angeles, communément appelée L.A., en Californie, Amérique du Nord, Occident.

Moi, je veux bien que les grandes villes, comme Montréal d'ailleurs, soient cosmopolites et bénéficient de l'apport de cultures multiples. Mais à Los Angeles, il me semble qu'il y a eu du laisser-aller quelque part; que les Américains ont battu en retraite à Hollywood, à Beverly Hills ou je ne sais trop mais que la résistance n'a pas dû être très convaincante à voir les débarquements étrangers sous le smog. Les Japonais ont carrément, résolument, envahi la place au point que ça devient pratiquement gênant de ne pas manger avec des baguettes et de ne pas photographier dans Los Angeles. Ça fait tout de suite marginal.

Il faut dire que la culture japonaise est assez bien équilibrée par la latino-américaine. Ce n'est pas à Los Angeles qu'il y a pénurie de *mariachis*, de rôtisseries El Toro, de boîtes El Sombrero, d'hôtels San Carlos, de cathédrales Santa Vibiana et, encore plus original, d'épiceries Hacienda.

Vous me direz que c'est normal vu la situation géographique de la Californie, aux frontières du Mexique et ouverte sur le Pacifique, et que les Orientaux sont également nombreux à San Francisco et même à Vancouver. Seulement, je dis que lorsque les noms du bottin téléphonique d'une ville américaine ressemblent à ceux de Fukoshima et de Barcelone réunis, il y a de quoi s'inquiéter.

Je n'ai passé, il est vrai, que quarante-huit heures à Los Angeles et ma perception de la ville est forcément partielle, superficielle et faite d'observations sur le vif comme celle, par exemple, qui a consisté à constater que le Canada n'entre aucunement dans les préoccupations des gens. Cela va loin. Que ce soit dans le *Herald Examiner* ou dans le *Los Angeles Times Mirror*, il y a d'excellentes prévisions météorologiques avec cartes des fronts froids et chauds, agrémentées d'isobares et de centres de haute pression et tout autre renseignement parfaitement incompréhensible. Mais il y a aussi la liste des températures enregistrées dans les capitales du monde. On y voit la température qu'il a fait à Bamako, à Cotonou, à Dar Es-Salaam, à Paris, à Moscou, à Tokyo et à Washington entre autres. Mais au Canada: rien.

Pas de Vancouver, pas de Toronto, pas de Montréal. Par chance, ce samedi 29 octobre, les Kings de Los Angeles jouaient au Forum de Montréal et le commentateur à la télévision nous a renseignés à ce sujet. Probablement qu'ils se sont dit, une fois pour toutes, qu'il faisait froid au Canada et ils ont pensé qu'il était de bon ton de n'en souffler mot. Je trouve ça légèrement méprisant. Je n'étais pas fâché à la pensée de dire: «Los Angeles, adios!» le lendemain dimanche, à 10h, pour prendre le Coast Starlight à destination de Seattle.

Mais ce n'est qu'à 11h que la téléphoniste du Hilton me sonne, ce dimanche matin, malgré mes directives précises, données en anglais il est vrai. En ce gros début de panique et de colère à peine contrôlable, à la pensée d'avoir raté mon train, je fais des plans rapides. Prendre l'autobus ou un taxi jusqu'à Oxnard où je pourrai peut-être rattraper le train; ou l'avion local jusqu'à San José. Peut-être pourrais-je miser sur un retard du train venant de San Diego. Précipitation sur le téléphone pour obtenir les renseignements d'Amtrack. Mes yeux se perdent dans les *Amayoro*, les *Amoroso*, les *Amsterdam Imports* du bottin et puis après, sur l'appareil téléphonique, dans les griffonnages japonais, les «servicio-cambio» et autres devises étrangères avant d'avoir au bout de la ligne une employée d'Amtrack. «Le train pour Seattle est-il en retard? — Non, il partira à 10h tel que prévu», répond cette brave personne avec un solide accent espagnol. Mais ma montre indique toujours 11h.

Mon interlocutrice, voyant ma surprise, déclare que j'ai oublié de reculer ma montre d'une heure la veille pour me mettre à l'heure normale. Oui mais il serait alors 10h et le train serait sur le point de partir. Je fais part de ces légitimes inquiétudes à «l'hispano-Amtrack girl» qui m'apprend qu'il est 9h. Ouf! Elle doit se dire que les étrangers, surtout les Américains, sont bien bizarres. La vérité, c'est que je suis à la mauvaise heure depuis mon départ de Phoenix, Arizona. Je n'ai pas tenu compte de l'heure de différence entre Phoenix et Los Angeles et je n'ai pas reculé l'heure le samedi soir, 29 octobre. Bref, je suis deux heures en retard. J'avais trouvé curieux aussi de voir les banques ouvrir leurs portes à 8h le matin et de voir les gens se mettre à table à 5h le soir.

À 10h sonnées, le Coast Starlight s'ébranle en gare Union et je suis à bord pour les trente-trois prochaines heures.

24 novembre 1977

3. DE PHOENIX À SEATTLE SUR RAIL

900 milles de Californie à bord du Coast Starlight

L e train prend tout de suite de la vitesse dès le départ de la gare Union à Los Angeles et trace déjà résolument sa route vers le nord tandis que les voyageurs, très nombreux en ce beau dimanche ensoleillé, s'installent dans la voiture-salon pour voir défiler, des deux côtés du train, la banlieue.

Seulement, nous ne sommes pas dans de la petite ban-lieue. Moi qui crois qu'on débouchera d'une minute à l'autre sur la mer à gauche et la puissante et sauvage beauté californienne à droite, je dois vite saisir que je nage dans l'illusion la plus totale.

À 13h, c'est-à-dire trois heures après le départ, nous sommes toujours dans la banlieue de Los Angeles. De cha-que côté du train, ce sont des arrières de maisons munies chacune d'une piscine et d'un cheval. La piscine est le plus souvent en forme de rein ou de cœur mais quelques origi-naux — ou peut-être des chirurgiens — ont fait construire la leur rectangulaire. Et puis, c'est l'abri avec du foin et le cheval qui regarde placidement passer le train. Plus près encore de la voie, il y a une piste sur laquelle écuyers et écuyères du dimanche se livrent à leur sport favori. Bref, une banlieue équestre, riche à crever, mais dont l'étendue déraisonnable donne au voyageur ferroviaire l'impression que le train n'avance pas.

Pourtant un groupe d'étudiantes se prépare à évacuer le Coast Starlight au prochain arrêt: Santa Barbara. C'est un train de banlieue pour ainsi dire. D'autres passagers sont descendus à Glendale, puis à Oxnard. Certains nouveaux montent à San Luis Obispo, à Salinas, à San José, etc.

La clientèle se renouvelle au rythme des arrêts, sauf pour une minorité de permanents dont deux douairières maigrichonnes, au nez en bec d'aigle, qui ne se quittent pas d'une semelle et qui viennent d'annoncer à la population du «lounge-car» qu'elles s'en retournent chez elles, à Salem, Oregon. Il y a presque des applaudissements à bord. Aussi quand on s'informe de ma destination finale, c'est-à-dire l'ultime arrêt à Seattle, prévu pour le lendemain soir, j'ai droit aux sifflements d'admiration.

En réalité, ce train d'Amtrack remplit une vocation qui diffère assez du Super-Continental du CN, par exemple, entre Montréal et Vancouver, et sur lequel la majorité des gens se tapent l'itinéraire au complet. Il y a un point de chute important à Winnipeg, puis quelques-uns dans les Rocheuses mais depuis Montréal il y a un groupe important de permanents.

Ici, sur ce train qui traverse les 900 milles de Californie du sud au nord, les arrivages nouveaux sont fréquents comme les départs. Pas tellement moyen de lier connaissance, d'établir des bases de camaraderie.

Mais enfin, un peu après 13h, on tombe en paysage ouvert. Le train longe de très près le Pacifique et par moments, on a l'impression de voler en rase-mottes au-dessus de l'océan. Il y a une petite piste de gravier parfois entre la voie et la plage et c'est là que sont établis des campeurs du dimanche venus pratiquer le surf ou simplement se reposer au soleil.

Il faut voir ici le matériel de camping de ces Californiens. Des roulottes à côté desquelles le train tout entier doit faire minable. Des renversements de valeurs surprenants aussi, comme ces énormes véhicules campeurs auxquels sont accrochées les voitures: le matériel de camping qui tire l'auto! Il y a du dément dans l'air. Parfois on voit une famille munie d'une auto gigantesque, d'une roulotte qui pourrait, au pied levé, servir de centre d'accueil aux réfugiés de la mer et tout à côté, une tente style Barnum pour les enfants.

L'économie d'énergie ici, quand on en parle, ça doit provoquer un gros rire gras comme celui de ces trois jeunes gaillards qui regardent passer le train sur le bord de la plage et dont l'un s'avise de baisser son maillot pour dévoiler ses fesses aux passagers. Piaillement de scandale instantané et simultané émanant des deux sorcières de Salem qui se lèvent en sursaut pour vitupérer à haute voix toute la jeunesse américaine. Le porteur noir fait semblant d'être d'accord tandis que la clientèle réprime son rire devant la colère survoltée des siamoises outrées qui disparaissent finalement vers leur voiture-lit.

Bref, repos des pupilles en arrivant à Santa Clara où il fait maintenant nuit et où le voyeurisme cède le pas à la gastronomie. Seulement là, le terme est mal choisi. Il faudrait plutôt dire la gastro-entérite. Des vins à côté desquels le sirop d'érable paraît sec, des viandes absolument impossibles à identifier dans le répertoire des animaux comestibles connus et une gomme à effacer qui a raté sa vocation et qui tient lieu de fromage...

Une chose à noter, cependant. Nous sommes rigoureusement à l'heure. À chaque arrêt, on constate que l'horaire est respecté. Ce sera à 4h, ce lundi matin 1er novembre, que le Coast Starlight quittera la Californie, au nord de Dunsmuir, pour entrer dans l'État de l'Oregon où nous rencontrerons les Rocheuses, la neige et le Raspoutine américain.

1er novembre 1977

4. DE PHOENIX À SEATTLE SUR RAIL

De l'été à l'hiver en une nuit

Le soir du dimanche 30 octobre, par la vitre du train qui fonce maintenant sur Oakland et San Francisco, on voit descendre dans la mer un gros soleil rouge tandis que dans la voiture-salon, cette agora ferroviaire, ce lieu de rassemblement des voyageurs, l'odeur de marijuana, émanant d'un groupe de jeunes, se fait plus persistante.

Les deux vieilles dames de Salem se réfugient donc dans leur compartiment, les éclairages deviennent diffus et la nuit s'installe à bord sans bruit.

Le gros choc, il se produit à 6h30 environ, le lendemain matin. En ouvrant le store, c'est l'hiver. La neige, les sapins, la montagne.

Nous sommes en Oregon, en pleines Rocheuses, entre Klamath Falls et Eugene, et le train mettra plus de cinq heures à franchir ces quelque deux cents milles d'escarpements, laissant passer parfois un train de marchandises, se glissant dans les gorges abruptes, côtoyant des lacs, dévalant des pentes sous des sommets cachés par le brouillard.

Ici, il n'est plus question des baigneurs de la veille. Ce sont des bûcherons vêtus de laine qu'on aperçoit parfois le long de la voie ou des gardes forestiers à bord de leurs petits camions verts. N'eût été le relief, on se croirait au Québec ou dans le nord de l'Ontario.

L'espace d'une nuit, le Coast Starlight d'Amtrack est passé de l'été à l'hiver, nous entraînant tous dans ce regrettable et rapide franchissement de saisons.

Mais à mesure que le train descend, la neige disparaît. Il pleut abondamment et les deux vieilles de Salem, au terme de leur voyage, ne se pardonnent pas d'avoir omis d'apporter un parapluie.

À midi et demi, tel que prévu à l'horaire, elles descendent sur le quai triste et mouillé de la capitale de l'Oregon, sans voir ce que cette même capitale va nous fournir comme clientèle de rechange. Je veux parler de cet individu qui marche solennellement sur le quai et qui se prépare à monter à bord. Il porte un costume semblable à celui des clowns. Une sorte de survêtement, aux jambes et aux manches bouffantes, tout fleuri en rouge sur fond crème. Il est chaussé de grosses bottes de cuir. En haut du vêtement, c'est une énorme touffe de barbe et de cheveux surmontée d'une toque en laine blanche. On hésite entre le fêtard de l'Halloween, l'abominable homme des neiges ou le moine tibétain. C'est cette dernière hypothèse qui se confirme une fois les renseignements pris auprès de cet homme singulier qui salue tout le monde en entrant dans la voiture-salon et s'installe au fond, sans mot dire. Il adhère à une religion mystique et vit plus ou moins en ermite d'après ce qu'il dit à un jeune homme tout près de lui et qui a l'air partant lui aussi pour la secte pacifiste, sur fond de Rocheuses.

Seulement, ceux qui croyaient que ce bon monde oregonesque des montagnes allait plutôt se livrer à la méditation transcendantale en cours de voyage se rendent vite compte de leur erreur.

Le train ne s'est pas aussitôt ébranlé qu'il dirige ses pas vers le bar pour acheter deux boîtes de bière qu'il engouffre dans ses poches géantes. Et puis, c'est le début encore discret d'un spectacle de choix. La vitesse avec laquelle cet homme-là boit de la bière déconcerte. En deux bonnes gorgées, les deux contenants sont vides et la tournée recommence. Difficile de mettre un âge là-dessus. Ça doit avoir entre trente et cinquante ans mais un cirque donnerait cher pour l'avoir puisqu'il pourrait être tout à la fois l'avaleur monumental de bière, l'ours savant, et le bouffon. Il rit, il parle de plus en plus fort, boit de plus en plus vite, fait la navette entre le bar et ses quartiers généraux, met les pieds sur le guéridon, dit au Noir de service qu'il est rien qu'un nègre, attaque un colonel à la retraite qui tentait de le faire taire en ridiculisant les États-Unis, l'armée surtout et les vieux fous comme son interlocuteur, et puis il entonne des chansons grivoises et gaillardes en engouffrant maintenant des sandwiches qui volent en miettes sur la barbe.

Ce n'est pas croyable, un ogre pareil! Les États-Unis, qui se vantent de produire tout ce qui existe dans le monde et se vexeraient d'être en reste sur quelqu'autre pays, doivent maintenant savoir qu'ils ont leur Raspoutine maison. Il était là en chair, en os, en barbe et en bière, ce lundi 31 octobre 1977, sur le Coast Starlight, entre Salem et Kelso-Longview, une distance d'à peine cent milles mais qui a permis aux rares voyageurs du moment d'avoir la chance inespérée de le voir en action durant deux heures.

Un qui remet en question l'animisme «freak» et la mystique des montagnes, c'est le jeune naïf qui croyait avoir trouvé le maître et se préparait à le suivre, chose impossible à faire en ligne droite au moment où le maître en question vide les lieux après avoir vidé la réserve du bar.

Finalement, c'est l'entrée en banlieue de Seattle. Partout, de chaque côté de la voie, ce sont de petites avionneries, des usines de pièces d'avions, ici et là un aéroport privé; bref le royaume de l'avion, dominé, on le sait, par la firme Boeing. Mais nous, c'est en train que nous atterrissons en gare de Seattle à 18h20, le lundi 31 octobre, plus de trente-deux heures après le départ de Los Angeles, à 1 364 milles au sud. Mais nous sommes à l'heure, ce qui n'est pas si mal pour un train qui est passé de l'été à l'hiver dans un décor d'une rare beauté et une ambiance pleine de surprises et d'étonnements.

8 décembre 1977

UN TRANSIT DE 42 HEURES AU NIGERIA

La plus pénible escale de ma vie

L'erreur, la grosse, la monumentale, l'impardonnable, c'était d'avoir choisi Lagos, capitale du Nigeria, comme port d'entrée en Afrique et lieu de transit pour seulement une nuit avant de prendre tranquillement l'avion des Cameroun Airlines pour rentrer sur Cotonou, en République populaire du Bénin, où je devais rencontrer les premiers coopérants québécois de ma tournée africaine.

Parti de Montréal le dimanche 4 décembre, j'étais arrivé à Amsterdam sur le vol régulier de KLM le lundi matin 5 décembre à 7h. Je devais repartir d'Amsterdam quatre heures plus tard sur le DC-10 de KLM à destination de Lagos. Mais des difficultés techniques devaient retarder le départ à 15h, ce qui reportait l'arrivée en capitale nigériane vers 22h.

Jusque-là, malgré l'épuisement et le décalage horaire, tout était bien. Je pourrais passer une bonne nuit au Airport Hotel de Lagos et le lendemain, mardi, je prendrais l'avion pour Cotonou, un voyage d'environ vingt minutes, pour me rendre à l'Hôtel du Port, où mes réservations étaient faites (comme pour l'Airport Hotel de Lagos), et où M. Bellehumeur, chargé du collège universitaire, m'attendait.

Seulement, c'est là qu'on se rend compte qu'un homme averti n'en vaut pas toujours deux et que, même s'il a déjà voyagé passablement, il peut faire preuve d'une grossière naïveté. On m'avait bien dit qu'à Lagos, il ne fallait pas s'attendre à beaucoup de chaleur dans l'accueil, mais rien de plus.

C'est à l'aéroport de Lagos, ou plutôt dans l'entrepôt qui tient lieu d'aérogare, juste un peu avant que l'électricité ne soit coupée et qu'on se retrouve dans le noir, que j'ai compris que mes appréhensions n'avaient été que légères craintes de couventine.

D'abord c'est la confiscation pure et simple de mon passeport même si je me pointe au poste de contrôle sur lequel il y a un écriteau fait à la main indiquant «Commonwealth citizens». Il y a là des Hollandais, des Américains, des Suisses et autres qui se prévalent indûment de l'assujettissement à Sa Majesté mais moi, le seul authentique sujet, muni d'un passeport sur lequel deux gros lions agrippés à une couronne sont gravés en or, on m'enlève ce document en échange d'un bout de papier sur lequel l'officier a écrit à la main que je suis en transit pour moins de vingt-quatre heures et qu'il faudra me remettre mon passeport à mon départ le lendemain matin.

Je remarque qu'il y a des préposés en uniforme et d'autres qui ne le sont pas, de sorte que lorsqu'un individu m'aborde, avant le contrôle des douanes, pour me prendre mes formulaires de déclaration d'entrée, je ne me méfie pas. Il constate que j'entre au Nigeria avec quarante nairas, c'est-à-dire la devise nigériane que j'ai achetée à Amsterdam au prix de 1$ pour un naira. Il me déclare que je n'ai pas le droit d'entrer dans son admirable pays avec des nairas et que si je ne les lui remets pas séance tenante, il m'arrête. Tout ça dans un anglais parfois difficile à saisir. Je commence à en avoir ma claque déjà et je lui dis de m'interpeller s'il le désire. Il va consulter l'officier en uniforme au contrôle douanier, dans la mêlée générale, la chaleur, la saleté, et après que j'aie montré patte blanche côté sanitaire pour être bien certain qu'on ne va pas aller contaminer le Nigeria dont le taux de mortalité infantile, après tout, n'est que de 60% et dont la capitale n'a pas de système d'égout.

L'officier me dit que si je lui remets vingt nairas, il va
«fermer les yeux». Marché conclu. Mais l'autre voleur à
tuque de laine réclame dix nairas parce qu'il prétend que
c'est lui qui a rendu cette exemplaire transaction possible.
Après quatorze heures d'avion et huit heures d'attente à
Amsterdam, après la confiscation du passeport, les pourboires à tout le monde, la corruption et la chaleur humide,
on a, bien entendu, de fortes envies de tuer, mais on marche encore une fois. Là, pourtant, je commence à comprendre que je suis tombé dans le piège à rats; je vois que
ce sera du transit de choix.

Le chauffeur de taxi me déleste de mes dix derniers
nairas avant de me déposer dans une sorte de cour des
Miracles où on voit en toutes lettres Airport Hotel mais
qui ressemble à une sorte de bureau de poste qu'on aurait
aménagé entre un marché forain et un cimetière d'autos.

Le préposé à la réception de ce bouge n'a, bien entendu, jamais entendu parler de ma réservation mais il me
propose une chambre à la condition que je dépose en
«cash» cinquante nairas.

Comme il y a un comptoir de la National Bank of
Nigeria dans le hall, c'est-à-dire une table derrière laquelle
somnolent deux individus, rien de plus facile que de changer des dollars américains que j'ai sous forme de chèques
American Express. Seulement chacun sait que l'argent
fluctue de par le vaste monde. Ce qui valait 1$ quelques
heures plus tôt à Amsterdam en vaut maintenant 2$ ici. De
sorte qu'il faut envoyer 100$ pour faire les cinquante nai-
ras de caution.

Et puis ça finit par finir par aboutir à la chambre promise après une entrée au Nigeria qui m'a coûté jusqu'à
présent (c'est-à-dire en moins d'une heure) 140$.

Je ne suis pas particulièrement méticuleux; je m'ac-
commode habituellement du simple décent mais en entrant
dans cette chambre, j'envie tout à coup le cheval car cet
animal a la faculté de dormir debout. Le volume des

cancrelats ennuyés par mon arrivée donnerait le cafard à une blatte géante.

Le lit est d'une saleté repoussante, il n'y a pas d'eau courante, des mégots de cigarettes traînent sur un tapis qui donnerait la nausée à un éboueur de Calcutta et puis soudain, c'est la panne d'électricité qui m'évite au moins la vue de ce triste panorama.

Je ne me féliciterai jamais assez d'avoir acheté à Amsterdam deux petites bouteilles d'eau car je devais constater, le lendemain, qu'il n'y a pas d'eau en bouteille à vendre, que l'eau courante était stoppée et que, de toute manière, cette eau n'est pas potable.

Grâce à quelques cachets de somnifère, je m'endors tout habillé dans cette belle nuit africaine où toutefois le chant du cacatoès et le rugissement lointain du lion sont remplacés par des klaxons de voitures, des aboiements de chiens et des cris de toute une population qui ne cesse de circuler dans les corridors de l'«hôtel».

Le lendemain, on me remet une note grâce à laquelle le banquier de service me rend treize nairas, ce qui place le prix de la chambre à trente-sept nairas, soit 74$. Un quelconque portier me rend l'immense service de m'instruire sur le prix réel de la course en taxi entre le Airport Hotel et l'aéroport: c'est trois nairas. Mais en échange, il me donne son nom et son adresse aux fins que je lui fasse parvenir une lettre d'accueil une fois revenu au Canada pour qu'il obtienne le statut d'immigrant parrainé. Sa lettre d'accueil, j'aime autant dire tout de suite qu'il va l'attendre longtemps.

J'arrive à l'aéroport de Lagos. D'abord, il n'y a pas de comptoir de Cameroun Airlines, mon transporteur. Deuxièmement, l'aimable officier du Commonwealth Citizens Desk est analphabète et n'arrive pas à lire le carton qui doit me permettre de récupérer mon passeport. Il m'envoie aux renseignements, côté départs. C'est là qu'un autre officier s'empare de mon bout de papier et m'ordonne de le suivre derrière les comptoirs. Il s'arrête et me dit qu'il lui faut 20$ pour obtenir le passeport. Je lui dis naïvement que cette manœuvre est illégale, que ce document appartient au gouvernement canadien et que mon ambassade se chargera de cette affaire. Il me répond que c'est impossible de téléphoner à Lagos où se trouve l'ambassade et qu'il se contentera de dix nairas. Je marche. J'entre dans un minable bureau où deux filles dorment la tête plongée dans une effroyable paperasse. Mon entrée fait monter une nuée de mouches et réveille une des deux abruties qui ouvre un tiroir dans lequel se trouvent pêle-mêle des dizaines de passeports. Elle finit par dénicher celui aux gros lions et dans lequel se trouve ma photo. Mais là, il faudrait aussi faire un petit geste de gratitude. J'affirme ne plus avoir un centime, je lui arrache mon passeport des mains et je sors.

J'apprendrai plus tard que cette attitude aurait facilement pu me valoir l'arrestation par des policiers qui ont, entre autres habitudes et droits, ceux de fouetter les prévenus. Vers 10h — le vol est prévu pour 12h30 —, un individu se pointe au comptoir d'Air Afrique et accroche un petit écriteau aux couleurs de Cameroun Airlines. Il enregistre ma valise, déchire ma portion de ticket pour Cotonou et me dit, en français cette fois, d'être à la salle des départs à 11h30.

Je décide de m'y rendre tout de suite pour être certain de ne pas rater l'avion, étant donné les foules qui se précipitent et font la queue aux postes de contrôle des départs.

Quand je finis par atteindre ce premier poste muni de mon passeport, de ma carte d'embarquement et de ma carte de santé, le gars me crie à tue-tête que je n'ai pas rempli les formulaires appropriés. Retour au comptoir de Cameroun pour obtenir deux formulaires qui apprendront à ceux qui pourront les lire mon nom, mon âge, mon sexe, ma nationalité, mon lieu d'origine, ma destination et surtout, détail fort important, combien d'argent je possède, en quelles devises et sous quelle forme. Je reprends la file de pèlerins, je passe le premier contrôle mais je suis stoppé au deuxième parce que je n'ai pas payé la taxe de sortie. Deuxième retour au point de départ. J'acquitte la note de deux nairas, j'obtiens un reçu et je reprends la queue. Après trois postes de contrôle, parfaitement inutiles du reste, je débouche dans un autre entrepôt où des valises sont alignées sur une table devant des douaniers en bel uniforme kaki. Je m'empare de ma valise tandis que le douanier me réclame quelque «nairas-nairas-pas» aux fins de bien légaliser mon exportation. Je file encore de l'argent avant de toucher un cinquième poste de contrôle intitulé «Foreign Currency».

Là, il faut dire combien on a d'argent à deux filles qui en demandent aussi, bien entendu, pour être bien certaines que vous n'allez pas quitter le pays avec de précieux nairas. On s'acquitte avec quelques pièces et on aboutit dans une grande salle malpropre, fermée, surchauffée. Il est 11h, ce mardi 6 décembre 1977, dans la salle des départs de l'aéroport de Lagos, et j'ignore encore que je ne sortirai de cet endroit que le mercredi 7 décembre à 16h, après vingt-neuf heures d'attente.

Lorsque le 707 de Pan American se pose, les applaudissements fusent dans la salle. Même scénario pour Swissair et KLM qui viennent libérer ces gens qui ne cachent pas leur joie de partir. Seulement, il est 14h et on est toujours sans nouvelles de Cameroun Airlines. Nous sommes quatorze passagers en attente de cet avion qui ne vient pas. Il y a quatre marins danois qui nous raconteront plus tard leur incroyable aventure au Nigeria, un Canadien du nom de Brian Fawcett, de Guelph (Ontario), et qui revient d'une mission technique à Kano dans le nord du pays. Il y a trois Français: Patrice Arnaud, inspecteur commercial pour la chaîne hôtelière UTH, Philippe Martinot, chef de produit pour la Société Poclain et Guy Bauduin, représentant des groupes électrogènes pour Berliet-Saviem. Il y a cinq Béninois qui seront évacués en voiture en fin de journée et finalement M. Guy Deshaies, journaliste canadien, qui rumine de grosses idées noires, qui en a plus que ras-le-bol, qui nourrit déjà des projets d'articles notoirement subjectifs et pas gentils sur le Nigeria bien que n'ayant pas eu la chance de visiter la belle province du Biafra, non plus que la ville de Lagos où les Français affirment qu'on ne peut y circuler sans vomir à moins de se mettre sur la frime un mouchoir imbibé d'eau de Cologne.

Ce sont d'abord les Danois qui nous narrent leur histoire tandis que nous suffoquons dans cette salle où il n'y a ni eau, ni bière, ni vin, ni nourriture. Mon dernier repas remonte au lundi, vers 18h, dans l'avion de KLM. On peut boire cependant du Malta. Il s'agit d'un produit non alcoolisé, brunâtre, dont le goût se rapproche assez du mazout brut auquel on aurait ajouté un filet de mélasse et une généreuse portion d'huile à lampe.

Bauduin, la quarantaine, plus de vingt ans d'Afrique dans la carcasse pour vendre des groupes électrogènes, est le plus patient pour le moment, mais lorsqu'il voit que je m'apprête à acheter une petite bouteille de Malta, il intervient. «Ne buvez pas cela, fait-il. C'est dégueulasse.» Mais comme je meurs de soif, je m'envoie l'élixir dont les populations locales raffolent. Oh de Dieu! Il faut le faire. Et justement, ce sont les Hollandais qui le font, ce breuvage, avec les résidus de leurs brasseries. Pas bêtes, les Hollandais. Même s'ils bouffent des harengs saurs sur pain à hot-dog en guise de petit déjeuner, ça m'étonnerait qu'ils puissent endiguer leur malt-maison malgré leur grand talent. Ils refilent tout ça, notamment au Nigeria où les gens en consomment une quantité surprenante. Il faut dire que les sujets de la reine Juliana ont cru bon d'indiquer sur l'étiquette qu'il s'agit d'un produit de santé. À la bonne vôtre! Seulement, il serait bon aussi qu'on nous dise que cette boisson donne soif, voyez-vous. De sorte qu'après avoir ingurgité ma bouteille de Malta, j'ai encore plus soif. Par bonheur, un dignitaire de l'Organisation de coopération africaine et mauricienne (OCAM) se pointe à l'improviste et réussit à faire débloquer trois bouteilles d'une bière locale au comptoir où on nous dit que la bière est rationnée et qu'il n'y en a pas. Enfin, nous sommes momentanément sauvés.

Les Danois arrivent aussi à obtenir de la bière en pensant à l'agression sauvage dont ils ont été victimes dans les eaux territoriales nigérianes, à quelques kilomètres au large du port où ils avaient instruction de mouiller en attendant l'assignation d'un quai. Deux jours auparavant, donc, tel que nous le raconte en anglais, le plus gros, le plus barbu, le plus chevelu des Vikings, des agents nigérians ont abordé le navire dans des canots durant la nuit. Ils étaient vingt-cinq contre les six marins dont deux adolescents et le commandant de ce petit cargo de 2 000 tonneaux. Comme il était question de nairas, d'illégalité, d'inspection et autres formalités, le commandant, désireux d'en finir, a carrément mis son poing dans la figure d'un des sbires. C'est là, toujours selon la version des quatre réfugiés, que les Nigériens ont empoigné le commandant, lui ont arraché les yeux avec un canif avant de le fusiller sur place pour bien lui apprendre à ne plus faire la mauvaise tête et à donner des nairas quand on lui en demande.

Dans les journaux de Lagos, on apprenait aux populations que le navire danois avait «attaqué le Nigeria» et que les forces de l'ordre, dans le combat naval, avaient arraisonné le navire, capturé les assaillants et que le commandant avait été tué dans les échanges.

Une saisie était levée sur le navire, et les marins, dont les deux enfants encore secoués de peur, n'arrivaient pas à joindre leur ambassade pour tenter de regagner le Bénin. Ce n'est que le lendemain en début d'après-midi qu'ils devaient enfin être rapatriés en voiture jusqu'à Cotonou.

Ça leur fera de belles histoires à raconter, en tout cas, à ces chanceux qui voyagent ainsi de par le monde et apprennent à connaître de merveilleux pays.

Le représentant de Cameroun Airlines, Gzu Thalla, ne désespère toujours pas de voir arriver son Boeing 737, bien qu'il soit maintenant 22h. Impossible, affirme-t-il, d'obtenir la communication avec Douala d'où devait partir l'avion. Patrice Arnaud est le moins optimiste. «Il ne viendra pas», annonce-t-il dans cette salle plus ou moins déserte où commencent à s'installer des soldats nigériens, pieds nus, pour passer la nuit. On sera bien protégé au moins.

M. Thalla nous invite enfin à prendre un repas au restaurant de l'aéroport qui se trouve en dehors de la zone franche et où il ne nous serait pas permis de nous rendre sans son intervention.

Une fois sustentés, il est résolu que nous passerons la nuit dans la salle des départs car nos visas sont expirés et, de toute façon, un télégramme parvient enfin de Douala pour annoncer que l'avion sera à Lagos à 7h le lendemain matin.

Nous nous regroupons avec les Danois qui proposent de faire le guet à tour de rôle durant la nuit pour que personne ne nous prenne nos affaires. Étendus sur des banquettes recouvertes d'un vinyle sale, nous sommes bientôt en nage mais Patrice et Philippe, de même que deux des Danois, arrivent à dormir. C'est le gars Bauduin et moi qui avons déjà la plus mauvaise gueule à cause de la barbe forte et de la fâcheuse idée que lui et moi avons eue de porter une chemise blanche. Ça commence à avoir la couleur locale vilainement. Et toujours pas d'eau, pas de nourriture. Rien.

Vers 11h, cette matinée du 7 décembre, l'avion de Cameroun Airlines n'est toujours pas là. Je sens que je vais prendre une grosse décision. Irrévocable, lourde de conséquences. C'est-à-dire que je songe maintenant sérieusement à m'embarquer carrément sur le prochain avion sérieux qui se pointera.

Il y a un intéressant Pan Am pour New York d'affiché, de même qu'un brave DC-10 helvétique pour Genève

et un irrésistible British Caledonian qui mettra le cap sur
Londres. J'ai de fortes envies de mettre tout de suite un
terme à ma tournée africaine, d'aller manger une escalope
à la crème chez Walton à Londres et de rentrer en paix à la
maison.

Mais Gzu Thalla nous propose des places sur l'avion
de Nigeria Airways, qui va à Accra, au Ghana, puis à
Abidjan. Nous sommes tous preneurs puisque Abidjan est
notre seconde destination. Je ne pourrai pas aller à Cotonou, c'est tout. Seulement, le vol de Nigeria Airways était
prévu pour 9h ce matin-là. On nous apprend qu'il sera en
retard.

Il l'est un peu merci puisque ça n'est qu'à 15h, l'après-
midi du 7 décembre, qu'on annonce l'embarquement
immédiat. C'est la ruée vers une sorte de petit enclos qui
sert de contrôle de sécurité.

On laisse passer en priorité les passagers de Pan Am
puisque, très probablement, la société américaine, pour
éviter les retards, a payé quelques fonctionnaires pour
avoir priorité. Il y a bousculade. Des femmes, portant des
bébés sur leur dos, sont refoulées brutalement et un des
réacteurs du 737 de Nigeria Airways est déjà en marche sur
l'aire de parking. Allons-nous le rater? D'autant plus qu'il
n'y a pas d'assignation de sièges. Lorsque l'avion est rempli, on fermera les portes et ceux qui restent attendront le
messie.

Nous finissons par prendre place à bord. Philippe
Martinot, élégant, est celui qui paraît le moins marqué par
cette attente. Il est encore très présentable. Patrice Arnaud
est sérieusement défraîchi. Quant à Bauduin et moi, nous
faisons très réfugiés, rescapés de quelque séisme avec des
bouilles noires et hirsutes.

Nous sommes pourtant contents. À l'extérieur, tandis
qu'enfin l'avion se met à rouler, j'avise un technicien d'Air
Lingus, chargé de former le personnel aérien nigérien,
agiter désespérément les mains vers le cockpit. L'avion

s'arrête et je crois comprendre qu'une portière de soute est mal verrouillée. Il y a encore quelques manœuvres sous l'appareil puis c'est le départ vers l'aire de décollage avec l'Irlandais qui secoue la tête de découragement.

Sur la bretelle d'accès, on aperçoit un DC-8 de Nigeria Airways, enlisé à l'extérieur de la piste avec l'empennage complètement arraché. Au moment où nous allons décoller et que l'hôtesse vient nous souhaiter la bienvenue de la part du commandant Mouan M'Bassala, je remarque que les volets de sustentation ne sont pas en position de décollage, c'est-à-dire environ à dix degrés. L'aile est plate. Or il est manifeste qu'il n'y a pas eu calcul de poids au décollage, d'autant plus que les Africains ont l'habitude de transporter d'énormes bagages à main. Au surplus, la température extérieure est de plus de trente degrés, ce qui rend l'air beaucoup moins dense et conséquemment moins portant. Qu'à cela ne tienne, la machine s'ébranle dans un rugissement du tonnerre. Nous roulons longtemps sur une piste cabossée et puis ça lève. Ouf! Adieu Lagos de mes amours. Bauduin s'envoie un solide whisky dans lequel baignent deux gros glaçons et déclare tout de même: «Abidjan, j'y croirai seulement quand nous y serons.»

On fait escale à Accra et là je remarque une autre procédure bizarre. Les volets sont abaissés à quarante-cinq degrés au moins quarante kilomètres avant l'atterrissage et le pilote, pour maintenir sa vitesse contre ce freinage, pousse les réacteurs. Il évite les dangers de décrochage mais la consommation de carburant doit être terrible. Ce sera le même scénario pour l'arrivée à Abidjan vers 17h30, le mercredi 7 décembre, après un «transit» de quarante-deux heures à Lagos.

Je ne tire pas une conclusion qui risquerait de compromettre mon objectivité. Je dis seulement ceci: si 2 000 soldats du 22e régiment canadien consentent à vous accompagner au Nigeria dans des avions militaires armés, chargés d'eau, de victuailles et autres nécessités vitales,

peut-être, après mûres réflexions, pourriez-vous accepter
d'aller voir, mais juste pour quelques heures, ce pays pourtant riche en pétrole. Autrement, je le déconseille fortement et même très fortement.

22 décembre 1977

Cuba, où le sourire
a remplacé le pourboire...

Il peut arriver à Cuba, surtout en janvier, que le temps soit mauvais, venteux, nuageux et que la température soit fraîche au point qu'on ne puisse profiter des magnifiques plages.

Cela ne dure généralement guère plus de deux jours et le soleil se remonte bientôt; mais par mauvais temps, le touriste, enveloppé dans sa couverture de laine sur le patio, peut avoir tendance à se dire qu'on ne l'y reprendra plus.

Il fait la vilaine gueule en pensant qu'il lui a été impossible de trouver du papier mouchoir pour son rhume, qu'il lui a fallu attendre cinq heures durant pour obtenir une communication téléphonique avec le Canada, que l'avion de Cubana Airlines a été retardé une demi-journée au départ de Mirabel, que l'eau chaude est déficiente à certains moments dans sa chambre d'hôtel où les femmes de chambre ont la manie de s'emparer de toutes les serviettes, le matin, en plus de quémander, gentiment certes, du rouge à lèvres, du poli à ongles et autres produits difficiles à obtenir et très chers à Cuba.

Il pense aux enfants qui demandent aux touristes de la «chicklette» (chewing gum) dans les rues de la Havane où les slogans politiques ont remplacé les placards lumineux sous les arcades désertes; il songe aux navires militaires soviétiques dans le port, aux pannes d'électricité fréquentes et il juge bêtement le lieu et son système.

Bref, on ne se rend pas à Cuba sans une certaine préparation. Il s'agit d'une destination touristique qui ne se compare à aucun autre «paradis» des Antilles tant du point de vue social et politique que géographique.

Cuba est un pays plus grand que la Belgique, la Suisse et la Hollande réunies; sa superficie de 115 000 km² équivaut à peu près à celle du Québec habité et habitable, avec une longueur de presque huit cents milles sur une largeur moyenne de cent vingt-cinq milles.

Mais ses presque dix millions d'habitants reviennent de loin. En songeant aux petits inconvénients, du reste largement compensés par divers avantages, dont les bas prix et l'amabilité incroyable et l'honnêteté surprenante des Cubains, il faut absolument se dire ceci: en 1960, Cuba était un des pays les plus pauvres du monde; une poignée de riches accaparaient la presque totalité des meilleures terres, laissant à la pègre américaine le florissant commerce ainsi que le trafic de drogue, la prostitution (88% des femmes de plus de seize ans en 1959), le tout dans un bain d'analphabétisme, de plages privées interdites aux Cubains, de misère sordide, de bidonvilles, de maladie et de honte.

À l'heure actuelle, c'est-à-dire en moins de vingt ans, Cuba a le plus haut niveau d'alphabétisation du monde, un état de santé qui le situe aux premiers rangs des pays industrialisés, une absence de chômage totale, le meilleur réseau routier de toute l'Amérique latine et une armée qui constitue une force redoutable. Ce dépotoir des États-Unis d'avant 1959 est devenu une puissance qui a même des programmes d'aide pour les pays du tiers-monde.

Au moment de la révolution où le régime Batista a été renversé par Fidel Castro, il y avait, par exemple, 6 000 médecins à Cuba dont 4 000 concentrés à La Havane, la capitale. Plus de 4 000 médecins ont alors quitté carrément le pays, laissant une poignée de collègues et moins de dix hôpitaux dans tout le pays. Aujourd'hui, il y a 35 000 médecins à Cuba et cent cinquante-six hôpitaux. Même chose pour le domaine de l'éducation.

Nul besoin d'être sympathisant communiste pour comprendre cette réalité. La «Révolution tranquille» du Québec des années 60 n'est qu'un petit saut de puce à côté de la démarche cubaine. Cuba, c'est un exploit. Or, le touriste qui s'y rend sera beaucoup plus heureux s'il comprend qu'il est au cœur de l'exploit au lieu de tenter de ridicules comparaisons avec d'autres îles ou destinations touristiques connues.

En 1974, Cuba, qui avait d'abord pensé au tourisme cubain, a reçu 13 000 visiteurs étrangers. En 1977, il y a eu plus de 70 000 touristes étrangers dont 40 000 canadiens. Ces derniers représentaient 40% du tourisme international à Cuba et les Québécois à eux seuls fournissent 50% de la clientèle canadienne. Les pays d'Europe occidentale, avec l'Italie en tête, suivie de l'Espagne et de la France, fournissent 20% des touristes étrangers, tandis que les pays communistes comptent pour 14% seulement. Le reste, minime, vient de quelques pays d'Amérique latine où il n'est pas interdit aux citoyens de se rendre à Cuba.

Cuba reçoit en plus 200 000 visiteurs par année dans divers programmes culturels ou politiques pour des groupes, des mouvements de jeunesse ou autres.

Ceux qui croient que les touristes soviétiques ont envahi Cuba se trompent. Mais cela ne veut pas dire que la présence soviétique soit négligeable. Elle est discrète et se manifeste par la coopération et le matériel militaire. Cuba, il faut le dire, dépend largement de l'URSS, ne serait-ce que pour le pétrole. Les pétroliers soviétiques ne cessent d'entrer à La Havane après un voyage de 20 000 milles depuis la Sibérie pour alimenter le pays en énergie. Or l'URSS vend le pétrole à Cuba au taux de 18% du prix fixé par les pays membres de l'OPEP. C'est un inestimable cadeau car il n'y a aucune possibilité d'énergie hydro-électrique à Cuba. Si Cuba payait le tarif international, il faudrait toute la production de sucre du pays pour acheter seulement le pétrole.

Dans le but de diversifier ses ressources et d'augmenter ses entrées de devises étrangères, le gouvernement cubain se lance maintenant à l'assaut du tourisme en n'hésitant pas à faire des concessions, sur le plan matériel, aux caprices et exigences de cette clientèle.

Encore là, aux abords des plages uniques de la côte nord de l'île, que ce soit à Mégano près de La Havane ou à Varadero, on construit des hôtels modernes et luxueux, ont achète du matériel de loisir, on forme du personnel grâce à des programmes de coopération avec la Suisse, on commence à favoriser le tourisme individuel, les autocars sont de plus en plus modernes, les guides bien formés et dès cette année, on instaurera des programmes de location de voitures pour les touristes.

On n'arrête pas à Cuba de mettre les bouchées doubles et même triples et toujours dans cet esprit de dévouement incroyable, de gentillesse, d'hospitalité et d'accueil qui ferait rêver n'importe quel ministre du Tourisme de n'importe quel pays.

Pays où le sourire a remplacé le pourboire, où le vol n'existe pas non plus que la mendicité, où la nourriture est généreuse et avantageusement comparable à celle de n'importe quelle île des Antilles, si ce n'est peut-être le département français de Guadeloupe et Martinique. Pays où les prix ne varient pas au gré des endroits, où le soleil est régulièrement au rendez-vous malgré quelques mauvaises semaines, moins nombreuses de toute façon qu'en Floride, et où les plages immenses baignées par une mer d'émeraude sont incomparables.

Pays aussi de haute moralité où le touriste, pour peu qu'il soit renseigné sur ce qui a été accompli à Cuba, peut soudain ressentir lui aussi, par une sorte d'osmose, l'impression qu'il participe à un immense et emballant effort collectif. Pays de musique, de chaleur humaine, de communication, de grande culture et où personne ne vous casse la tête avec la propagande malgré l'extraordinaire niveau de politisation des citoyens jeunes et vieux et un niveau de scolarisation plus élevé que le nôtre. Le Canadien qui met les pieds à Cuba avec un sentiment de supériorité ou de mépris, si petit soit-il, est tout simplement ridicule.

19 janvier 1978

AU NORD DU NORD

1) Frobisher Bay ou le sens de l'humour dans le néant

Guy Deshaies nous livre ses impressions d'un voyage de quelque 8 500 milles au-delà du cercle polaire, dans les Territoires du Nord-Ouest et au Yukon, c'est-à-dire sur un territoire qui couvre 40% de la superficie totale du Canada mais où n'habitent que 65 000 Canadiens soumis à des conditions climatiques et géographiques jugées parmi les plus inhospitalières et les plus rigoureuses au monde.

En mettant le cap sur Wabush pour faire le plein d'essence, après le décollage à Dorval où il fait un confortable vingt-trois degrés, ce jeudi 17 août, le commandant David Falardeau, pilote du Viscount spécial «exécutif» de Transport Canada, ignore que le temps sera bouché sous peu à Wabush et que la piste sera fermée pour cause de mauvais temps.

Une heure après le départ, c'est donc le premier contretemps dû à l'intempérie qui nous force à atterrir à Sept-Îles pour faire le plein. C'est le premier avertissement aux «gens du Sud» des caprices du temps en ces régions; c'est la première vérité nordique.

Pourtant nous sommes encore loin des zones polaires vers lesquelles nous nous dirigeons; nous nous trouvons toujours au Québec, bien que je sois personnellement d'avis que la vallée du Saint-Laurent constitue la limite nord de l'habitable.

De Sept-Îles, l'avion vrille sa route dans les nuages et nous laissons bientôt derrière nous, c'est-à-dire dans le sud, l'extrémité nord du Québec pour traverser le détroit d'Hudson. Des formations de glace apparaissent sur le bec des ailes du brave Viscount, tandis que nous fonçons imperturbablement vers la terre de Baffin. À trois cents milles au nord de la limite nord de la zone forestière, le ciel se dégage, nous dévoilant la toundra, immensité de roches, de terres basses gelées toutes trouées de petits étangs verts et couvertes de lichens.

Étant naturellement porté à être fidèle à mes préjugés, je me dis tout à coup que Voltaire a été plutôt poli en parlant du Canada comme de «quelques arpents de neige». Ce sont des milliers de milles carrés de roches, de glaces, de pergélisol, de plantes rachitiques et rabougries de solitude, de vie même animale quasi inexistante, de soleil en forme de clin d'œil qui ne se couche pas l'été et disparaît l'hiver comme une sorte de veilleuse sur le néant. Nous allons atterrir à Frobisher Bay, c'est-à-dire nulle part.

Mais il est bon de se dire tout de suite que Voltaire ne savait pas qu'il y avait là, au-delà du cercle polaire, quoique plus à l'ouest, des mines d'or, de zinc, d'argent, de cuivre et d'amiante ainsi que du gaz et du pétrole comme on le verra plus tard en guise d'explication à la présence toujours plus intense des Blancs sur les rebords de la calotte polaire, présence bouleversante pour les autochtones écrasés par le monde de la technique, obligés de choisir entre un mode de vie étranger ou l'existence absolument misérable qui fut leur lot pendant des siècles, quoi qu'en disent de savants écologistes du Sud ou poètes qui trouveraient marrant de filmer encore des Esquimaux abattant le phoque au harpon et crevant dans leurs igloos.

Jusqu'à la fin des années 50, il n'y avait que quelques missions, des postes de traite de la compagnie de la Baie d'Hudson et des visites sporadiques d'explorateurs au nord du 60e parallèle.

La présence des Blancs signifiait plus ou moins l'exploitation des autochtones dans le commerce des pelleteries et l'alcoolisme. Même aujourd'hui, divers problèmes sociaux de dévalorisation des Inuit et Indiens, par rapport à une technique qui les diminue dans leurs moyens ancestraux, se font sentir. En 1973, selon les dernières statistiques, 71% des prisonniers des Territoires du Nord-Ouest avaient été condamnés pour ivresse.

Mais il y a des écoles, des services sociaux, des moyens techniques, des communications, du transport, des denrées plus variées, des possibilités plus ou moins égales qui suivent aussi l'invasion des Blancs, de toute façon inévitable.

Le rôle du gouvernement canadien est donc de protéger, autant que possible, l'environnement géographique fragile et la culture locale tout en facilitant le plus possible l'intégration des autochtones à la vie canadienne du XXe siècle. Ce n'est pas facile dans un système de libre entreprise où chacun est plus ou moins libre de s'établir comme il l'entend, et où le grand rêve des inépuisables richesses du Nord canadien est en voie de réalisation par les opérations de prospection et de forage.

Encore en 1969, le taux de mortalité infantile dans les Territoires du Nord-Ouest était de 57,3%, c'est-à-dire comparable aux pays les plus démunis du monde. Il est de moins de 15% aujourd'hui.

En fait, le grand dilemme est le suivant: le Canada, en achetant ces territoires de la Grande-Bretagne, en 1880, aurait pu les clôturer et les fermer à toute invasion des Blancs, laissant les Inuit et les Indiens à leur vie primitive, ce qui est impensable et inhumain. Comme, par conséquent, il y a invasion surtout explicable par la présence de richesses minières et pétrolières, il faut s'en accommoder. Très difficile de dire pour l'instant si les gouvernements fédéral et territorial s'en occupent pour le mieux.

Au premier contact avec Frobisher Bay, surnommée la New York de la Terre de Baffin, on comprend tout de suite que ce n'est pas demain que Yves Saint Laurent va venir y lancer sa collection de printemps.

Pourtant, le premier personnage à nous accueillir à l'aéroport est un monsieur mince, la cinquantaine, portant moustache et chapeau de tweed à la Sherlock Holmes. C'est le maire Brian Pearson, un britannique établi à Frobisher Bay depuis vingt-deux ans, mais qui paraît sortir directement d'un roman d'Agatha Christie ou de la London Gentry. Il nous fait monter dans un autobus scolaire piloté par un Inuit et la visite de son indescriptible ville commence.

Ce n'est pas une visite guidée mais un numéro de music-hall. Le maire nous fait voir à gauche un taudis plus gros que les autres et qui se prétend hôtel. Il nous souhaite de ne jamais y mettre les pieds. À droite, une construction plus ou moins en ruines au milieu de ferraille et de vieilles carcasses d'autos qui tient lieu de garage.

Le maire nous dit qu'il a consulté un architecte pour savoir ce qu'on pourrait faire avec sa ville de 2 500 habitants qu'il qualifie lui-même d'«horrible fouillis». Il nous montre ensuite une éolienne érigée par le gouvernement fédéral mais qui s'est effondrée au premier coup de vent sérieux. Le maire Pearson estime qu'il s'agit là d'une «expérience ridicule». L'autobus continue lentement dans cette agglomération de cabanes sur la roche tandis que le maire fait rire l'auditoire par ses sarcasmes et ses bouffonneries. Pourtant, il y a là une école de forme cubique, toute blanche en matière plastique, qui ressemble à une sorte de glaçon ou d'iceberg, histoire de cadrer dans le paysage, et qui est l'œuvre d'architectes québécois. Mais le maire Pearson dénonce cette construction qui n'a pas de fenêtres. Au Québec sud, les écoles sans fenêtres sont tristes et effectivement ridicules mais ici je dirais que pour des raisons d'économie de chauffage et aussi pour éviter aux enfants d'avoir une vue imprenable sur ce lamentable spectacle de

Frobisher Bay, les architectes québécois ont vu juste.

Et puis c'est l'inévitable église en forme d'igloo. Il y en a partout dans les villages esquimau; c'est comme si on faisait des églises en forme de sombreros au Mexique, en forme de bouteille de vin en France ou de hot-dog aux États-Unis. Pourtant ce n'est pas désagréable, ces gros dômes avec vitraux surmontés d'une croix.

Hélas, l'église de Frobisher Bay, qu'on appelle la cathédrale, a été construire au fond d'un ravin, de sorte qu'on ne la voit pas.

Le maire se marre de plus belle et puis l'autobus s'arrête pile devant un établissement baroque. C'est le magasin de Sir Pearson en personne. On y vend de tout. Des chaussures, des pommes de terre, du vin, des conserves, du tabac, etc. Tout est pêle-mêle dans ce hangar commercial du maire mais c'est plutôt sympathique.

Bref, une ville improvisée dans le congélateur du globe, au bord d'une grande baie sur la roche, faite de cabanes érigées temporairement il y a vingt ans, mais devenues tristement permanentes, sans arbres mais pleine de poteaux de téléphone et de fils électriques, avec une seule avenue pavée et une piste d'atterrissage au beau milieu. C'est là qu'habitent les premiers personnages du Nord; des exilés qui ont fui on ne sait trop quoi, qui se sont incrustés dans la glace et la pierre à savon et qui se ménagent des existences apparemment heureuses avec les vaillants Inuit qui s'initient à la vie «urbaine». Il y a là le père Shoque, un Belge, qui a troqué depuis longtemps la frite et l'asperge blanche contre la viande de caribou et l'escalope de phoque, le dentiste Lévesque, un Québécois qui a suivi l'introduction de la sucrerie chez les Esquimaux pour arracher les dents gâtées, des fonctionnaires fédéraux, des enseignants et des étudiants inuit, des commerçants comme le maire Pearson, des pilotes de brousse, des employés, des chiens esquimau, une journaliste qui en est à sa septième année de publication du journal local, dont certaines pages sont écrites à la main en esquimau et un hôtelier dont les chambres sont à 60$ la nuitée et dont le menu vaut qu'on mentionne, pour les touristes éventuels, que le «Hungarian Mixed Grill» est à 45$ à la carte et le quart de poulet à 14$.

En somme, une ville qui n'a pas perdu le sens de l'humour, où le soleil, à cette époque, se couche à minuit et se lève à 3h du matin, où l'avion est le seul lien permanent avec le Sud mais où les citoyens, polarisés dans cette Terre de Baffin à côté de laquelle la terre de Caïn paraîtrait une oasis d'abondance, ne paraissent pas tellement intéressés à se rendre, sauf le maire Pearson qui revient une fois par semaine de Montréal après avoir fait ses achats en gros.

Mais Frobisher Bay est inévitable. Elle est une plaque tournante essentielle des Territoires du Nord, même s'il y tombe annuellement 2,4 mètres de neige et que la moyenne annuelle de température est de moins neuf degrés.

Quant aux ressources, pour le moment elles ont de quoi refroidir le rêve de l'Arctique. Lisons ce qu'en dit le ministère fédéral: «Minerai: on prévoit y trouver de l'uranium; pétrole et gaz: on n'en a pas trouvé jusqu'à présent; poisson: omble de l'Arctique; gibier: caribou, phoque, quelques bélougas, renard et ours blanc.»

Bravo, gens de Frobisher! Avoir érigé une ville à partir de si peu, avoir résisté à la tentation de la nommer Deception Bay — comme ce fut le cas un peu au sud — et surtout y vivre, voilà qui mérite une mention honorable.

2 septembre 1978

AU NORD DU NORD

2) Le tourisme au fond du fjord

Après la nuit passée au Frobisher Inn, nous quittons la «New York» de la Terre de Baffin, vendredi 18 août, à bord d'un DC-3 nolisé de Firstair, pour faire route sur Pagnirtung, un petit village situé sur la rive sud-est du fjord de Pagnirtung, et qui sert de poste d'entrée, dans cette ancienne vallée glaciaire, au parc d'Auyuittuq, une étendue de montagnes et de glace fréquentée presque exclusivement par des alpinistes expérimentés.

Mais au décollage le bouchon du réservoir à essence de l'aile gauche de l'appareil saute et le pilote, un jeune homme dans la vingtaine, vêtu d'un costume de motoneigiste, décide de revenir à Frobisher Bay.

Le nouveau départ se fait une demi-heure plus tard et après environ quarante-cinq minutes de vol au-dessus de la baie Cumberland, nous survolons le village de Pagnirtung, petite agglomération de neuf cents habitants blottie entre les pics montagneux abrupts du fjord. Nous poursuivons notre route au nord afin de survoler le parc. Le DC-3 se glisse entre les sommets sillonnés de masses neigeuses. Nous avons beaucoup de chance de pouvoir ainsi jouir d'un ciel bleu à cette époque où le brouillard est presque constant.

Nous voyons très bien le travail des glaciers se creusant des vallées à même le roc. Paysage absolument grandiose, d'une beauté exceptionnelle et où très peu d'hommes se sont aventurés. Les sommets, pour la plupart, n'ont pas de noms et n'ont jamais été explorés. Nous atteignons les neiges éternelles et, ayant dépassé le cercle polaire, nous tournoyons au-dessus de ces surfaces blanches comme au-dessus d'un nuage, aux confins du détroit de Davis.

Nous descendons bientôt entre les murs horrifiants du fjord pour nous poser. À la radio, un certain Ross Payton fait savoir au pilote que le vent souffle faiblement du sud-est, de sorte que nous devons tourner dans le fjord avant d'atterrir. Ross Payton n'est pas exactement contrôleur aérien, il est hôtelier, propriétaire du Payton Cressman Lodge, communément appelé «Payton Place» à Pagnir-tung. Mais il a un poste de radio pour les avions et il se sort la tête par sa fenêtre pour donner les informations météorologiques; il possède aussi un commerce de location d'équipement d'alpinisme et de camping pour les touristes qui partent à la conquête des vallées glaciaires du parc.

Payton, c'est un autre original du Nord. Maigrichon, la quarantaine, une grosse barbe rousse et le sourire pres-que aussi éternel que la neige.

Ça peut faire sursauter de parler de tourisme à Pagnir-tung mais chaque année il y a plus de sept cents visiteurs qui entrent dans le parc fédéral dont le directeur, un jeune homme de Vancouver, se plaît beaucoup à «Pagn», comme on dit là-bas, avec son épouse et son enfant, bien que son dernier emploi ait été celui de directeur d'un parc national au Kenya...

Les visiteurs de ce parc de l'immensité, des sommets, des glaces et de la solitude, sont majoritairement japonais, néo-zélandais, australiens, français et britanniques. Mais il y a, en plus, des touristes qui aboutissent là, au bout du monde, juste pour voir.

Alors que nous bavardons dans le petit salon de Payton Place, qui sert aussi de salle à manger attenante aux cuisines où sévit un chef danois, apparaît un homme rondelet, en costume marine, chemise blanche et nœud papillon noir, accompagné d'une dame blonde, élégante.

Ce sont M. et Mme Édouard Cherry, domiciliés avenue Foch, Paris 16e, France.

M. Cherry, fumant lentement son cigare, nous explique qu'il est constructeur de ponts, qu'il a érigé des ponts durant vingt-deux ans en Afrique et qu'il visite le monde avec son épouse. Pour se bien dépayser de l'Afrique, il est donc venu visiter le Canada. Il avait vu Montréal, Toronto, Québec et les chutes du Niagara mais il fut attiré par une publicité concernant le pôle nord dans une vitrine de Montréal. Et c'est ainsi que le couple Cherry se trouve à Pagnirtung, dans une construction genre baraque, érigée sur la terre, non loin de l'eau où pourrissent des cadavres de phoques mais où la vue sur les sommets est saisissante. Seulement, il sont là pour six jours avec excursion comprise à Broughton Island en avion, à l'extrémité nord-est du parc Auyuittuq.

M. Cherry fait déjà des arrangements pour se faire transporter en bateau au bout du fjord, à vingt milles plus loin, afin d'admirer la chute de la vallée glaciaire et peut-être pêcher l'omble de l'Arctique. Une, cependant, qui paraît être plus partante pour un arrangement du genre retour à Montréal aujourd'hui même et départ dans la soirée pour Paris, c'est Mme Cherry. Elle ne se doutait pas, elle n'avait pas prévu les toilettes constituées par les sacs de plastique au Payton Place; elle nous disait qu'elle était rassurée au moins sur les maladies tropicales, très rares en ces lieux, mais il était visible qu'elle commençait à regretter méchamment la table du Fouquet. Mme Cherry, elle, contrairement à son joyeux mari, ressemblait à une erreur d'aiguillage en ce pays. Au point que c'en était drôle.

Silencieuse, se farcissant un «briefing» du Dr Ruel, expert en environnement arctique, avec traduction simultanée en esquimau, affichant le sourire figé et perdu de la résignation, elle chuchotait, mais sans hargne, que le forfait arctique constituait plus ou moins une fausse représentation et une publicité fallacieuse. Mais à Pagnirtung, on ne se révolte pas, on ne réclame pas, on ne demande pas à parler au gérant, on se tait, on se résigne, on survit et on se dit, surtout quand son habitat naturel est l'avenue Foch, qu'on aura au moins ça à raconter au retour.

Il y avait aussi des touristes de Calgary et de l'Ontario, mais eux ils admiraient beaucoup le paysage, étant donné leurs origines, et ne comparaient pas les sommets avec ceux des Alpes, non plus que l'infrastructure touristique.

Bref, du tourisme à Pagnirtung, ce n'est ni inconcevable ni bête car il y a là une richesse sauvage rare, des gens paisibles et fort amusants du côté des Inuit dont les enfants très beaux paraissent en santé et toujours souriants. Il n'y a pas une goutte d'alcool à Pagnirtung. Le conseil du hameau en a décidé ainsi mais, en revanche, les habitants ont bu, l'hiver dernier, 86 000 caisses d'eau gazeuse. Il y a la coopérative d'art Inuit où l'on retrouve les plus belles sculptures, divers objets et vêtements mais aussi de splendides gravures dont les prix varient entre 200$ et 1 500$. Il y a aussi les ateliers de tissage, l'école, le camion aux ordures et un représentant du gouvernement des Territoires du Nord-Ouest qui circule en Datsun sur les deux milles de routes de l'agglomération.

Il y a aussi l'édifice du parc, une construction faite par des Québécois, en matière plastique, toute blanche, pareille, mais en plus petit, au gros glaçon que constitue l'école de Frobisher.

Pour le reste, ce sont les petites maisons préfabriquées des Esquimaux avec le réservoir à huile à l'extérieur, la cabane à chiens, la motoneige et les barils d'huile.

Intelligents et sympathiques, les Inuit s'instruisent et sont toujours actifs bien que largement aidés par le trésor fédéral comme c'est le cas du reste de tous les Territoires du Nord-Ouest où le gouvernement est, et de loin, le plus important employeur et pourvoyeur.

La plupart des Inuit parlent l'anglais et ils adorent

communiquer avec les visiteurs. À Pagnirtung, il y a l'inévitable magasin de La Baie, base du commerce polaire.

Dans ce paysage gigantesque, au pied d'un des parcs
les plus vierges du monde et où l'homme n'a qu'une timide
présence, il faut quand même bien se dire, tout citadins
que nous sommes, qu'on y est bien mieux qu'en beaucoup
d'autres endroits du globe et notamment en certains lieux
de l'Afrique que j'ai eu l'effroyable malheur de visiter.
Édouard Cherry, après tout, n'avait rien à redire et il riait
malgré la très maigre perspective de décrocher un contrat
pour construire un pont qui enjamberait le fjord.

Pas si bêtes, non plus, les Japonais, Australiens et
autres qui descendent chaque été à «Pagn». On aime ou on
n'aime pas mais ça ne laisse certes pas indifférent et plus de
Canadiens gagneraient à s'y rendre, ne serait-ce que pour
une brève visite, au fond du fjord de Pagnirtung, entre la
banquise et la mer. Un indéfinissable «nulle part» mais qui
leur appartient.

5 septembre 1978

AU NORD DU NORD

3) Fort Smith, le pays des pélicans et des Indiens

Le samedi 19 août, après un vol d'environ une heure entre Pagnirtung et Frobisher Bay, nous montons à bord du confortable Viscount pour effectuer la plus longue étape du voyage, soit une distance de 1 405 milles franchie en cinq heures et quinze minutes, survolant d'est en ouest la Baie d'Hudson pour arriver enfin à Fort Smith, la ville la plus au sud des Territoires du Nord-Ouest, située à la frontière nord de l'Alberta.

Nous avons reculé nos montres de deux heures de sorte que nous nous posons à Fort Smith en début d'après-midi.

Ici, plus de pergélisol mais de la forêt. Bien qu'au 60e parallèle, nous sommes à l'intérieur de la zone forestière, au sud de la toundra, et ce sont des Indiens, et non plus des Inuit, qui forment la population locale initiale.

Les arbres, la plupart des conifères, sont chétifs mais arrivent à former des boisés importants sur ce sol plat, sablonneux et où coule la rivière des Esclaves en direction du Grand lac des Esclaves, au nord.

Le maire Kayser, un autre original, commerçant de son état, allemand d'origine et ayant encore des problèmes avec son anglais, nous promène en compagnie de sa secrétaire qui sert de guide à travers l'agglomération paisible de Fort Smith, ancien poste de traite des fourrures, établi en municipalité par la Compagnie de la Baie d'Hudson en 1874, et où vivent aujourd'hui 2 500 habitants.

Il y a, dans cette petite ville sans colline, un souci de coquetterie. Les contenants publics à ordures sont abrités par des jolies structures en bois rond, les noms des rues sont gravés sur des planches de bois verni; il y a des petits jardins, des fleurs, une quelconque verdure.

Nous rencontrons, à Fort Smith, des gens de Lotbinière, Québec, des Indiens qui nous font la gueule et dont un menacera de son couteau un fonctionnaire fédéral de notre groupe; nous faisons la connaissance d'un journaliste du *Edmonton Journal* qui crie au scandale de voir ainsi des fonds fédéraux utilisés pour promener des Québécois dans les Territoires, nous sommes présentés à beaucoup d'Oblats dont de nombreux Canadiens français dirigeant la mission centenaire de Fort Smith et nous voyons, chose rare entre toutes, des pélicans.

Le nom de notre motel paraissait déjà singulier: le Pelican Rapids Inn. Mais comme il y a bien le restaurant du Palmier Vert et le motel Parasol à Chicoutimi, on se disait que l'hôtelier de Fort Smith avait le droit de se payer aussi l'illusion sudiste. Que non! Il y a des pélicans au bord des rapides de la rivière des Esclaves, à dix minutes de marche de la ville.

Des pélicans étonnants qui viennent ici l'été depuis des temps immémoriaux et dont l'explication demeure inconnue encore de nos jours. Ce sont les seuls pélicans connus au monde qui remontent aussi haut dans le nord durant l'été et ce sont aussi les seuls au monde à nidifier sur les berges d'une rivière plutôt que sur celles d'un lac ou les rives de la mer.

La colonie est composée d'une soixantaine de ces oiseaux tropicaux dont l'envergure des ailes atteint six pieds. Ils arrivent à la fin de mai alors que l'eau est encore gelée et ils migrent vers le sud au début de septembre.

Personne ne les dérange et il est interdit aux aviateurs de survoler l'habitat de ces pélicans à moins de 2 000 pieds. On les voit par petits groupes sur les rochers au milieu des rapides.

Parfois l'un d'eux se place dans le courant, au pied d'une petite cascade et n'a qu'à ouvrir son gros bec pour capturer des poissons poussés par les flots impétueux.

Fort Smith, avec son parc national Wood-Buffalo, ses lacs environnants et la route qui la relie au sud à l'Alberta, est très visité l'été. Mais la présence millénaire des pélicans ne doit pas faire oublier celle des Indiens et des Métis.

En gros, on peut dire que les Territoires du Nord-Ouest et le Territoire du Yukon, c'est-à-dire 40% de la superficie totale du Canada, sont constitués de deux régions géographiques différentes: premièrement au nord-est et au nord, la toundra et les glaces éternelles de l'océan Arctique qui forment 60% de la superficie de ces territoires. C'est là qu'habitent exclusivement les Inuit, au nombre de 13 420 et dont les agglomérations les plus importantes n'atteignent pas 2 000 habitants et qui se répartissent sur de très grandes étendues d'est en ouest. Les Inuit parlent la même langue, quoique de légères variantes identifient certaines communautés. Historiquement moins en contact avec les Blancs, soumis à de très rudes conditions de vie, ils sont encore, du moins à ce qu'on peut voir, très dynamiques et soucieux d'une culture, certes fragile, mais qu'ils ont préservée malgré leur petit nombre et leur dissémination à travers l'immensité polaire.

Plus au sud et surtout à l'ouest, dans environ 40% de ces territoires et notamment le long du Mackenzie, c'est la taïga, c'est-à-dire la zone forestière. C'est là qu'habitent 10 740 Indiens et 6 500 Métis.

Le ministère fédéral des Affaires indiennes et du Nord identifie les problèmes des autochtones comme suit: «Le chômage, le sous-emploi, le bas rendement sautent aux yeux mais leurs causes sont très profondes: l'effritement des valeurs traditionnelles, l'insuffisance du gibier, la maladie, les effets démoralisants d'un contact avec une culture hautement technique, la perte de l'amour-propre et de l'identité sociale.»

Ces «causes profondes», comme on le voit, pourraient se résumer par les seuls mots «présence des Blancs» mais cette présence comporte des effets positifs et elle est par ailleurs inévitable.

Pourtant ce sont les Indiens et les Métis, semble-t-il, qui sont les plus touchés. Plus directement en contact avec les Blancs, plus concentrés mais séparés par cinquante-huit dialectes différents, si bien que leurs réunions se passent toujours en anglais, ils constituent hélas le gros des épaves humaines qui échouent dans les petites villes et agglomérations des Territoires. La pauvreté, le chômage, l'alcool et l'obésité sont souvent les traits des fiers Indiens de jadis. Leur artisanat est d'une surprenante pauvreté par rapport aux créations esquimaudes mais ils sont beaucoup plus politisés, amers, rébarbatifs et tenaces dans leurs revendications territoriales, soutenues notamment par les avocats spécialistes de Toronto et d'ailleurs au Sud, qu'on surnomme à Ottawa les «Indiens de Bay Street».

Quoi qu'il en soit, on ne peut pas traverser les Territoires du Nord-Ouest sans être frappé par ces graves problèmes sociaux, inéluctables dans une certaine mesure, mais qui font apparaître les objectifs du ministère comme parfois illusoires, compte tenu des énormes difficultés auxquelles il a à faire face. Ainsi, écrit-on, dans la politique du MAIN (Ministère des Affaires indiennes et du Nord): «Il est évident que, dans la pratique, il faut accorder aux autochtones la possibilité de concurrencer les autres Canadiens sur un pied d'égalité complet et le libre choix de profiter sur les plans matériel et psychologique de l'évolution économique et sociale du Nord.»

Nobles buts, efforts certains malgré sans doute des erreurs, mais que l'on comprendra mieux notamment à Tuktoyaktuk, au bord de la mer de Beaufort, en apercevant les installations de Canmar, filiale de Dome Petroleum, qui dépense 500 000$ par jour pour trouver du pétrole dans les gisements sous-marins.

Ces travaux devaient s'arrêter en 1977 mais au printemps de 1977, le cabinet décidait de permettre à Canmar de continuer ses recherches, de même qu'à Imperial Oil, Shell, Panarctic, etc.

Les autochtones ont demandé le gel de l'utilisation des terres pour la prospection de richesses non renouvelables. Mais le ministère écrit: «Le gel de l'utilisation des terres pourrait causer de sérieux retards économiques qui désavantageraient toute la population du Nord y compris les autochtones.»

Voilà une autre donnée de la même problématique, celle qui fait qu'il y a ruée sur le pétrole et le sous-sol minier mais à des conditions sévères pour la protection de l'environnement, conditions posées par un gouvernement canadien et une administration territoriale qui ont besoin d'une mise en valeur des richesses naturelles mais en même temps la lourde obligation de protéger le fragile environnement physique et humain du Nord.

L'ennui, c'est l'immensité du territoire et, par conséquent, du problème. En deux jours, nous avons parcouru presque 3 000 milles au Canada sans survoler une seule province puisque nous sommes toujours dans les Territoires du Nord-Ouest. Ce matin du dimanche 20 août, nous avons laissé les pélicans derrière nous et nous fonçons vers le nord-ouest, au-dessus du fleuve Mackenzie, le plus important du Canada après le Saint-Laurent. De Fort Smith à Inuvik, il faudra mettre trois heures vingt-cinq minutes pour parcourir les 914 milles toujours au-dessus de ce fleuve qui serpente dans le néant de la taïga et qui n'a le loisir de couler que de juin à septembre.

6 septembre 1978

AU NORD DU NORD

4) Entre rat musqué et pétrole

L a surprise en atterrissant à Inuvik, c'est-à-dire un peu au nord du 68e parallèle, au-delà du cercle polaire, ce n'est pas la fin de la toundra avec ses arbres encore plus chétifs et quelques bouleaux qui commencent à jaunir, c'est la chaleur.

Alors là, il aurait fallu nous prévenir, nous donner plus de détails sur le climat qu'on appelle ici subarctique, car il fait exactement 96 degrés Fahrenheit. Sur la piste pavée de l'aéroport, nous ressemblons à des touristes canadiens qui viennent de toucher le sol de la Barbade en février.

Car ce qu'il y a d'assez marrant dans ces régions, c'est que nous sommes des «gens du Sud». Ce n'est pas souvent, à titre de Canadiens, qu'on atterrit en des lieux où les populations locales vous appellent «people from the South», avec d'ailleurs un léger mépris. Moi, ça me réchauffe, j'aime. Mais à Inuvik, il y a de quoi nous donner un vilain complexe: l'heure est au bronzage intégral, qu'on le veuille ou pas. Surtout que le soleil ne se couchera pas, chose à laquelle on ne s'habitue pas facilement.

Qu'à cela ne tienne. Quand on se trouve à l'envers du monde, quand on chatouille la calotte polaire, il est bon de ne se surprendre de rien. Les autoneiges traînent dans l'eau et les bateaux sont montés sur la rive? Très bien. Le cuisinier de l'hôtel Esquimo Inn est Jean Ouellette, de Québec, agent d'assurances à Montréal l'an dernier? Parfait! Il y a une piste de curling, une piscine et un terrain de baseball mais pas de patinoire! Certainement. Il est midi ou minuit, Dr Ruel? S'il était midi, le soleil serait à gauche et non pas à droite. Merci. Et la planète Terre, c'est à gauche ou à droite? C'est en bas. Merci encore.

Non mais c'est vrai. Pas étonnant qu'il y ait des membres du groupe qui menacent de se remettre en question, d'autres qui photographient la cathédrale en forme d'igloo, d'autres qui dégustent de la baleine congelée coupée à la scie à fer en guise de «midnight snack». C'est anormal tout ça. C'est trop au nord, il fait trop chaud, trop clair. On voudrait y voir plus sombre.

Mais chacun achète sa parka, vêtement exceptionnel fait d'une sorte de doublure amovible en feutre, très joliment dessinée, brodée et recouverte d'une sorte de canadienne bordée de fourrure avec capuchon. Une aubaine à 160$ et la coopérative de fabrication de parkas n'exige pas de paiement comptant. On apporte le vêtement et on enverra son chèque ou son mandat plus tard.

Je doute que cette pratique se poursuive lorsque le pétrole aura remplacé le rat musqué sur les comptoirs d'Inuvik. Car cette ville, fondée en 1955, à cause de son emplacement pour l'aéroport, est vouée à servir de plaque tournante et de voie d'approvisionnement pour les exploitations pétrolières situées au nord, sur le bord de la mer de Beaufort. La vocation de poste de traite de fourrures de cette région, constituée par le delta du Mackenzie et où les animaux à fourrure sont abondants, demeure cependant très importante pour le moment, bien que, encore ici comme ailleurs dans les Territoires du Nord-Ouest, le gouvernement fédéral et celui du Territoire soient les principaux employeurs et moteurs de l'économie.

Parmi les 4 150 habitants d'Inuvik, il y a des Blancs en majorité, intéressés par le commerce et le pétrole mais aussi des fonctionnaires et des enseignants; il y a aussi des Indiens puisque nous sommes encore à la limite des zones forestières, et quelques Inuit.

Les rues sont en terre battue ou plutôt sur la neige. Il tombe deux mètres de neige par année en moyenne à Inuvik. Malgré le climat subarctique qui ressemble fort à du subtropical en ce 20 août, le pergélisol atteint une profondeur de 1 000 pieds, ce qui élimine la possibilité de creuser des caves. Les trottoirs sont des passerelles de bois, ce qui donne une petite allure western au décor. L'alcool constitue l'un des principaux problèmes sociaux d'Inuvik et, pour ceux qui iront passer leurs prochaines vacances à Inuvik, je ne saurais trop recommander la prudence s'ils décident d'aller prendre un verre au Madtrapper Bar (Le bar du trappeur en furie) en face de l'Esquimo Inn. À moins d'y aller en fortes délégations, il y a des risques de violence de la part des «mad trappers» qui fréquentent l'établissement.

Pour nous, c'est le départ tôt le lendemain matin, lundi 21 août, à bord d'un DC-3 de la compagnie Kenneth Borek à destination de Tuktoyaktuk. Le temps est plutôt couvert et la température s'affiche normale selon le thermomètre.

Nous survolons les *pingos*. Ce sont des monticules de roches et de terre qui peuvent atteindre une hauteur de cent pieds et qui se forment par le gel en surface, exactement comme le bouchon qui se forme sur une pinte de lait laissée dehors l'hiver.

À moins de soixante milles au nord d'Inuvik, nous revoilà dans la toundra du Mackenzie, atteignant la mer de Beaufort, dans un climat arctique. Le DC-3 se pose durement sur la piste de terre de Tuktoyaktuk.

Le vent souffle de la mer, le temps est gris, il faut souffler dessus pour nous réchauffer les mains, c'est laid. Un autobus scolaire de Gruben Transport, piloté par la fille Gruben, nous ballotte méchamment jusqu'aux établissements de la Canmar Oil, des bâtiments préfabriqués habités par quelque quatre cents techniciens, travailleurs, chercheurs de pétrole. Les trois navires de la Canmar, qui font du forage, sont à une trentaine de milles au large et nous ne pourrons pas les survoler à cause du mauvais temps et de la faible visibilité.

Mais on nous montre un film sur les extraordinaires travaux de forage dans ces mers qui se transforment en glace neuf mois sur douze. Parmi les tubes de fer qui s'empilent près des baraques, les grues qui chargent les navires d'approvisionnement, les réserves de carburant, M. «Skip» Marrier, pilote du DC-3 qui s'était posé en catastrophe sur un lac au nord du lac Saint-Jean il y a trois ans, nous accueille et nous explique ses fonctions d'administrateur des transports pour la Canmar. Après son accident d'avion, où heureusement tous les passagers avaient eu la vie sauve, M. Marrier avait été directeur de l'aéroport de Caniapiscau, à la Baie James. Le voilà à Tuktoyaktuk. S'il continue, il va basculer par-dessus la calotte polaire et se retrouver en Finlande ou en URSS. Mais il est content de son sort.

Les travaux coûtent 500 000$ par jour. On sait qu'il y a des gisements d'une richesse inestimable mais il faut forer au prix d'efforts inouïs dans des conditions à peine croyables.

C'est ça, le rêve arctique qui mène la construction de brise-glace plus gros, de méthaniers des glaces, de pétroliers géants.

Malgré les objectifs gouvernementaux de faire participer les autochtones à cette savante technique et à faire bénéficier les populations locales des trouvailles, on n'a qu'à visiter «Tuk», comme on l'appelle, pour se rendre compte qu'à part le dénommé Gruben, surnommé premier millionnaire de l'Arctique et qui semble tout contrôler en dehors du pétrole, les espoirs d'une vie grandement améliorée restent maigres.

Agglomération de cabanes montées sur piliers de bois, carcasses de vieilles voitures, désolation, odeur de phoque mort, terre boueuse, «Tuk City» a peu à offrir à

ses sept cents habitants, à part les installations de la ligne
DEW, le chic Reindeer Cafe, la piste de curling, la bibliothèque et la très belle boutique d'artisanat Inuit. Voilà! Il
est temps, grand temps de repartir, surtout que le temps se
gâte et qu'il arrive souvent aux voyageurs d'être coincés là,
sombre perspective en ce qui me concerne. Rentrons à
Inuvik.

7 septembre 1978

AU NORD DU NORD

5) Du Yukon rebelle
à Yellowknife la douce

D e Inuvik à Dawson City, nous avons 416 milles à nous farcir d'une traite en DC-3 vétuste, étant donné que l'escale à Old Crow, village indien situé à la frontière de l'Alaska, est annulée à cause du mauvais temps.

Plus de trois heures et demie après le départ d'Inuvik, nous atterrissons dans les montagnes toutes vertes, à travers des sommets impressionnants, à Dawson City où nous sommes subitement confrontés à un environnement touristique, sur les traces des chercheurs d'or du Klondike.

Mais nous avons définitivement quitté la toundra, bien que nous soyons, à Dawson City, au sud du cercle polaire. Nous y passons une soirée agréable et repartons le lendemain, toujours à bord du DC-3 de la maison Kenneth Borek, dont le copilote est un certain Robert Bélanger, de Vancouver, parlant peu le français.

Sauvage et fabuleux Yukon que nous survolons du nord au sud et dont nous apercevons le magnifique lac Laberge, avant de nous poser à Whitehorse, où Mme Flo Whyard, ex-journaliste et ministre de la Santé et du Bien-être du territoire du Yukon, nous attend dans l'admirable édifice administratif, pour nous dire toutes les misères que fait subir le gouvernement fédéral canadien au Yukon en contrôlant notamment 93% de ses richesses naturelles.

Elle nous parle de l'assemblée législative élue mais contrôlée par le commissaire nommé par Ottawa. Elle nous affirme que René Lévesque a raison dans la plupart de ses affirmations autonomistes bien que le Yukon, selon elle, se trouve dans un carcan plus serré que le Québec.

C'est comme une sorte de rêve. Le flot de paroles de Flo nous paraît presque saugrenu étant donné la population du Yukon, qui s'établit à 23 000 personnes, dont la moitié se trouve à Whitehorse. C'est tout juste s'il n'est pas carrément question d'indépendance nationale dans cette espèce de parlement moderne, où flotte fièrement le drapeau du Yukon. On nous distribue des brochures dans lesquelles le Yukon est proposé au titre de 11e province canadienne; il y a du «Vive le Yukon libre» dans l'air.

Et pourtant, même si la ruée vers le Klondike est chose du passé, on lit le passage suivant dans les informations du ministère fédéral des Affaires indiennes et du Nord: «L'avenir de l'exploitation minière à long terme au Yukon est très prometteur, étant donné la découverte de gisements importants dont l'exploitation pourrait commencer au cours des dix prochaines années.»

Le gouvernement canadien ne paraît pas chaud à l'idée de lâcher le morceau, malgré le chauvinisme des Yukonais et la fâcheuse habitude de démissionner qu'ont prise les commissaires nommés par le fédéral. Le dernier, Arthur Pearson, avait démissionné quelques jours avant notre passage.

Mais on le comprend lorsqu'on sait qu'à part la méfiance des Yukonais à l'égard des «feds» et leur cri d'identité yukonaise, il y a l'insatisfaction des Indiens, au nombre de 5 000, soit 25 % de la population, qui réclament rien de moins que le territoire au complet et qui désirent bien montrer leur mépris à l'égard des Blancs qui leur ont tout pris. En somme, la grosse chicane permanente, la revendication, la menace, la réclamation dans ce territoire de près de 208 000 milles carrés, soit le tiers de la superficie totale du Québec, mais où n'habitent que 23 000 personnes.

C'est ça aussi le Canada. Trop grand finalement; trop immense à l'échelle humaine, ce qui amène les regroupements les moins naturels. Occupant 40% de la superficie totale du pays, 65 000 habitants y vivent, hormis les richesses du sous-sol et quelques fourrures, de pratiquement rien. Mais les foyers de conflits abondent. Comme s'ils étaient essentiels à la survie.

En tout cas, les Yukonais, d'après au moins ce qu'on a pu voir, aiment les Québécois, ne serait-ce que parce que le Québec donne du fil à retordre à Ottawa par moments. Ça leur plaît, ce gros mouton noir confédéral de l'Est et ils nous encouragent presque à ne pas lâcher. Ils hissent leur drapeau bleu, blanc et vert, agrémenté d'un chien esquimau et d'une vague croix de Saint-Georges à la manière des pèlerins de Saint-Denis-sur-Richelieu avec leurs fleurdelisés.

Nous quittons le Yukon rebelle, le jeudi 24 août, pour faire route, cette fois dans le Viscount «exécutif» retrouvé, vers Yellowknife, la capitale des Territoires du Nord-Ouest, située sur les berges d'une anse profonde de la rive nord du Grand Lac des Esclaves. C'est la plus urbaine, la plus sophistiquée, la plus élégante des villes de l'Arctique, avec ses quelque 6 000 habitants. Il y a là des édifices modernes, des boutiques de bon goût, des lacs par centaines tout autour.

Le climat n'est pas aussi rigoureux qu'on le croirait à cette latitude d'environ soixante-trois degrés nord.

Lisons à ce sujet les informations du ministère: «Du début juin au début septembre, l'été est ensoleillé et chaud; en juillet, la température se maintient dans les vingt et un degrés. La fin d'août est souvent marquée par quelques jours pluvieux mais la précipitation annuelle est d'environ huit pouces alors qu'elle est de trente-cinq pouces à Ottawa et de cinquante-sept pouces à Vancouver. La température moyenne en janvier est de moins vingt-huit degrés. L'hiver s'étend de la fin d'octobre au mois d'avril.

Les jours sont extrêmement longs au printemps et en été: durant environ deux mois, le jour compte vingt-deux heures de lumière et deux heures de brillant crépuscule.»

Bref, c'est habitable, confortable et probablement fascinant pour ceux par exemple, comme Me Pierre Asselin, procureur des T-N-O, qui font de la voile l'été au soleil de minuit sur le Grand Lac des Esclaves.

C'est là, à Yellowknife-la-douce, que se concentrent les problèmes de l'administration territoriale à laquelle se consacrent des gens venus de toutes les parties du Canada.

Parcourir 8 500 milles en quarante-quatre heures d'avion dans ces immensités inhabitées, c'est à la fois trop et pas assez pour se faire une idée un peu juste de l'avenir de cette partie du pays. Cela permet tout juste de voir l'ampleur d'un défi à la fois économique, social et politique, les inévitables contradictions d'un gouvernement qui, tout en protégeant au maximum les fragiles infrastructures de l'Arctique, doit en même temps préserver l'environnement physique et humain, tout en mettant de l'avant l'exploitation des richesses naturelles.

Après un voyage pareil, inusité, on sait au moins que tout cela existe et que ça se développe, quoique lentement. On voit que l'immense Canada est juste un peu plus grand qu'on ne le croyait et que, entre les conflits est-ouest, il y a aussi cette ineffable dimension nord-sud.

8 septembre 1978

Du ski sans hiver

Je ne suis pas particulièrement porté sur les stations de ski où qu'elles soient... D'abord parce que je ne fais pas de ski mais aussi et surtout parce qu'il y règne, d'après une expérience relativement limitée de ces lieux, une ambiance que je qualifierais d'inconfortable.

C'est un va-et-vient continuel d'individus déguisés en costumes qui rappellent à la fois l'astronaute et le scaphandrier, avec délicate touche de «masque de fer» pour ceux qui portent la cagoule; en même temps, c'est le défilé de mode sportive pour bien montrer que l'élégance a pris des droits sur l'hiver, et en particulier dans ces stations légèrement snobinardes où l'habileté à faire du ski n'est pas absolument indispensable.

Vous payez pour vous faire hisser en haut des côtes par téléphériques, câbles sans fin, barres en T et autres mécaniques, alors qu'il serait plus logique de rétribuer la descente périlleuse observée toujours attentivement par ceux, nombreux, qui restent éternellement en bas et qui souhaitent secrètement la chute spectaculaire.

Car, comme banc d'essai de l'orthopédie, on n'a pas trouvé mieux que la pente de ski. Il ne s'agit pas d'ouvrir une station de ski sans avoir de solides provisions de plâtre, comme on peut le constater en voyant les éclopés qui reviennent des «sports d'hiver». Au moins ont-ils la consolation, ceux-là, de ne pas être pris pour des skieurs de salon même si à la vérité, ils ont été victime d'une chute bête dans l'escalier du chalet.

Et puis le ski, c'est tout de même l'hiver, la neige, le

froid, la tempête qui guette ceux qui font route vers la station et ceux qui se préparent à repartir pour leur travail.

Un dernier mot encore sur les risques que comportent
les remontées à bord des cabines téléphériques qui parfois
tombent en panne, ce qui est fâcheux mais moins que lorsqu'elles tombent tout court de plusieurs centaines de pieds
à la verticale.

Bon. Ces choses étant dites, il serait normal qu'on
referme là le dossier en votant une mention honorable au
skieur de fond et en réaffirmant pour la énième fois sa préférence, du reste bien partagée, pour les plages au soleil.

Mais quand tout à coup il est question de ski sans
l'hiver, ça devient tout de suite plus alléchant. Or, la Californie recèle quelques stations, dont celle de Mammoth
Mountain notamment, où le ski, au printemps, prend une
dimension nouvelle.

Je m'y trouvais au début du mois dernier et il y faisait
un agréable dix-neuf degrés en après-midi. En juillet dernier, les skieurs mettaient leurs os au défi par vingt-cinq
degrés, ce qui fait tout de suite moins pénible. Ce sommet
de 11 000 pieds, entre le désert de Mojave et la Vallée de la
Mort, est ouvert au moment où les autres hauts lieux de
ski sont fermés.

De Los Angeles, c'est la société Sierra Pacific Airlines
qui nous transporte à Mammoth Mountain en un peu plus
d'une heure, à bord de ses Convair 580 qui se posent à
7 000 pieds d'altitude dans la vallée glaciaire qui s'étend au
pied de la station.

Le village de 2 000 habitants accueille jusqu'à 80 000
amateurs à la fois en haute saison et il n'y a rien d'étonnant, dans cette espèce de paradis, à faire un peu de ski
puis, tout de suite après, jouer au tennis ou se baigner dans
la piscine de l'hôtel. Il y a une quarantaine d'hôtels, de
nombreux chalets en location, des restaurants valables et
même gastronomiques.

Ce qu'il y a de bien aussi, c'est le respect de l'environnement qui fait qu'il n'y a pas d'affiches au néon, pas de restaurants «fast-food» et une architecture soumise aux exigences de la corporation semi-privée et municipale qui administre les pentes et les installations.

La pratique du ski n'interdit pas celle de la pêche à la truite, plus tard en saison, dans ces beaux lacs bleus qui miroitent à travers des forêts de conifères majestueux dont on n'a pu savoir le nom mais qui sont, semble-t-il, des pins ressemblant au produit d'un quelconque mariage entre l'if des mots croisés et l'épinette grise.

Bref, du beau pays, de l'air pur, du soleil et du ski sur des pentes dont la caractéristique, même à cette hauteur, est d'être parsemées d'arbres, ce qui ajoute à la couleur et au danger. Toute cette région est une sorte de parc non seulement pour le ski et la pêche mais pour le camping, l'alpinisme, l'excursion à pied, etc. Quelqu'un, par exemple, qui visiterait la Californie en automobile, ferait bien, au départ de Los Angeles, de s'envoyer les cinq cents kilomètres d'autoroute qui conduisent à ces lieux. On peut trouver des kiosques touristiques où tous les renseignements pertinents sont donnés avec gentillesse.

En Californie, selon mon expérience et mes goûts, il convient de se méfier beaucoup des visites guidées car elles consistent presque inexorablement à faire voir les résidences des acteurs où que vous soyez, puisque ces gens-là construisent un peu partout. Dans notre cas, c'est Lucille Ball qui a remporté la palme. On a eu droit à sa maison à Beverly Hills, à son chalet en montagne, à la résidence secondaire de son arrière-petite-fille, etc. Un peu plus et c'était l'autographe et la biographie de la vieille et peut-être même sa date de naissance qui remonte pratiquement aux origines de la Californie.

Dans l'avion qui nous ramène à Los Angeles, ça ne manque pas: il y a bel et bien là un jeune homme, style ancien G.I., les cheveux en brosse, les joues constellées de taches de rousseur et la jambe dans le plâtre. Un plâtre vigoureux, portant déjà les signatures des copains, agré-menté d'un talon rotatif en caoutchouc synthétique avec ouverture réglementaire au niveau des orteils. De la belle ouvrage. Le tout est accompagné d'une solide paire de béquilles. Moi, le jour de ma visite à Mammoth, j'avais un trou béant dans ma semelle de botte, ce qui rendait pénible le passage dans les flaques d'eau et héroïque l'écrasement et l'extinction de la cigarette par le pied, mais je revenais sur mes deux jambes pour pouvoir, dès le lendemain, pas-ser la journée tranquillement à bord du beau sloop Valen-tine de quarante-trois pieds appartenant à Peggy Slater, navigatrice de soixante-quatre ans, qui s'assoit face au large, le long de la côte de Malibu, en disant qu'il y a plus à voir de ce côté.

Car c'est ça, la Californie: le ski, la voile, le soleil à la mer ou à la montagne, indifféremment.

5 janvier 1979

UN PARADIS DU BOUT DU MONDE

Seychelles que j'aime

Il n'est pas un endroit sur l'île d'où l'on ne peut entendre le bruit de la mer émeraude. Sur la route en lacets qui traverse les sommets, presque chaque courbe nous réserve, tout en bas, une vue imprenable sur une plage déserte de sable blanc bordée de cocotiers.

De temps à autre, une petite maison enfouie dans la végétation luxuriante; partout des oiseaux multicolores qui chantent et virevoltent dans cette orgie de plantes et, parfois, des petits groupes d'écoliers en uniformes bleus qui dévalent les pentes en riant.

À l'heure des repas, lorsqu'on se balade dans ce véritable jardin de la nature, l'odeur toujours présente de la cannelle et de la vanille se mêle à celle du poisson que les habitants font griller à leur porte, sous les feuilles des palmiers géants.

Les soins médicaux et l'éducation sont gratuits, il n'y a pas de mendiants ni même de grande pauvreté; toutes les plages sont publiques et accessibles à tous; on y parle le français et l'anglais, langues officielles du pays; il n'existe aucun insecte ou reptile venimeux; il n'y a pas de paludisme et l'île se trouve en dehors de la zone des cyclones. Généralement, il ne pleut que la nuit et le soleil est de rigueur douze mois sur douze.

Il y a ainsi quatre-vingt-sept îles dont quelques-unes seulement sont habitées, mais en tout la population n'est que de 60 000 habitants concentrés sur l'île de Mahé

(55 000 habitants) dont 30 000 habitent la capitale, Victoria, une petite ville toute propre, avec boutiques superbes, petits marchés, petit parlement juché sur les hauteurs et l'horloge au carrefour central, pareille à celle du pont Vauxhall à Londres mais en plus petit.

En clair, cela veut dire un lieu fort proche du paradis terrestre.

La population y est si paisible et si souriante qu'on se sent tout de suite chez soi, comme accueilli par des gens indifférents au mercantilisme, contents de voir des touristes, à la condition qu'ils ne soient pas trop nombreux et dont les origines et les péripéties de l'histoire les rapprochent curieusement des Québécois francophones.

Je parle des îles Seychelles, situées au beau milieu de l'océan Indien, à quatre degrés de latitude sud et à cinquante-cinq degrés de longitude est, ce qui les place à plus de 12 000 milles à vol d'oiseau de Montréal et à environ vingt-quatre heures d'avion en comptant les escales.

C'est l'inconvénient au départ: la distance. J'ai fait personnellement le voyage d'un seul trait à l'aller mais plus ou moins par miracle. Dans l'après-midi du vendredi 9 février dernier, une jeune fille de British Airways m'annonce que mon vol BA070, direct sur Londres, est changé et combiné avec le vol Toronto-Montréal-Prestwick-Londres BA2070 et que l'arrivée à Londres est prévue pour le samedi matin, 10 février, à 10h55, ce qui me laissera soixante-cinq minutes pour attraper ma correspondance avec le vol BA61 à destination des Seychelles via Zurich et Nairobi.

Cela annonce du sport. D'abord, il faut faire enregistrer ma valise directement pour les Seychelles au départ de Mirabel car je n'aurai pas le temps de la récupérer à Londres. Deuxièmement, il faudra qu'entre Prestwick et Londres, je m'arrange avec le personnel de bord pour être le premier à descendre du 747 afin de ne pas rater mon vol sur les Seychelles.

Le commandant Seed pose le gros 747 dans les brouillards écossais de Prestwick à 9h00 le samedi matin. Jusque-là, tout va bien. Mais l'escale se prolonge indûment. Le commandant annonce que le personnel au sol est retardé par des conteneurs dans la section cargo.

Le vol de Prestwick à Londres dure plus d'une heure et demie et je vois peu à peu mes chances s'estomper. Mais le chef de cabine demeure optimiste même si, enfin, nous décollons de Prestwick à 10h45. Je suis maintenant certain d'avoir raté mon vol pour les Seychelles bien que l'embarquement à Londres soit au même «terminal», celui des vols internationaux.

Il y a, avec moi, installé au premier rang, près de la porte de sortie, un Américain qui s'en va faire du ski en Yougoslavie et qui n'aura que quelques minutes pour attraper son vol pour Bratislava.

Nous nous posons à Heathrow à midi, c'est-à-dire au moment même où le 747 de British Airways pour les Seychelles doit décoller.

Le chef de cabine nous pousse dehors à peine la porte ouverte et l'Américain, je ne sais trop pourquoi, prend un corridor à sa gauche et disparaît vers ce que je pense être un entrepôt. Dans ma course effrénée vers la zone de transit, je verrai un individu portant une petite pancarte à l'intention du «passenger for Bratislava». Je continue ma course et débouche dans la salle des correspondances où je me dirige frénétiquement au comptoir de British Airways en sachant pourtant bien qu'on me dira qu'il est trop tard. Je passe devant tout le monde, j'accroche un préposé et lui balbutie: «BA61». «Vous avez le temps, me dit-il calmement, ce vol est retardé d'une heure et demie et le départ est prévu à 13h30.» Ouf. Mais on m'annonce qu'il serait fort surprenant que ma valise me suive. Qu'importe. À 13h30, nouveau départ pour Zurich où nous nous posons sous la pluie et le brouillard.

Puis c'est le long vol d'une durée de huit heures vers le

Kenya en Afrique de l'Est où nous nous posons vers 4h, dimanche matin, heure locale.

Il fait encore nuit lorsque nous décollons de Nairobi. Ce sera la deuxième fois depuis mon départ de Montréal que je verrai se lever le soleil à l'est. À 8h, heure locale des Seychelles, ce dimanche matin 11 février, après vingt-six heures d'avion, j'arrive au paradis. Il y a neuf heures de décalage horaire avec Montréal, ce qui fait que pour moi il est minuit environ lorsque je monte dans le taxi qui me conduira au Mahé Beach Hotel, sans valise bien entendu, de l'autre côté de l'île, soit à dix kilomètres environ de l'aéroport. C'est là le premier choc de la beauté des lieux, de l'amabilité des gens à l'aéroport, de la propreté de tout ce qui vous entoure, dans cette ancienne colonie française devenue britannique avant son indépendance en 1976. Le français se perdait un peu mais l'isolement de cette colonie sans aéroport jusqu'à 1971 préservait plus que n'importe quelle loi les traditions ancestrales.

Le 29 juin 1976, les Seychelles déclarent leur indépendance et le premier ministre de l'époque, James Mancham, devient le président du nouvel État, quoique sans conviction. Il croit qu'il aurait mieux valu garder le cordon ombilical avec l'Angleterre. Mais Mancham, un célibataire joyeux, se trouve bien dans la peau du président. Il fait le tour de l'île dans sa Rolls-Royce, mais fréquente surtout les boîtes chics de Londres et de New York en compagnie de jolies jeunes femmes. Il invite des cinéastes à tourner *Emmanuelle* aux Seychelles et veut que ses îles deviennent des «îles de l'amour». À Londres, on le surnomme bientôt «le Pierre Elliott Trudeau de l'océan Indien».

Mancham réplique: «J'aime ce parallèle avec mon homologue canadien mais il y a erreur. En fait Pierre Elliott Trudeau est le James Mancham de l'Amérique du Nord.»

Seulement, il y a René. Le 5 juin 1977, Laurent René, qui est premier ministre, fomente un coup d'État pendant que le «P. E. Trudeau de l'océan Indien» est à la conférence du Commonwealth à Londres. Amusant pour nous, cette situation. M. René est un social-démocrate. Il prend le pouvoir et établit une social-démocratie plus ou moins sur le modèle scandinave. Il nationalise quelques exploitations agricoles, instaure le français dans les écoles, amorce des relations diplomatiques avec la Chine populaire et l'URSS, multiplie les mesures sociales, etc. Les Seychellois des grandes familles ne cachent pas quelques réticences à l'endroit de ce gouvernement mais paraissent être satisfaits dans l'ensemble. Les plus humbles ne jurent que par le président René.

Bon. Voilà pour l'histoire. Mais ce qui est le plus intéressant peut-être, pour des visiteurs éventuels des Seychelles, c'est la politique touristique du gouvernement. D'abord pas de tourisme en masse. On a refusé à la société aérienne allemande de charters Condor de venir déverser sur l'île des centaines de touristes par semaine. On a refusé l'installation d'un Club Méditerranée parce que les plages doivent toutes être publiques même si la plupart sont complètement désertes. On construira un hôtel Sheraton l'an prochain et après ce sera fini. La limite du nombre de touristes est fixée à 100 000 par année et le nombre de lits d'hôtels à 5 000. L'an dernier, il y a eu 60 000 touristes pour les 3 000 lits actuels.

La préoccupation du gouvernement porte avant tout sur l'environnement et la qualité de vie des habitants, ce qui fait que les touristes qui s'y trouvent sont là plutôt à titre individuel bien qu'il existe d'intéressants forfaits depuis l'Europe. Ils sont si rares, en vérité, qu'on a presque toujours l'impression d'être le seul étranger aux Seychelles.

Il y a d'excellents hôtels, comme par exemple le Mahé Beach administré par HMI (Hotel Management International), le Coral Strand (appartenant à British Airways), le Beauvallon et l'ultrachic Fisherman's Cove avec ses pavillons en granit.

Ce sont là des hôtels entièrement climatisés (ce qui est presque indispensable compte tenu de la température et de l'angle du soleil: nous sommes à l'équateur) avec piscines, tennis, discothèques, plages, boutiques, salons de coiffure, etc. Mais il y a beaucoup d'intéressantes auberges fort confortables au bord des anses, entre la plage et la montagne. Partout l'eau provient de sources et est donc potable.

Pour apprécier davantage les Seychelles, il faut louer une voiture afin de circuler autour de l'île à son aise. Pas besoin de permis de conduire international. On conduit à gauche comme en Angleterre mais la circulation est évidemment très faible, surtout lorsqu'on débouche sur une plage déserte au bout d'un petit chemin indiqué sur la carte.

On peut visiter aussi les autres îles voisines, comme Praslin où se trouve la Vallée de Mai dont on dit qu'elle fut le lieu de l'Éden avec ses cocotiers géants et leurs noix en forme suggestive de bassin de femme. Il y a l'île de La Digue, l'île Silhouette, l'île Denis, l'île Bird et combien d'autres qui sont des réserves naturelles d'une flore exubérante et d'une faune généreuse, surtout d'oiseaux. Le ministère du Tourisme, comme me l'indiquait la secrétaire permanente, Mme Danielle d'Offay de Rieux, est intéressé à recevoir des groupes spécialisés comme, par exemple, des ornithologues ou encore des amateurs de pêche en haute mer.

J'ai consacré deux jours à ce sport aux Seychelles. Pour ceux qui ont quelque expérience, notamment dans l'Atlantique, en Caroline par exemple, il y a des différences notables entre les techniques américaines et seychelloises. Aux Seychelles, les bateaux ne font usage ni de radio ni d'«échosonde»; le leurre est semblable, c'est-à-dire une sorte de «flat fish» ou de volet multicolore mais il n'y a pas d'appât à l'hameçon. La traîne ne suit qu'à une dizaine de mètres du bateau, en surface, et le bateau va plus vite que ceux du Gulf Stream. J'étais aux côtés d'un Italien de Milan qui me faisait des gros signes désapprobateurs au début.

Mais ça mord. Il y a là des bonites, des kingfish, des dorades et des thons de bon aloi. Cependant, les records sont battus en mars surtout lors de certains championnats réputés aux Seychelles. La plongée sous-marine est aussi pratiquée autour de ces îles dont la moitié sont formées de granit au milieu des bancs de coraux.

Présentement, un peu comme au Québec, on entend beaucoup parler de «reprise en main de nos ressources» aux Seychelles. Le gouvernement s'intéresse aux entreprises mixtes; il a créé une école d'hôtellerie et veut valoriser les produits seychellois. Ainsi, il y a sur l'île douze variétés d'oranges mais certains hôtels importent des oranges du Maroc sous prétexte qu'elle sont au goût des touristes. Les Seychelles vivent de l'exportation du coprah, amande d'une sorte de cocotier qui sert à fabriquer l'huile de coco. On exporte aussi la vanille et la cannelle, certains bois et les produits de la pêche qu'on veut maintenant développer sur une échelle commerciale.

Les Seychelles, quoique avec réticence, importent certains produits essentiels de l'Afrique du Sud, mais aussi du Kenya et d'Europe. Les efforts de rationalisation des richesses ont permis l'établissement d'un salaire minimum et une balance commerciale favorable. Mais il est clair, au chapitre du tourisme, que ce gouvernement des îles perdues ne veut pas faire l'erreur des autres paradis devenus des agglomérations d'hôtels et des lieux pollués, tant physiquement que moralement.

Le lendemain de mon arrivée, ma valise était là dans le hall de l'hôtel grâce aux bons soins de Mme Doris Johnson de British Airways à Victoria. Mais a-t-on besoin de valise dans cet endroit de rêve? S'il est question de partir seulement avec sa brosse à dents et son maillot de bain, c'est bien là... mais c'est loin.

Personnellement, en tout cas, de toutes les destinations soleil qu'il m'a été donné de visiter, je dois maintenant placer les Seychelles tout en haut de... l'échelle.

2 mars 1979

Du bouzouki au temple dorique

Une fois sorti d'Athènes, il s'agit de ne pas être distrait. Primo, pour ne pas percuter soit un camion à sa gauche, soit un berger ou un mouton à sa droite: deuzio, pour ne pas rater le monastère de Daphni qui, comme beaucoup de monuments en Grèce, se trouve dissimulé discrètement à l'abri des routes.

Sur la route d'Athènes à Nauplie (en grec Nauplion), c'est ce monastère du VIe siècle érigé sur l'emplacement d'un temple dédié à Apollon et où se trouvent quelques-unes des plus remarquables mosaïques de la Grèce, qui constitue le premier arrêt.

Il faut payer pour entrer dans l'enceinte du monastère et il y a un deuxième collecteur de drachmes aux portes de la chapelle. Les ruines et les monuments, en Grèce, sont des postes de péage mais il ne faut pas s'en plaindre car c'est de cette façon que le gouvernement arrive à protéger et conserver son richissime patrimoine.

Le monastère de Daphni est un site byzantin qui prépare bien aux plus grands sauts dans l'histoire qui nous attendent à Corinthe et à Mycènes, mais en entrant dans l'isthme du Péloponnèse, il faut encore s'arrêter pour admirer le canal de quatre kilomètres creusé par l'homme et qui relie le golfe Saronique et le golfe de Corinthe. Les Romains avaient commencé des travaux en 67 avant J.-C. mais le canal actuel date du siècle dernier. Les Corinthiens avaient, dans l'Antiquité, construit une voie pavée sur laquelle ils tiraient les navires sur des rouleaux moyennant des tarifs qui en firent une cité puissante et riche.

Le spectacle de cet étroit canal au fond d'une gorge qu'enjambe la route devient encore plus fascinant au passage d'un navire. Tout à côté du pont, il y a un restaurant-terrasse qui fait pâtisserie et magasin de souvenirs et où le café *cappuccino* est un délice.

Mais puisqu'on en est aux «souvenirs», j'aimerais aborder le sujet avant d'aller attaquer les ruines de l'ancienne Corinthe. Il me semble que le meilleur souvenir concret qu'on puisse ramener de Grèce est un disque de cette musique qui fait partie de la vie quotidienne des Grecs. Il y a des microsillons de bonne qualité dont les prix se situent autour de deux cents drachmes (6,50$). Mais attention! Les disques genre «Sound of Greece», «Dance the Syrtaki with Me», etc., ne sont pas toujours les meilleurs. Vaut mieux se lancer dans l'authentique, quitte à faire la découverte musicale une fois de retour chez soi. Moi j'ai pris Zambetas et ses Bouzoukias. C'est un disque instrumental mais extraordinaire. Le problème, c'est que les deux premiers titres des morceaux de la face A laissaient perplexe: «La Nuit sans lune» et «L'Aigle sans ailes»; un peu plus et on me vendait la pochette sans le disque. Il y a un dénommé Tsifanis qui se débrouille très bien au bouzouki et un autre dont le nom ressemble à Zifilis (passons). Côté chanteurs, mentionnons Mme Sortiria Bellou qui est à la Grèce ce que Mme Amalia Rodriguez est au Portugal, Giorgios Mitsakis, Bithikotsis, Mouflouzelis, etc. La Grèce sans le bouzouki, ce serait la France sans vin, un train de VIA Rail sans retard, un bulletin de nouvelles à Radio-Canada sans difficultés techniques, bref une anomalie. Le joueur de bouzouki est un homme respecté et important. Je me souviens à Montréal, au début des années 60, les joueurs de bouzouki, fraîchement débarqués rue Saint-Laurent, mettaient un mouchoir sur leur cuisse aux fins d'éviter que l'instrument n'use le pantalon. Il y avait là quelque chose de touchant qui n'ajoutait que plus de valeur à l'ineffable musique du peuple grec. En tout cas, voilà un excellent souvenir à rapporter, d'autant plus que les boutiques grecques de la rue Saint-Laurent ou de l'avenue du Parc sont assez pauvres en disques. Un dernier mot sur les icônes que l'on voit partout dans les étalages. Notre guide Zoé, une puriste de l'art, m'avait découragé au chapitre des icônes commandées par mon épouse. D'abord les originales sont dans les musées et font partie du patrimoine; deuxièmement, les copies valables sont rares, difficiles à identifier et peuvent coûter quelques milliers de dollars. De sorte qu'il a fallu attendre que Zoé ne soit plus dans le décor, à Rhodes, pour acheter mon icône à 30$ comme tout le monde. Ça reste joli et plaisant et les hellénistes ne courent pas nos maisons pour contester nos icônes manufacturées.

La ville de Corinthe actuelle n'offre rien d'intéressant d'après ce qu'on nous dit mais il faut voir l'ancienne cité avec son temple dorique qui date de 550 avant J.-C., l'agora où mène la voie principale et qui témoigne encore admirablement du luxe et de la richesse des Corinthiens de l'Antiquité. L'ancienne cité, foulée par les touristes, racontée dans toutes les langues par des guides qui rattrapent leurs troupeaux parmi les colonnes, jouxte un village, ou plutôt une voie commerciale bordée de terrasses où les visiteurs vont manger leurs feuilles de vignes (*dolmades*) à l'ombre du temple d'Aphrodite, en pensant aux prêtresses hiérodules qui exerçaient leurs fonctions sur une base professionnelle, pour les plus grands plaisirs du culte des visiteurs d'antan.

Et puis, c'est Mycènes où, après avoir payé son entrée, il faut se farcir l'ascension jusqu'à la porte des Lionnes qui marque l'entrée de l'Acropole surplombant la cité antique mise au jour par Heinrich Schliemann, en 1882, qui croyait y avoir découvert le masque en or d'Agamemnon, roi de Mycènes.

Mais ça vaut le coup, ne serait-ce que pour s'arrêter quelques moments sur ce sommet et admirer les montagnes arides qui nous entourent et cette terre, tout en bas, qui renferme encore les trésors de l'Antiquité.

À une vingtaine de kilomètres de là se trouve le merveilleux village de Nauplie, station huppée du golfe Argolique, jadis la première capitale de la Grèce et où s'élève la citadelle Palamède, érigée par les Vénitiens au début du XVIIe siècle.

Au pied de la citadelle, mais sur le cap qui surplombe le port de Nauplie, s'élève l'ultramoderne hôtel Xenia que Zoé déteste énormément *because* l'architecture. Moi j'aime et voilà le moment de prendre un léger congé d'Antiquité. Mais il faut pratiquement avoir fait ses mille heures sur Boeing 747 pour arriver à contrôler la chambre munie d'une console à boutons-poussoirs. Il y a là des systèmes de verrouillage automatique de la porte, des témoins lumineux, des contrôles à distance de l'air climatisé, de la TV, de la radio, des feux de position, des boutons pour appeler, pour fermer et ouvrir les volets, pour se faire réveiller; une douche thermostatique et, malgré tout, un balcon donnant sur le port, une fois les volets ouverts.

Nauplie, c'est le calme, les terrasses sur le port, l'air aristocrate de la place de la Constitution, le bouzouki la nuit, le soleil le jour et juste en face, l'îlot Bourzi où s'élève un vieux fort vénitien aménagé en hôtel depuis quelques années.

Il y a une plage, derrière la colline, tout au pied de l'hôtel dont la salle à manger donne sur l'autre versant.

Un très bel endroit pour un séjour qu'on souhaiterait plus long à moins de cent cinquante kilomètres d'Athènes. Le lendemain, pas de veine, nous tombons sur un congé scolaire, de sorte que nous visitons le théâtre d'Épidaure au milieu des hordes d'écoliers.

De Nauplie, on arrive à Épidaure (en grec Epidauros) par la route de Ligourio.

Admirable théâtre sculpté dans la colline, œuvre de Polyclète qui le fit construire au IIIe siècle avant J.-C., les gradins peuvent accueillir 14 000 spectateurs. L'acoustique est surprenante et on y joue encore les tragédies grecques à l'occasion du festival d'Épidaure qui a lieu tous les ans depuis 1954 en août.

Le retour à Athènes par la côte offre des paysages inoubliables et complète une balade fort intéressante qui se fait en deux jours en voiture.

On arrive à Athènes en fin d'après-midi, pour renouer avec le bruit du klaxon que le Péloponnèse nous avait fait oublier.

20 avril 1979

La campagne danoise

Aboutir dans une ville de province du Danemark, un jour de congé, ça recrée immédiatement l'impression de se retrouver dans une petite ville ontarienne par un dimanche pluvieux de novembre au cours des années 40, en un peu moins gai, il est vrai, mais en plus joli.

Nous, c'est à Ringsted, pas plus tard que dimanche dernier, que nous nous sommes amenés, mon collègue et moi, attirés là par l'église Skt.Bendt fondée au XIIe siècle par Aldemar le Grand.

Une fois l'église vue, du dehors seulement parce qu'elle est fermée, on constate que la place est déserte et qu'il fait froid. Cherchons un endroit où se sustenter. Voilà un restaurant qu'on devine à l'étage supérieur d'une pâtisserie.

Il y a là quelques vieilles dames qui bouffent des pâtisseries et du chocolat en buvant du café. Nous consultons le menu. Pour le bénéfice des lecteurs qui aimeraient se délecter de spécialités danoises, mentionnons quelques éléments de ce singulier menu. Après les harengs apprêtés de diverses façons, on tombe sur le «Roget al med so raeg», à savoir l'anguille fumée avec œufs brouillés. On passe ensuite à la viande fumée avec pâté de foie et gelée de menthe, au porc farci avec salade italienne, aux œufs aux tomates pour enfin s'arrêter au clou, le plus cher du menu, le «Frituresteg camembert mit jordbaersyltetoj pa ristet». Traduction: camembert frit et pané avec confiture de fraises sur toasts. Il faut mettre près d'un dollar de plus pour avoir du pain. Tout est à la carte et il est bon de prévoir que le prix total sera majoré du tiers environ, une fois additionnés le service et les taxes que perçoivent Sa Majesté Margrethe II, reine du Danemark.

Nous rentrons à Copenhague l'estomac vide pour aller rendre la voiture louée au bureau d'Inter-Rent, la veille. Alors là, le Smorrebrod est salé pour vrai. Au départ, la location de la petite Opel jaune canari paraissait honnête à 75 couronnes par jour, c'est-à-dire environ 16,50$. Mais examinons le calcul du locateur. La location coûte 150 Krs, soit 33$ (CAN); on ajoute 0,80 Kr par kilomètre c'est-à-dire 0,28$ du mille. Comme on a parcouru 477 kilomètres soit environ 300 milles on ajoute 381 Krs ou 85$. L'assurance coûte 36 Krs (8$) et on en arrive à l'essence. Nos trente et un litres à 2,65 Krs le litre totalisent 82 Krs soit 18$ pour environ six gallons. (À compter des prochains jours, l'essence coûte 3,50 Krs le litre au Danemark, c'est-à-dire 4$ le gallon impérial). Bon, avec la location, le kilométrage, l'essence et l'assurance, on obtient un total de 649 Krs. Calculons la taxe de 22,2% sur le tout, y compris l'essence, pour obtenir une note de taxe de 131 Krs c'est-à-dire 30$. Enfin, avec un supplément de 14 Krs pour la lubrification (en danois moderne la *smoring*) on arrive au grand total de 795 Krs ou 176$.

Nous avons fait deux balades dans le quasi-néant pour un prix de location qui annonçait 33$ et la note s'élève à 176$.

J'ai calculé tout cela sur la base de 4,5 Krs au dollar canadien mais à l'hôtel, on nous donnait 4,3 Krs pour le portrait en vert de notre Elizabeth II à laquelle nous nous sommes heurtés du reste sans arrêt au cours de notre bref séjour en terre danoise.

Dès nos premiers pas dans Copenhague, c'était l'orgie d'Union Jacks et les mots de bienvenue à Elizabeth d'Angleterre, même dans les vitrines des «sex shops». Puis un attroupement, près du Palace Hotel sur la Rhaduspladsen, où un badaud nous annonce fièrement la présence de la

Queen of England en visite de politesse à son homologue danoise.

Nous fuyons Copenhague le lendemain pour faire route vers le nord de l'île Seeland, afin de visiter le célèbre château de Kronborg, peut-être le plus imposant et le plus beau d'Europe, faisant face à la Suède de l'autre côté du détroit d'Oresund sur le promontoire de la ville d'Helsingor. Mais les guichets sont fermés et les visites annulées. Pourquoi, s'il vous plaît? Mais parce que la Queen of England arrive. Voyez déjà le navire Britannia qui s'approche. En effet, le royal navire anglais, précédé du royal yacht danois et suivi d'une corvette de la Royal Navy tracent leur route à travers une flotte de voiliers.

Le tout Helsingor est en liesse; nous avons droit au vingt et un coups de canons, aux drapeaux et nous remontons à bord de l'Opel avant les discours de circonstance, dans l'espoir de gagner les plages de la côte ouest. Nous atterrissons à Tisvildelje, une immense bande de sable blanc le long du golfe de Kattegate, bordée de dunes et où Danois et Danoises pratiquent le naturisme au soleil, loin des rois et des reines. Mais il n'y a pas de soleil, le vent souffle et le mercure se maintient à quatorze degrés. Les plages sont aussi désertes que les villes et villages que nous traversons. C'est le bain de solitude.

Jusqu'ici, les moins exigeants trouveront que j'ai été plutôt «négatif» quant aux attraits du royaume de la Reine Margrethe, le plus méridional des pays scandinaves et réputé être le plus accueillant, le plus riant et le plus chaleureux des quatre.

À vrai dire, ce royaume, l'un des plus vieux au monde, recèle d'innombrables richesses sur les quatre principales îles qui le forment. Les vieux châteaux, les églises médiévales, les musées qui rappellent la vocation maritime des Danois depuis les origines jusqu'à nos jours en passant par l'époque des Vikings, la campagne verte et propre sillonnée de petites routes, où le cycliste est roi, les côtes bordées de belles plages et entre les deux, les sympathiques auberges qu'on appelle «Kro», souvent avec leurs toits de tuiles noires et leurs grosses cheminées, sont autant d'appels au repos et au calme dans ce pays où l'écologie et la qualité de l'environnement sont à la base de la paradoxale social-démocratie monarchique.

Les Danois sont plus riches que nous, se fichent de nous et se contentent de vivre en haïssant les Suédois tout en se disant que si tout est petit au Danemark, au moins la dette nationale est colossale.

Une fois qu'on sait au départ que la Scandinavie est extrêmement chère pour nous, comme d'ailleurs la plupart des pays d'Europe, il n'est pas nécessaire d'en faire un drame. Mais comme ce petit pays se découvre mieux au volant d'une voiture, il est bon de savoir ce qu'il en coûte.

Nous n'avons pas rencontré de Danois et de Danoises qui ne parlaient pas l'anglais et la gentillesse de chacun n'est pas une fausse publicité de brochures touristiques. On se sent chez soi malgré les menus et les notes de frais et quel que soit l'établissement dans lequel on s'aventure ou la personne à qui on s'adresse, on est certain d'être toujours accueilli avec politesse et bienveillance.

Il y a aussi ce charme romantique des vieilles maisons et je dirais même des mœurs pourtant les plus libérées au monde, dans ce pays où le modernisme est tenu à sa place, où des maîtres d'hôtel en redingote vous accueillent dans la moindre auberge de province et où de magnifiques authentiques blondes font leurs courses sur des bicyclettes rétro des années 30.

Au fond, c'est sympa la campagne danoise, mais pour celui qui n'aurait pas l'envie d'une voiture à 100$ par jour ou presque, son voyage ne sera pas raté s'il ne fait que se concentrer sur la merveilleuse Copenhague, ville où habitent 50% des Danois, à l'atmosphère et au charme incomparables qui feront l'objet d'un reportage séparé.

25 mai 1979

De Saint-Jean au fort Lennox

Si, de Saint-Jean-sur-Richelieu (autrefois Saint-Jean d'Iberville) jusqu'au lac Champlain, le Richelieu est moins pittoresque, du moins par ses rives marécageuses, que de Chambly à Sorel, il n'en est pas moins une des principales ornières de notre histoire tant par les périples des Français que par les tentatives d'invasions américaines que rappelle si magnifiquement encore aujourd'hui le fort Lennox.

C'est là que s'arrête le très beau bateau de croisière Fort-Saint-Jean pour une visite du fort avant le retour sur Saint-Jean.

Cette croisière est certainement à inscrire sur la liste des excursions, promenades et visites que l'on se promet de faire avant la fin de l'été.

Pour bien commencer le périple qui dure quatre heures trente minutes environ, il conviendrait de visiter, en premier lieu, le Musée historique de Saint-Jean, juste au bout de la place du Marché, à côté de l'hôtel de ville. Sans prétention, ce petit local réunit tout de même les vestiges d'une histoire qui remonte à plus de 3 000 ans par la présence des Indiens et s'étend à la locomotive à vapeur en passant par les beaux bateaux du XVIIIe siècle construits à Saint-Jean même, les fameuses poteries et porcelaines des Farrar, McDonald, Hazel et autres qui ont été, hélas, remplacées aujourd'hui par les bidets Crane. En moins d'une heure, on peut facilement s'imprégner dans ce petit musée retraçant les grandes époques de l'histoire du Richelieu.

Le bateau quitte le quai de Saint-Jean, pratiquement

en face du fort Saint-Jean, à 13h. Le navire, d'une capacité de cent cinquante personnes, fait soixante-quatre pieds de longueur, tire quatre pieds d'eau, et est muni de deux ponts sous une terrasse supérieure, pour les amateurs de soleil.

Le long du parcours, un commentateur explique les péripéties des diverses batailles qui ont marqué notre destin, montre le Collège militaire de Saint-Jean, raconte la légende des mystérieuses colonnes vaguement corinthiennes de la rive ouest, parle de la chasse aux canards, des anciens navigateurs du Richelieu, des rizières sauvages et d'un tas d'autres choses auxquelles on finit par ne plus prêter attention. Trop, c'est trop. Il y a là une tendance propre aux Québécois dans l'effort louable de redécouvrir notre patrimoine et de sensibiliser nos gens à ce que nous avons en propre. On veut montrer même s'il n'y a rien à voir, on veut parler même s'il n'y a rien à dire. Je trouve qu'il y aurait avantage à écourter les commentaires pour ne retenir que les événements ou les réalités très importantes et laisser les gens regarder en paix.

Ceci dit, la croisière est fort agréable et la visite du fort Lennox, d'abord construit par les Français, conquis par les Anglais et utilisé par ces derniers contre les Américains, constitue le clou de cette excursion. Les guides de Parcs Canada sont sympathiques et intéressants et l'emplacement du fort est un enchantement. Il y a quelques tables à pique-nique mais le reproche que je ferais à ce lieu historique serait le manque d'animation. C'est comme si on voulait le cacher, en faire une sorte d'escale de recueillement, un reposoir de l'armée britannique.

Pourquoi avoir peur d'y attirer les gens? Pourquoi ne pas faire revivre le fort avec des soldats costumés comme dans les villages historiques? Lennox est un magnifique parc de verdure semé de fortifications et de bâtiments militaires admirablement conservés. Il ne reste plus qu'à le découvrir comme le font quelques plaisanciers en escale et de rares visiteurs. La croisière du Fort-Saint-Jean comprend une visite guidée du fort Lennox, après quoi c'est le retour à Saint-Jean en fin d'après-midi. Pas cher, instructif, agréable et à la portée de tous. Le bateau part tous les dimanches, mardis, mercredis, jeudis et vendredis à 13h jusqu'au 11 septembre. Impossible de le rater.

17 août 1979

Dans la jungle d'Hemmingford

Puisqu'il est question d'excursions autour de chez soi en cette période où les grandes vacances estivales sont passées mais où le temps demeure beau, il serait dommage de ne pas parler du parc Safari africain d'Hemmingford, dont le nom banal et commercial ne doit pas faire oublier le grand attrait dans un décor pittoresque.

À moins d'une heure de Montréal, depuis maintenant sept ans, le visiteur peut conduire son automobile à travers les troupeaux de dromadaires, d'éléphants, de tigres, de lions, de buffles, de lamas et autres espèces animales relativement en liberté dans cet immense parc dont on a su assez bien conserver les charmes naturels, malgré la présence de fauves.

Au début, les autos circulaient entre les tigres et les lions que surveillaient des gardiens armés. Certains incidents fâcheux ont amené les dirigeants du parc à clôturer ces dangereux carnivores que l'on peut cependant voir encore de plus près derrière leurs clôtures. On a moins le sentiment d'être nous-mêmes les animaux en cage dans nos autos et on ne risque pas de se faire dévorer.

Les gens ayant pris l'habitude de donner des choses à manger aux autruches et aux chameaux qui circulent en liberté, il est courant que ces animaux viennent se coller le nez ou le bec à vos vitres. Jusque-là, il n'y a pas de risques mais quand on entre dans le territoire des singes et des ours — qui font un curieux ménage —, il est bon de se rappeler la mésaventure de ce juge de la Cour des sessions de la paix de Montréal qui y étrennait, il y a quelques années, une belle voiture neuve au toit de vinyle.

On a beau être le seul maître à bord en correctionnelle, on ne peut faire grand-chose contre les babouins qui grimpent sur les voitures.

Sa seigneurie en était là de ses pensées quand elle vit tout à coup des morceaux de vinyle voler dans les airs. Le carrosse de la magistrature écalé par l'ancêtre de l'homme, épluché comme la banane, mis à nu sous l'œil impuissant des justiciables enchantés par la déveine du voisin et franchement réjouis du côté de ceux qui avaient reconnu l'honorable derrière ses hublots, en train de se constituer partie civile sous son toit déchiqueté.

Tout ça pour dire que le propriétaire d'une voiture neuve ou d'une voiture habillée de vinyle doit éviter le royaume du singe en passant carrément tout droit pour se retrouver à la sortie, en prenant l'autobus qui fait le circuit ou encore en louant une voiture climatisée. L'ours, par exemple, peut facilement briser un rétroviseur extérieur ou une antenne de radio.

Personnellement j'avais une voiture de location et je ne saurais trop conseiller ce mode de transport dans la jungle d'Hemmingford d'autant plus que, sous le soleil encore vif, la voiture non climatisée peut devenir franchement inconfortable, compte tenu du fait qu'il est préférable de tenir les fenêtres fermées.

On trouve un restaurant sur place, avec menu agréable et bon marché et aussi une «boutique africaine» où le «made in Hong Kong» n'est peut-être pas tout à fait absent.

Lieu de repos et de détente en même temps qu'instructif et unique, le parc Safari est un endroit de choix pour une journée à la campagne à prix finalement assez abordable. Il n'y a pas d'odeurs fortes de ménageries, il y a des arbres, de l'ombre, des grands parkings, des toilettes propres, de très nombreuses tables de pique-nique, une animation constante mais pas tapageuse, un décor naturel respecté dans un des plus beaux coins de campagne du Québec.

17 août 1979

EN PAYS D'ACADIE

Entre le sable, la mer et les maisons

Si vous annoncez dans votre entourage que vous êtes allé en Floride l'hiver dernier, il se pourrait qu'il y ait un vague mépris réprimé dans les regards snobinards: mais si, en plus, vous dévoilez avoir passé vos vacances d'été au Nouveau-Brunswick, alors là c'est la chute libre vers la déchéance. On ne comprend pas, on juge sévèrement, on crie presque au scandale.

Le Nouveau-Brunswick évoque l'ennui, la pluie, K.C. Irving, l'impérialisme anglo-saxon, les Acadiens refoulés — qui feraient mieux de tous venir s'établir au Québec comme Édith Butler et Angèle Arsenault —, la pauvreté, le sous-équipement, le brouillard, la poutine râpée et les mauvaises routes, comme si subitement le Maine et, encore pire, la Gaspésie, étaient devenus à nos yeux de véritables côtes d'Azur.

Je n'ai nullement l'envie de me lancer dans une campagne de réhabilitation du Nouveau-Brunswick ou de la Floride, mais quand Nounou Paulin et sa sœur vous accueillent comme un frère dans leur hôtel de Caraquet où l'odeur du pain maison se répand; quand Antonio Landry, directeur du Village acadien, quitte son 19e siècle pour venir vous guider au chalet que vous avez loué par téléphone à Sainte-Anne-du-Bocage; quand Claude Fergusson, le propriétaire dudit chalet, vient frapper à votre porte discrètement pour vous donner six homards frais, manière de faire connaissance, et quand vous passez dix jours de soleil et de ciel bleu sur les plages quasi désertes de Grande-Anse à Miscou, en passant par Anse-Bleue et Maisonnette, avec les enfants qui pataugent dans une mer chaude et peu profonde, avant de revenir à la maison où vous vous préparez une entrée de coques marinières ramassées devant votre porte, il y a de quoi repenser nos destinations classiques et se dire que la «Canada's Picture Province» n'est pas ce lieu d'expiation que trop de Québécois imaginent.

Comme le Québec, disons d'abord que le Nouveau-Brunswick souffre de «festivalite» aiguë. Il y a quelques années, on pouvait visiter en paix nos provinces avec leurs petits villages et leurs tranquilles habitants, mais aujourd'hui chaque bourg essaie d'accaparer notre attention par son «festival». Nommons-en quelques-uns juste pour dire que tous les motifs sont valables: Festival de la Poutine de Saint-Antoine, Festival des Rameurs de Petit Rocher, Festival de la Crêpe Rapée de Notre-Dame-de-Kent, Festival de la Truite de Balmoral, Festival de la Tourbe de Lamèque, Festival des Coques de Saint-Simon et Festival des mollusques à Bouctouche.

Il y en a beaucoup d'autres comme le Festival du Blé-d'Inde de Saint-Sauveur et le Festival Por-ti-pic de Saint-Léonard et il y a des fêtes populaires, des différents «soupers», une bonne variété de «bénédictions», une foire, un «frolic», l'inévitable Festival «Western», quelques concerts, danses et célébrations populaires.

Rien ne sert de prendre peur puisque ces activités restent marginales et localement très temporaires par rapport à l'éternelle gentillesse des Acadiens du nord-est du Nouveau-Brunswick, les plaisirs de «la parole sur les quais», c'est-à-dire les conversations qui s'engagent toutes seules dans les petits ports côtiers, les excellents fruits de mer, les plages de sable et la mer chaude de la baie des Chaleurs ou du détroit de Northumberland, plus bas, où se trouve l'extraordinaire parc national de quatre-vingt-cinq milles carrés de superficie, le parc Kouchibouguac.

De Caraquet et des environs, en plein cœur de l'Acadie qui célèbre cette année son 37e anniversaire, et où justement a lieu présentement le Festival acadien jusqu'au 18 août (la fête nationale des Acadiens est le 15 août), on peut organiser différentes balades d'une journée le long de cette côte pittoresque, parfois escarpée et rocheuse, parfois plate et sablonneuse.

Il ne faut pas rater le Village acadien d'abord, cette reconstitution d'une déconcertante fidélité de l'habitation et du mode de vie des courageux Acadiens dont les descendants s'efforcent aujourd'hui, avec amour et fierté, de rappeler la lutte ingrate pour la survivance. Ce n'est pas seulement la curiosité ou l'intérêt qu'éveille en nous cette reconstitution, avec ses activités nombreuses et ses gens en costumes d'époque, mais l'émotion. Le long de la route, un peu partout dans la région côtière acadienne, on voit flotter partout le beau drapeau acadien tricolore avec son étoile d'or qui nous empêche d'oublier les origines de ces «défricheurs d'eau». Mais c'est peut-être encore plus le dynamisme quotidien, l'inlassable lutte pour la protection de la culture et du patrimoine acadien, ce prolongement de l'histoire dans presque chacun des Acadiens que l'on côtoie, qui nous attachent encore davantage à ce pays de solidarité et de partage.

Ce coin du Nouveau-Brunswick, c'est une famille; il s'agit d'y être accepté en respectant les gens, rien de plus facile. Mais il y a quelques inconvénients comme par exemple l'incapacité de renseigner adéquatement l'étranger. Je demande à l'employée du magasin Save and Easy de Caraquet où je pourrais acheter des T-Shirts. Réponse: «Au Royaume du Cadeau.» Oui mais où se trouve ce Royaume? Réponse: «En face de la Fédération.» Ah! bon. Ou alors: «Vous tournez en face de chez Godin, passé les Thériault.» Ou, plus universel encore: «C'est passé le garage Cormier.» Quand on sait que la quasi-totalité de la population se nomme Thériault, Godin ou Cormier ça devient vite épuisant, ces séances de repérage en décor acadien. C'est comme pour la plage ouest de Miscou. On nous avait dit de nous rendre au phare et de tourner à gauche, en oubliant cependant de préciser que le virage à gauche a lieu environ cinq milles avant d'arriver au phare de sorte que nous nous sommes envoyé le phare en même temps qu'un couple de Montréalais nantis des mêmes précieux renseignements que nous. C'est incroyable! «C'est deux maisons passé Mme Thériault», qu'un gars nous a dit à propos de je ne sais trop quoi que je n'ai jamais trouvé. C'est au radar qu'il faut trouver et à tel point qu'on se demande si on ne se moque pas de nous. Mais non. C'est une famille et il est normal de savoir où est le garage Cormier et la maison de Mme Thériault. En tout cas, j'attends le prochain Acadien qui viendra me demander où se trouve l'oratoire Saint-Joseph. Je lui dirai: «En haut du Duc de Lorraine, en face du Centre Notre-Dame, passé Mme Zimmerman.»

Tout cela dit sans méchanceté et avec évidemment les complexes du citadin. Prenons ces renseignements comme une invitation à la découverte et une occasion de s'arrêter au hasard de la route et au gré des marées dans ce merveilleux coin de pays où tout nous dit bienvenue.

Quant au sous-équipement touristique, juste un mot pour rappeler que le Nouveau-Brunswick a un service gratuit de réservations à distance. Vous téléphonez à frais virés aux services du ministère du Tourisme et on vous trouve le motel, le chalet, l'hôtel ou tout autre hébergement que vous désirez. C'est pas mal. Pour ce qui est des plages, le mot privé n'est pas bien compris au Nouveau-Brunswick. On va «à la plage» pourvu qu'elle soit là et il n'y a pas d'autres formalités. J'ai surtout fréquenté celle de Maisonnette, à vingt kilomètres de Caraquet. C'est un immense bras de sable bordé d'une petite voie où vous laissez votre voiture. D'un côté, il y a la baie pour les coques et les palourdes, de l'autre l'océan dans lequel vous pouvez marcher jusqu'à 1 000 pieds en ayant toujours de l'eau à mi-cuisses.

Vous pouvez camper sur la plage, y vivre en toute liberté, y faire des feux, manger.

Par ce dimanche du 22 juillet dernier, sous un ciel grec, il n'y avait pas plus de vingt automobiles garées et moins d'une cinquantaine de personnes sur ce Sahara maritime. Que ceux qui croient qu'il n'y a pas de plages au Nouveau-Brunswick (ils sont nombreux) chassent ces mauvaises visions de leur esprit; qu'ils fassent Maisonnette!

10 août 1979

L'AUTRE ITALIE

La Vénétie ensorceleuse

Je connais mal l'Italie, c'est vrai. Mais on m'aurait dit que je visiterais la Vénétie, c'est-à-dire la province de Venise, sans voir Vérone, sans passer à Padoue, sans admirer l'architecture palladienne de Vicence, sans aller à Bossano et surtout, surtout, sans passer un seul instant à Venise, que j'aurais cru à l'imposture.

Cela m'aurait fait penser à un étranger qu'on inviterait à Montréal mais qu'on promènerait seulement dans les rues de Longueuil, avec visite brève d'une cabane à sucre à Saint-Hilaire et une pointe sur les raffineries de Montréal-Est.

Et pourtant les beaux endroits susmentionnés de la Vénétie demeurent inconnus pour moi, y compris Venise, après trois jours, extrêmement chargés, consacrés à cette belle province du nord de l'Italie, l'une des plus riches du pays, tant au chapitre de l'économie qu'à celui de la production artistique.

Or, il n'y a là aucune imposture et j'en reviens carrément enchanté. J'ai vu Trévise, Conegliano, Asolo, Castelfranco, les belles villas dont Barbaro à Maser et Emo à Franzolo; j'ai fait la «Route du vin blanc», de Conegliano à Valdobbiadene; j'ai descendu le Sile de Casale aux îles de la lagune de Venise en arrêtant à Torcello, San Francisco et Burano. Trois jours noyé dans les fresques de Véronèse, les toiles de Cima, les œuvres de Giorgione; trois jours sur les collines pittoresques du Veneto aux paysages directement sortis des tableaux des maîtres vénitiens, au bord des canaux de Trévise entre les portes et les arcades, sous les fresques peintes sur les murs, entre l'exposition de Thomas de Modène et l'ombre des platanes de la route de Napoléon. Trois jours de Renaissance, d'extraordinaires beautés sous un soleil persistant, trois jours d'accueil chaleureux et de haute gastronomie, que ce soit chez Barbesin à Castelfranco, au grand restaurant Gambrinus à San Polo de Piave ou plus simplement à la résidence de M. Mario Vazoller, à Conegliano.

Trois jours, disons-le, de civilisation, de raffinement, d'art de voir, d'entendre et de vivre. Trois jours de Vénétie qui vous ont porté au sommet du génie et des activités de l'homme et qui vous portent à vous mettre à l'italien tout de suite pour y retourner plus longtemps par vous-même et à vous y installer peut-être pour toujours.

Cela peut paraître exagéré mais il est rare de voir tant de beautés réunies en si peu d'espace; une sorte de musée dans la nature où la main de l'homme, depuis plus de cinq siècles, se perfectionne au rythme de l'eau qui coule, de la vigne qui pousse, du soleil qui fait sa tournée sur les collines, des fruits qui mûrissent, des couleurs qui se multiplient et des tables généreuses qui se dressent chaque jour avec amour, sous les toits de tuile rouge ou dans les jardins.

C'est l'Italie riche, puissante et fière: celle des Lamborghini, et des Alfa Romeo, des «sociaux-démocrates» mal convaincus, des filles blondes aux blue jeans signés Gucci; c'est une autre Italie, celle des villas, des vins blancs, des arts et de la bonne chère.

Ici, on oublie les Brigades rouges, les taudis de Naples et la misère de la Calabre. Au fond, c'est injuste mais que faire devant tant de splendeurs? Les grandes villas du XVIe siècle sont là, magnifiquement conservées ou restaurées avec leurs fresques et leurs immenses jardins, témoins éternels de l'apogée de Venise et du retour à la terre des grandes familles enrichies par le commerce extérieur. L'histoire ne s'efface pas et toute la Vénétie nous rappelle ses moments les plus glorieux.

Il faut la mettre sur son itinéraire et il ne faut pas, comme moi, rater Venise même si cette ville est peut-être la plus connue au monde de ceux qui n'y sont jamais allés. L'erreur, dans cette riche province, serait de s'imposer trop de distances en un jour. Par exemple, dans un rayon de moins de cinquante kilomètres de Conegliano (prononcer Conelliano), on a Trévise, une superbe ville d'arcades, de murs peints, d'élégantes boutiques, construite autour d'un immense parc de verdure et des portes de la vieille cité, le tout arrosé par le Sile qui se répand en canaux paresseux comme dans des artères de vie. On a également Asolo, une petite merveille sur la colline, où le château de la reine Cornaro de Chypre, construit au Ve siècle, est toujours debout de même que la forteresse préromaine qui domine ce paysage exceptionnel. Tout près de là, la villa Barbaro, à Maser, construite en 1560 par Palladio pour la famille Barbaro et qui appartient aujourd'hui à Mlle Volpi, trente-deux ans, qui l'habite toujours. La plupart des fresques de cette gigantesque demeure patricienne sont de Véronèse. Plus au sud, c'est Castelfranco, ville emmurée autour du château qui date du XIIe siècle, pays natal de Giorgione dont la célèbre madone se trouve toujours dans la cathédrale. À Conegliano même, centre vinicole par excellence de la Vénétie, il y a la cathédrale du XVe siècle qui abrite la toile du peintre Giambatista Cima, dont quelques œuvres sont conservées à la Fondation Cima, dans la résidence du maître qui a été restaurée par la famille Vazoller. C'est de Conegliano, où se trouve aussi l'Institut d'œnologie, que part la «Route du vin blanc» sur quarante-deux kilomètres à travers les coteaux chargés de vignes jusqu'à Valdobbiadene, au pied des Préalpes vénitiennes.

Il y a aussi la «Route du vin rouge», de Conegliano à Oderzo. C'est le pays des fameux «proseco», des vins Piave, du Cabernet, du Merlot, du Verduzzo, du Tocai et du divin Cartizze. Le touriste est partout bienvenu dans les caves le long de cette route où se cachent ici et là des trattorias où l'on se délecte pour moins de 10$ pour deux personnes, vin compris. Le seul embêtement dans ce décor bucolique, ce sont les Phantoms de la base américaine voisine qui sillonnent le ciel à basse altitude à tout bout de champ. Une grossièreté.

À Conegliano, nous habitions l'hôtel Sporting, sur la colline, à quinze minutes de marche de la ville. On ne trouve nulle part dans les guides d'hôtels cette superbe résidence moderne avec chambres spacieuses et confortables, piscine, courts de tennis, sauna, terrasse surplombant la colline et les vignes. On habite ce lieu enchanteur pour moins de 30$ par jour, petit déjeuner compris.

Il n'y a pas de restaurant mais cela fournit l'occasion de découvrir les bons petits endroits du pays, d'autant plus que cet itinéraire se fait en voiture de préférence, au départ de Venise par exemple.

Région de rêve entre la grande villa et la vigne, entre les murs aux fresques inoubliables, la paix et la table. J'y ajouterais Venise, bien entendu. Du monastère franciscain de San Francesco (à visiter), j'en ai distingué le contour au loin; de la terrasse du restaurant Romano sur l'île Burano, royaume de la dentelle, j'en ai vu la luminosité et plus tard, vers minuit, j'ai été saisi par quelques-unes de ses façades se reflétant dans l'eau où notre bateau se faisait un passage avant de nous descendre à l'autocar pour Mestre où se trouve l'aéroport. Venise, ce sera pour une prochaine fois: très prochaine, j'espère.

14 septembre 1979

TAHITI

Fleurs, gentillesses,
musique et mer verte

En mettant le pied sur le sol de Papeete, capitale de Tahiti, la première chose qui frappe, c'est le parfum des fleurs. D'abord celui du collier de «tiaré», qu'on vous accroche au cou, rite que je n'aime pas parce qu'il fait ressembler les touristes à des bouteilles d'eau gazeuse qui reçoivent leur capsule dans une usine. Mais «l'accrocheur» de colliers de fleurs sourit et après une vingtaine d'heures de vol depuis Montréal, on n'a pas la résistance très forte aux clichés polynésiens.

Mais toute cette flore d'hibiscus, de bougainvillées, de frangipaniers, d'orchidées, de camélias et autres dont les noms ne figurent pas dans le dépliant, vous envahit dès les premiers pas dans le sympathique aéroport de Faaa.

Les fleurs à Tahiti sont omniprésentes. On vous en accroche partout, on en porte dans les cheveux; on décore les comptoirs, les tables, les murs de fleurs fraîches tous les jours. On met une fleur presque toujours dans les assiettes à dessert, c'est tout juste s'il n'y en a pas dans la soupe. On vous donne des couronnes de fleurs, on en fabrique, on en cueille, on piétine des fleurs. Nous sommes dans une serre à ciel ouvert mais nous sommes également dans une île relativement petite quoique la plus importante des îles qui composent la Polynésie française, avec 95 000 habitants et 60 000 voitures qui circulent bruyamment.

Bien que je n'aie fait que passer (comme le rêve) dans Papeete, je puis confirmer l'opinion générale que cette ville de 40 000 habitants n'est pas très jolie et, à part quelques belles boutiques, son marché de poissons, son avenue Pomaré sur le port, ses grands hôtels internationaux, ses restaurants chinois (30% de la population est chinoise), elle n'a pas beaucoup à offrir en dehors des embouteillages et du tumulte. L'île de Tahiti offre peu de plages et elles sont de sable noir. En revanche, à l'extrémité sud, à même le jardin botanique qui, soit dit en passant, ne tranche pas tellement avec le reste du décor, toute l'île étant un jardin botanique, se trouve le musée Paul Gauguin où on ne peut admirer que trois originaux du célèbre peintre, dont un seulement appartient au musée. La visite demeure indispensable, les œuvres humaines admirables restant rares dans ce territoire français d'outre-mer. Le musée propose une rétrospective de la vie du peintre, avec objets et copies de toiles et de dessins. La visite se fait en une heure facilement.

À première vue, la ville paraît donc peu intéressante mais la vie de nuit y est, dit-on, exceptionnelle. Bref, on ne va pas à Tahiti pour rester à Papeete mais je demeure convaincu que deux journées au moins dans cette capitale qui fait rêver les touristes du monde ne seraient pas perdues.

Moi, dès le matin de l'arrivée, j'ai repris tout de suite l'avion de la décontractante et décontractée compagnie aérienne Air Polynésie pour faire le saut sur Moorea, à pas plus de sept minutes de vol, sur un Twin Otter canadien, de Papeete.

Les premiers moments dans la capitale nous ont appris d'abord la gentillesse des Tahitiens, leur dévouement, leurs sourires et, malgré tout, leur incroyable efficacité. Parfois, dans les Antilles notamment, on trouve les gens aimables mais d'une presque totale inefficacité. Des gens à qui vous demandez un Coke et qui disparaissent à tout jamais ou reviennent avec un café. Ici, c'est détendu, souriant, mais la promptitude du service où que ce soit, la ponctualité des avions, la bonne organisation partout sont remarquables.

Le pilote du Twin Otter dépose à côté de lui son petit chat et amorce sa descente rapide sur Moorea. À gauche, c'est la montagne, c'est-à-dire des pics en aiguilles; à droite, c'est le vert et le turquoise d'une mer sans pareil qui se brise sur la barrière de corail. L'avion se pose entre la montagne et le lagon. Ici c'est le sable blanc et la mer verte. Vraiment, c'est bien l'un des rares endroits où les cartes postales et les films couleur ne trompent pas. Encore et toujours les fleurs, la végétation subtropicale; surtout que nous sommes au printemps puisque Tahiti se trouve en hémisphère austral, plus précisément à dix-sept degrés de latitude sud et à cent cinquante et un degrés de longitude ouest, ce qui place ces îles de rêve à peu près à mi-chemin des États-Unis et de l'Australie, en plein Pacifique.

C'est l'heure du paréo, ce vêtement que tout le monde porte à sa guise, des pieds nus, des vahinés, ces jeunes filles pas nécessairement aussi belles qu'on le dit, mais qui chantent presque sans cesse et qui servent toujours les hommes en premier à table. J'aime bien ces coutumes, dois-je avouer. Les gens vous tutoient également et tous, à de très rares exceptions près, parlent le français. Mais on parle de plus en plus anglais sur les îles, à cause des Américains qui représentent 57 % des touristes. L'an dernier, ils ont augmenté de 20 % sur un total de presque 100 000 touristes qui se rendent annuellement à Tahiti. Il y a aussi les Néo-Zélandais et les Australiens, les Suisses et les Allemands, qui parlent davantage l'anglais, les Britanniques authentiques et quelques Canadiens anglais.

Les Québécois visitent les îles en assez grand nombre, compte tenu de la distance et de leur population. L'an dernier on estime à 4 000 le nombre des Québécois qui ont visité Tahiti et qui, grâce à leur accent, n'ont pas passé pour des Français, ce qui est plutôt mal vu comme dans

tous les territoires et départements outre-mer où les populations locales ressentent encore un certain colonialisme
métropolitain.

Moorea, toute voisine de Tahiti, juste en face de
Papeete, est entourée de plages de sable blanc, et une
bonne douzaine d'hôtels de première classe l'entourent de
même que le Club Méditerranée avec, comme le reste des
établissements hôteliers, ses bungalows avec toits de palmier, parfois construits sur pilotis, pour ainsi dire dans la
mer. Car à cause de la barrière de corail qui entoure ces
îles d'origine volcanique, il n'y a jamais de grosses vagues
sur les plages du lagon. Pour rejoindre la haute mer, il faut
toujours atteindre les passes qui m'ont paru assez mal bali-
sées, d'où une certaine réserve que j'aurais pour la location
de gros voiliers, même par des gens qui connaissent la
navigation. Je conseillerais plutôt la location avec équipage dans ces régions où l'échouage dramatique risque de
se produire à tout instant.

Dans le lagon, c'est quasiment une piscine d'eau verte
avec petits poissons multicolores. La plongée sous-marine
y est excellente, de même que la voile sur dériveurs ou simplement la baignade.

Pas si facile de naviguer sur les pirogues tahitiennes. Il
fallait voir Don Forsyth passer par-dessus bord et se
retrouver à l'eau alors qu'il venait de s'engager sur l'onde à
bord de la pirogue.

Les Tahitiens vous conseillent de ne pas transporter
vos appareils photographiques ou autres pièces de valeur
dans les pirogues. On ne les croit pas tellement mais quand
on chavire, on comprend et on ne peut que rire avec eux de
notre mésaventure.

Le rire est d'ailleurs tellement de rigueur dans ces îles
qu'il fait partie de la douceur d'y vivre. Déjà les Espagnols,
qui ont découvert l'archipel polynésien au début du 18e
siècle, soit presque 2 000 ans après les premiers habitants
venus d'Asie, parlaient du bonheur de ces îles. Aujour-

d'hui, on ne reconnaît pas la découverte espagnole parce que c'est réellement Samuel Wallis, commandant le Dolphin, qui contourna le «motu» pour toucher le sol de Tahiti. C'était en 1767. Un an plus tard, le Français Bougainville prenait possession des îles au nom du roi. Le capitaine Cook vint en 1769, au nom d'une société scientifique anglaise, pour observer le passage de Vénus sur le disque solaire.

Deux siècles après le passage de ces navigateurs illustres, la Polynésie française s'est modernisée beaucoup au chapitre du confort, de l'incomparable structure hôtelière, des transports et de la technique, notamment avec les expériences nucléaires qu'y mènent les Français. Mais entre la plage et les sommets toujours verts et luxuriants, ce sont les mêmes sables blancs, les mêmes profusions florales, les mêmes chants heureux et les mêmes couchers de soleil.

19 octobre 1979

BORA BORA ET HUAHINE

Deux perles Sous-le-Vent

Neuf fois sur dix, les belles photos couleur qui appuient la publicité de la Polynésie française sont du Motu Tapu, petite île bordée de plages juste en face du Club Méditerranée de Bora Bora.

Bora Bora, ça ne peut pas être exclu d'un voyage si loin dans le Pacifique, pas plus que Moorea, située à sept minutes de vol de Papeete.

Il faut mettre cinquante minutes de vol cependant pour atteindre Bora Bora à 240 kilomètres au nord-ouest de Papeete. On dit que c'est la plus belle des îles Sous-le-Vent. Elle est en tout cas la plus connue. Toute petite, entourée d'une barrière de corail où il n'y a qu'une seule passe et où les requins ont établi leur domicile, Bora Bora est comme un œil vert dans la mer. Ses trente-deux kilomètres de circonférence sont dominés par un pic rocheux de 727 mètres, l'Otemanu, qui se dresse comme une sculpture au-dessus de la mer. Les 2 000 habitants de Bora Bora vivent tranquillement, en fleurs et en musique, entre les touristes qui adoptent très vite eux aussi le rythme lent de cette île de rêve.

Il y a ceux qui font le tour de l'île à bicyclette ou à vélomoteur, ceux qui se baignent sur les plages quasi désertes qui bordent le lagon, ceux qui se prélassent dans les jardins de l'hôtel Bora Bora dont la publicité annonce qu'il est l'hôtel le plus cher du monde; il y a ceux qui entreprennent l'escalade du sommet par un petit sentier qui part du village de Vaitape, près de la tombe d'Alain Gerbault, et qui atteignent un vieux blockhaus américain de la dernière guerre, d'où ils admirent le sable blanc dans son bain d'émeraude tout autour.

Mais on ne peut parler de Bora Bora sans commencer par le commencement, à savoir l'aéroport. La piste a été construite en 1942 par l'armée américaine sur la bande de corail que constitue l'îlot Motu Mute que les Américains avaient baptisé du nom très original de Motu One.

Il faut donc se rendre en bateau sur la terre ferme depuis l'aéroport constitué d'un bâtiment moderne et accueillant et d'un quai jouxtant une plage magnifique. Il y a des douches dans l'aérogare pour ceux qui auraient eu l'envie de se baigner en attendant l'avion. Ce n'est quand même pas tous les jours que vous pouvez attendre votre avion sur la plage. Air Polynésie a donc un service de navette. Les valises sont mises sur un chariot qui est tiré jusqu'au quai. Le prix de votre billet comprend le transport maritime. Il y a là un gros employé à casquette rouge qui occupe le rare emploi de pompier d'aéroport, signaleur au sol, bagagiste aérien et marin. Lorsque le Fokker F-27 se présente sur l'aire de parking, le gros s'approche avec ses extincteurs en cas de feu. Une fois les moteurs éteints, c'est lui qui place les bloque-roues. Ensuite, il s'occupe du déchargement des bagages sur le chariot. Il voit au transbordement des valises sur le toit de la cabine du bateau puis repart pour le chargement des bagages de ceux qui quittent, hélas, Bora Bora. Une fois l'arrimage fait, les bloque-roues enlevés, il reprend ses extincteurs pour la mise en marche des moteurs. Puis il se place devant l'avion pour signaler au pilote le départ vers la piste.

Il revient ensuite au bateau pour décrocher les amarres et s'occuper du transport maritime. Il faut compter environ quarante minutes pour atteindre le village de Vaitape, à quinze minutes de marche du Club Med. Le bateau vous dépose directement au quai du Club si vous le demandez. Tout ça fonctionne à temps, parfaitement, sans problème. Car si le bateau est en retard, l'avion devra attendre, puisque ses passagers s'y trouvent. Et vice versa.

Nous sommes descendus au Club Méditerranée de Bora Bora, sur le quai, alors que les gens étaient assis dehors, tous tournés vers l'Ouest, prenant un verre en silence sur une musique de Vivaldi. Tout simplement parce que, en Polynésie, on assiste aux couchers de soleil. Vers 17h30, ce jour-là, il y avait coucher de soleil à l'affiche et les spectateurs étaient au rendez-vous. Il faut dire que dans ce décor, le spectacle du gros disque rouge qui s'enfonce dans la mer bleue derrière le Motu Tapu est d'une beauté inoubliable.

Le Motu Tapu, c'est cette petite île qui appartient au Club Med et où les pirogues du Club déposent les baigneurs le matin. Sur simple demande, le Club prépare un pique-nique pour ceux qui veulent passer la journée sur cette île divine, cette touffe de cocotiers bordée de sable blanc et prolongée à l'ouest, c'est-à-dire de l'autre côté, par une langue de sable où se posent de temps en temps des cormorans et des frégates, entre deux plongées dans le lagon. C'est l'endroit aussi du bronzage intégral: mais attention, le soleil tape dur et peut rendre très vite la position assise extrêmement inconfortable pour les «intégristes» fraîchement débarqués de leurs lointaines contrées nordiques.

Mais c'est peut-être là, sur le Motu Tapu, plus qu'ailleurs dans ces îles, que le temps s'arrête et que le rêve polynésien prend sa véritable forme. L'eau y est d'une transparence étonnante et le sable d'une pureté et d'un blanc qui font miroiter encore davantage les teintes de vert de la mer.

Huahine se trouve à quatre-vingts kilomètres plus au sud, c'est-à-dire plus près de Papeete, et elle fait partie de plus en plus des escales touristiques indispensables, surtout à cause de l'hôtel Bali Hai, situé à cinq minutes en voiture de la piste et à dix minutes à pied du village de Fare. En fait, ce sont deux masses volcaniques reliées par un pont: le Huahine Nui et le Huahine Iti, respectivement de 670 et 475 mètres. Encore là, c'est l'environnement de fleurs, de sommets, de maisons sur pilotis, de mer verte, de sable blanc et le lagon partout qui encercle les deux îles jumelles. Un lac salé juste derrière l'aéroport constitue un véritable musée avec le village de Maeva construit sur pilotis à l'emplacement de ruines d'anciens temples religieux des premiers Polynésiens.

Ici encore, comme ailleurs en Polynésie française, il y a toujours des Chinois pour faire le commerce dans le village. À la boutique de l'hôtel, un beau paréo coûtera facilement 1 600 CFP (environ 26$ canadien) mais la Chinoise vous vendra le tissu pour 300 CFP et vous fera les bords pour 100 CFP, ce qui met le paréo à moins de 7$ et procure le plaisir de fureter dans ces extraordinaires boutiques polynésiennes où les produits pharmaceutiques côtoient les chaussures et les tissus.

C'est ainsi qu'on vit dans ces îles où il est surprenant de constater le va-et-vient quasi perpétuel des touristes qui se revoient, se croisent dans les îles et souvent se retrouvent sur le même vol de retour vers Los Angeles, une fois les vacances terminées.

La plupart des touristes ont acheté des forfaits qui comprennent des séjours dans quelques îles mais certains voyageurs individuels n'arrêtent pas de se déplacer. Autour des piscines des beaux hôtels (il n'y a pratiquement que ces hôtels et les deux Club Med), on se raconte les îles. Untel arrive de Bora Bora et l'autre décide qu'il s'y rendra demain. Un autre affirme qu'il a bien aimé Moorea et la dame du couple voisin suggère un arrêt d'une journée à Moorea. Ça part, ça revient, ça bouge, bien souvent inutilement mais c'est normal de voir le plus possible «tant qu'à être sur place». Ici il convient de faire très attention. Si toutes les îles de l'archipel ne couvrent pas plus de superficie en terres émergées que la Corse, elle sont réparties sur un territoire aussi grand que l'Europe occidentale. Ce qui signifie que l'avion, dont les tarifs au kilomètre sont très élevés, peut coûter très cher pour quiconque veut butiner d'île en île. Disons que les Îles au Vent, avec Tahiti, sont Moorea, juste en face, et trois îlots: Tetiaroa, Maiao et Mehetia. Les îles Sous-le-Vent sont les cinq îles hautes de Raiateia, Tahaa, Huahine, Bora Bora et Maupiti et les quatre atolls de Scilly, Bellinghausen, Mopelia et Tupai. Mais seules Moorea, Bora Bora, Raiateia et Huahine, à part Tahiti évidemment, ont des hôtels de tourisme, de même que Rangiroa et Manihi dans les Tuamotu.

C'est avec regret qu'on quitte ces lieux, qu'on évoque ces noms, qu'on hume une dernière fois ces parfums pas encore trop américanisés et qu'on se rappelle ces chants polynésiens mêlés aux bruits d'une mer toujours tenue en respect par le soleil et le corail.

26 octobre 1979

Kiawah Island où l'on veut retourner

Une plage de seize kilomètres en sable si dur qu'on peut y faire de la bicyclette et de la voile sur roues, des belles villas regroupées autour d'un terrain de golf, sises en bordure de petits canaux, onze courts de tennis, un complexe hôtelier de cent cinquante chambres avec restaurants et bars, un mail commercial avec boutiques et des condominiums côté mer ou côté golf; le tout sur 10 000 acres de terrain pratiquement vierge, à trente kilomètres de Charleston.

Il s'agit de Kiawah Island, en Caroline du Sud, en passe de devenir un lieu de tourisme et de résidence parmi les mieux cotés des États-Unis.

Cette île, qui est perpendiculaire à la côte et qui fait face au Sud, avait été octroyée en 1772 par le gouverneur de la Caroline du Sud à une famille de planteurs, les Vanderhost, dont le domaine est en train d'être rénové sur l'île. En 1952, soit 180 ans plus tard, les descendants des Vanderhost, établis à Charleston, vendaient Kiawah Island pour le prix de 125 000$ à la compagnie C.C. Royal Lumber. L'exploitation forestière des pins et des cyprès a été presque nulle et en 1974, quatre Arabes du Koweit faisaient l'acquisition de l'île pour le prix de 17,3 millions.

Aujourd'hui, la Kiawah Island Company appartient donc à la Kuweit Investment Company.

Cette dernière a réuni paysagistes, architectes, spécialistes de l'environnement, écologistes, pour établir un programme de développement en trois phases qui seront terminées d'ici cinq ans par l'aménagement d'une cité lacustre modelée un peu sur Port Grimaud, sur la Côte d'Azur.

Pour l'instant, il y a l'hôtel proprement dit de cent cinquante chambres, des villas, des condominiums et des résidences. En tout, il y a 1 300 propriétaires sur l'île.

Jouxtant l'hôtel, il y a un complexe sur pilotis abritant
deux restaurants dont les menus font pratiquement croire
qu'on se trouve chez Maxim's mais dont les plats sont plutôt mauvais quoique pas chers. Il y a là aussi une salle de
congrès pour trois cents personnes, un bar, la piscine toute
proche derrière la dune qui la sépare de cette plage exceptionnelle de plus de cent mètres de largeur et qui a l'unique
propriété de s'agrandir chaque année, à cause de son orien-
tation.

Les activités sont nombreuses et l'attention portée à la
qualité de vie fait partie des préoccupations quotidiennes
des administrateurs. Déjà plusieurs dizaines de millions de
dollars ont été investis dans ce complexe immobilier de
vacances et de résidence. La clientèle est plutôt riche et
réservée. L'ambiance est plus au repos et à la détente de
même qu'aux activités sportives comme le golf naturellement, le tennis, les safaris en jeep sur l'île, organisés tous
les jours, la baignade, la bicyclette, etc. On nous dit qu'il
n'est pas nécessaire d'avoir une automobile lorsqu'on se
trouve à Kiawah Island. Dans un sens, c'est vrai puisqu'il
y a les boutiques, un magasin d'alimentation où l'on peut
se rendre à bicyclette, les restaurants, etc. Mais comme
l'unique ville de Charleston se trouve à vingt-cinq milles
de là, il ne faudrait pas la rater. On peut louer des voitures
sur place. Il y a aussi les limousines qui font la navette
entre l'aéroport de Charleston et l'île.

Déjà, la phase deux est terminée. Ne reste à construire
que la marina sur l'autre versant de l'île et la cité lacustre
qui abritera les futurs propriétaires. Pour ce qui est de la
présence arabe, qui avait fait les gorges chaudes à Charleston au moment de l'acquisition de l'île par les Koweitiens,
elle ne se manifeste que par une discrète plaque à l'entrée
de l'hôtel. Le drapeau du Koweit ne flotte même pas sur

ces lieux enchanteurs.

Je ne vois pas pourquoi d'ailleurs. Il me semble que ça mettrait une note originale. Quoi qu'il en soit, lorsque les trois villages auront été aménagés, on s'attend à ce que les investissements se chiffrent à plus de 200 millions.

On a pris grand soin aussi de protéger la nidification des tortues géantes qui n'ont que cette île, sur la côte Atlantique, pour aller pondre leurs œufs. Des spécialistes sont sur les lieux en permanence et il a fallu prévoir un éclairage spécial, toujours dirigé vers le sol, afin de ne pas chasser les tortues qui viennent déposer leurs œufs la nuit dans le sable.

Des quais de bois conduisent sur la plage, le clou vraiment de ce paradis. Une immensité d'un sable compact, intact, qui s'étend à perte de vue et où on peut pratiquer l'étonnant sport de la voile sur roues. On peut louer aussi des petits voiliers, on peut pêcher de la plage ou encore aller en haute mer.

Le climat sur Kiawah Island est subtropical. Très chaud et humide en été avec des moyennes de trente degrés. Mais en février, le mois le plus froid, les moyennes durant le jour se maintiennent à dix-huit degrés, bien que les nuits puissent être plus fraîches. Il y a trois semaines, en tout cas, il faisait un honnête vingt-quatre degrés.

Les alligators inoffensifs peuplent les étangs et il n'est pas rare d'apercevoir un chevreuil, le soir surtout.

Kiawah Island s'adresse à celui qui veut se détendre dans une ambiance saine et calme, dans le plus grand confort et dans un climat d'amitié. Les enfants sont plus que bienvenus et toutes sortes d'activités sont organisées pour eux. Il y a des pistes de jogging un peu partout mais la plage reste le meilleur endroit pour ce genre d'activité.

Port du maillot de bain en tout temps sauf en décembre, janvier et février, hébergement de luxe, que ce soit en appartement, à l'hôtel ou en villa privée, plage incomparable et quasi déserte, éventail d'activités dans un décor de

rêve et en pleine nature, voilà ce qu'il faut retenir de ce village de vacances, d'autant plus que les prix, notamment
pour certains forfaits, sont accessibles.

Voilà, certes, une découverte. Un endroit qu'on n'oublie pas et qu'on veut revoir.

23 novembre 1979

LA CAMPAGNE ANGLAISE DU DARTMOOR

Des villages sortis d'un livre d'images

Si vous n'avez pas envie de vous acheter une carte postale de la campagne anglaise, c'est très simple, vous n'avez qu'à vous trouver à Buckland-in-the-Moor, dans le Dartmoor, en quittant la départementale 3357, à gauche, une fois passé Poundsgate, au sud-ouest du mont Haytor.

Je sais. Ce n'est pas simple à trouver, même sur une carte de l'Angleterre, et, une fois sur place, malgré les explications des populations locales qui vous parlent, pour vous bien situer, de vieilles églises, de petites routes étroites, de maisons sur la colline. Seulement, l'Angleterre est à elle seule un inextricable écheveau de petites routes étroites et elle est farcie, depuis la frontière de l'Écosse jusqu'à l'île de Wight, de vieilles églises et de maisons sur la colline.

Moi, j'ai eu de la chance. Il y avait un gars à maillot aux couleurs de l'Union Jack qui en avait marre de faire du jogging et qui faisait du pouce. «Où allez-vous?» J'annonce les couleurs de Buckland-in-the-Moor et il me raconte que j'ai raté le dernier carrefour et qu'il fallait prendre à droite.

Le demi-tour n'est pas aisé sur cette route qui tient plus de la piste cyclable, côté largeur, que d'une route normalement constituée pour véhicules automobiles. D'ailleurs, avant d'entrer dans la vallée de la rivière Dart, à Two Bridges, entre autres, il est bien affiché qu'il ne saurait être question de tirer une caravane dans le paysage et que les petits ponts de pierre qui enjambent la rivière ont une largeur maximale de sept pieds.

On raconte que beaucoup de touristes n'arrivent pas à trouver Buckland-in-the-Moor mais ils aboutissent fatalement à Dartmeet ou encore à Widecomb-in-the-Moor et ils s'en réjouissent car ce sont là des villages tout aussi pittoresques, dit-on. Je les ai vainement cherchés. Il n'y a pas de numéros sur ces routes vraiment marginales. Il faut piloter au pif et demander aux rares gens, à condition de s'assurer de ne pas déranger leurs activités. Elles vont de l'observation des oiseaux à la pêche en rivière, en passant par le jogging, la dégustation de thé et la lecture du journal local qui annonce, entre autres nouvelles, les sommes léguées par les derniers défunts du canton. Parole. On lit, par exemple, que Lady Scott de Buckfastleigh, emportée par ses cent ans en juillet dernier, laisse à sa nièce Dorothy 128 000 livres sterling, ce qui engraisse le compte en banque de Dorothy de 332 000$. J'aimerais entendre les discussions de cuisine dans cette belle campagne. Il doit y avoir de la rancœur parfois; des gars chichement payés pour les menus travaux de la vieille et qui apprennent qu'elle camouflait la fortune dans le coucou de son horloge. D'autres pris soudain de ferveur pour la Dorothy laissée sur le carreau à cause d'un tour de taille concurrentiel à la tour de Londres et un gentil minois tirant entre le bouledogue et le portrait d'Elizabeth I.

Revenons dans le Dartmoor, un parc national de deux cents milles carrés, qui abrite des villages sortis tout droit d'un livre d'images, Buckland-in-the-Moor, c'est ça. Un clocher du XIIIe siècle, une boîte téléphonique rouge et tout au plus une dizaine de maisons aux toits de chaume, piquées dans les haies taillées, avec des fenêtres aux rideaux blancs et des clôtures de pierres. Un village qui ressemble à un gros jouet; où l'on pourrait tourner Blanche-Neige tout de suite sans rien changer au décor. On s'attend à ce qu'une princesse sorte sur le pas de la porte avec son balai de branches; on voudrait savoir où habite la sorcière; ça sent le pain d'épices et la fumée des cheminées où brûle le bon bois du pays. Pas d'hôtel, pas d'auberge, pas de restaurant et personne sur cette voie publique qui ressemble à un chemin privé taillé dans les buissons.

Et à chaque déclic de votre appareil photo, vous avez envie de dire «Excuse me», à cause du bruit. C'est pas croyable, ces agglomérations sorties du rêve. Ce que je ne comprends pas bien, personnellement, c'est l'évidente richesse des habitants de ces superbes maisons. Que font-ils? Où travaillent-ils? Des retraités sans aucun doute. Des gens qui auront bientôt droit à la colonne des legs dans le «paper» du «morning». Le retraité anglais est souvent un personnage extrêmement pittoresque et coloré. Dans les sympathiques petits pubs de village, les soirs de semaine, ils viennent souvent raconter leurs voyages, leurs conquêtes, leurs guerres et leurs regrettées colonies. J'en ai personnellement frappé un super, en Cornouailles, plus précisément dans le village de Pendoggett, dont la population est de soixante âmes. Il avait le pantalon bouffant d'équitation (*breeches*), les bottes de cuir, la veste carrelée et des moustaches en guidon de bicyclette. De sa grosse voix d'ex-colonel de l'Inde, il affirmait que tout thé ne provenant pas du Ceylan (pas moyen de lui faire croire que ce pays a maintenant pour nom Sri Lanka) n'était que de l'eau de vaisselle avariée. Seulement, pour l'instant, il s'envoyait une eau-de-vie «made in Scotland» que le garçon du bar manipulait comme s'il s'était agi de nitroglycérine.

Pour ne pas rater l'actualité du jour, ce retraité envoya son couplet sur l'Iran. Alors là, du solide. Le mystère perse percé, éventé. C'est heureux que les ayatollahs soient minoritaires à Pendoggett, car il faudrait une sévère neuvaine à l'iman pour rattraper les rudes paroles du colonel. Lui, il vous réglerait ça, la révolution iranienne. Il parle en connaissance de cause: il l'a connu l'Iran, l'a colonisé et il vous déballe les solutions sans façon. On assiste, dans ce paisible *Inn* de la côte, au massacre des mollahs, à la revanche des Kurdes, à la décadence instantanée du révérend père Khomeiny pour cause de chute fatale d'un vingtième étage de la mosquée du village. Il y a de la canonnade dans le golfe Persique, des otages américains qui font chanter le *Star Spangled Banner* à des millions d'Iraniens en mangeant des hamburgers sur la Grande Place de Téhéran, et on entend les pas du chah botté qui s'en vient en Iran en riant. C'est apocalyptique, c'est fort, c'est gros et c'est entièrement nourri au gin écossais. Et le plus beau, c'est que personne ne rit; on écoute et à la fin de cette guerre d'Iran, il se trouve même un client qui applaudit. Autre lampée écossaise et le colonel revient à moi pour me dire que le Canada c'est bien joli mais que lui, dans le genre, il préfère la Nouvelle-Zélande. *Primo* parce qu'on n'est pas obligé de se forcer pour aller applaudir des danseurs ukrainiens, *deuzio* parce que le mouton n'est pas congelé et finalement parce qu'il n'y a pas ce Québec embêtant. Je parle ici de ce personnage parce que c'est lui qui m'a orienté sur le Dartmoor. Au début, je voulais aller à Penzance, au sud, juste pour voir les palmiers — car il y a des palmiers en Angleterre. Et puis je me proposais de remonter le long de la Manche par Plymouth et Torbay. Mais selon l'iranicide, il valait mieux piquer par la route 30 à travers le Dodmin Moor pour rejoindre Whiddon Down, passé Okehampton, pour me rendre à Chagford, village pittoresque, où je trouverais facilement le gîte et le couvert. Car il convient de dire une chose à ceux qui se proposent de visiter l'Angleterre. Les villes d'une certaine importance sont très souvent sans intérêt. Elles sont tristes, poussiéreuses, industrielles, fumantes, malodorantes. Au départ de Londres, un représentant du British Tourist Authority m'avait averti. Évitez les villes comme Plymouth, Bournemouth, Southampton, Portsmouth et consœurs, mais si vous êtes pris dans l'une de ces cités et que vous voulez manger, rabattez-vous sur le restaurant indien de l'endroit pour éviter le bœuf trop cuit et le pois trop vert. Bref, s'en remettre sans hésiter aux maharajahs du cru. Mais ce conseiller touristique m'avait enseigné une autre chose peu banale. «Si, avait-il dit, vous allez à Birmingham, alors là il faut vous arrêter à cause de la laideur.

C'est tellement laid que ça vaut le déplacement; c'est le sommet du gris, du triste, du mauvais moderne.»

Je ne suis pas allé à Birmingham mais je le regrette; j'en avais l'eau à la bouche d'entendre parler ce représentant du tourisme britannique. Et puis chapeau! Je n'avais encore jamais vu un représentant touristique m'inviter ainsi à contempler la laideur. Je trouve ça sympa et franc-jeu. Bravo.

J'envahis Chagford vers 15h30, ce mercredi 28 novembre. Je dis «envahir» car je suis seul à l'horizon et que ma voiture prend toute la largeur de la route et un peu plus. Je me gare entre la Midland Bank, une petite chaumière de plusieurs siècles qui ressemble davantage à une boutique de forgeron qu'à une banque et je frappe à l'huis du Three Crowns Hotel, bâti à la fin du XVIe siècle par le chevalier John Whyddon, juge de la cour du Banc du Roi sous Henri VIII. Mais c'est un tout autre chevalier qui me répond. Encore endormi parce que l'établissement, de par la loi, ferme ses portes de 14h30 à 17h30, John Giles m'ouvre et me propose une chambre dans les combles pour six livres. La fenêtre donne sur le cimetière, de l'autre côté de la rue, c'est-à-dire pratiquement à portée de la main. «Vous dormirez aussi bien qu'eux ici», me dit John en désignant les morts. Alors on parle, on se marre. Il me raconte Chagford, son auberge achetée avec deux partenaires récemment, et où est mort entre autres Sir John Berkeley, juste ici sur le seuil du pub, après avoir été blessé dans une bagarre entre parlementaires et royalistes en février 1643. On nage dans l'histoire, c'est-à-dire dans le meurtre, puisqu'on est en Angleterre.

Chaque village anglais a ainsi son histoire, ses personnages illustres, ses morts célèbres et ses vivants si accueillants. John me montre sa monture, une Jaguar XJS à moteur V-12, et me passe le menu du jour pour ce soir. Il y a des cailles, du faisan, de la langouste, du canard. On se croirait au Grand Véfour. Fausse la rumeur qu'on mange mal en Angleterre, surtout si on s'arrête aux bons endroits.

Et si vous vous trouvez un jour dans le Devon, goûtez à la «clotted cream» sur des fraises fraîches, par exemple.

Bref, un accueil plus que chaleureux malgré les morts d'en face; de la bonne chère, du bon air, de la gaieté et un goût sûr d'y revenir bientôt. C'est John qui m'a mis sur la piste de Buckland-in-the-Moor et des autres endroits comme le mont Haytor d'où, à 2 000 pieds d'altitude, sur des étendues quasiment désertiques, vous apercevez à gauche la Manche et à droite, le Bristol Channel.

À côté de nos parcs, le Dartmoor c'est du petit jardin mais on peut y consacrer tout son itinéraire et on n'aura rien manqué de cet extraordinaire pays.

14 décembre 1979

Un rendez-vous dans les Antilles

Celui qui, parti de Montréal, débarque à Charlotte Amalie, capitale des Îles Vierges américaines, a mis plus de temps à y arriver que s'il avait voyagé vers l'Europe, et cela même si la distance est moindre (1 700 milles de Montréal). Mais le visiteur ne regrette rien! La mer est d'un vert émeraude qui rappelle assez la Polynésie; la brise est toujours bonne; le paysage est escarpé et pittoresque et la ville de Charlotte Amalie, contrairement à la plupart des villes antillaises, a un charme exceptionnel, une propreté remarquable et un souci d'élégance qui tient non seulement de ses boutiques de port franc mais de la conservation de ses anciennes constructions danoises.

Voyage long au départ de Montréal, car il faut passer soit par New York, soit par Atlanta, soit par Miami. De là, on arrive soit à Sainte-Croix (île industrielle des Îles Vierges américaines), soit à Puerto Rico; finalement la dernière étape nous amène à «Charlotte», blottie sur le bord de ce que l'on croit être un ancien cratère et qui est devenu l'un des plus importants ports naturels des Antilles.

Voilà pourquoi les Espagnols, après la découverte de ces îles en 1493, par Christophe Colomb — qui les nommaient ainsi à cause de «Sainte-Ursule et ses 11 000 vierges» et aussi parce qu'elles étaient d'une étonnante beauté — attachèrent beaucoup d'importance à Saint-Thomas qui fut convoité tour à tour par les Français, les Britanniques et les Hollandais. Mais ce sont les Danois qui prirent possession des îles de Saint-Thomas, Sainte-Croix et Saint-Jean, le 30 mars 1666. Au début, ils fondèrent l'établissement de Tap Hus, aujourd'hui Charlotte Amalie, baptisée ainsi en 1691 en l'honneur de la reine de Danemark.

Ils divisèrent les îles en plantations de cent vingt-cinq acres chacune et y établirent des repris de justice et des prostituées. Les îles étaient inhabitées. On croit que les quelques Indiens Arawack, qui se trouvaient probablement là au moment des découvertes, avaient été tués par les conquérants ou envoyés dans les mines d'Hispaniola. Mais ces colons forcés cessèrent d'être amenés dans les îles lorsqu'au cours d'une mutinerie à bord du navire qui les transportait, ils jetèrent à la mer le nouveau gouverneur désigné qui voyageait avec sa femme et ses enfants, et s'emparèrent du navire.

Dès lors, les Danois firent l'importation d'esclaves africains et Charlotte Amalie devint le plus grand marché d'esclaves au monde. On voit encore aujourd'hui la place du Marché, tout près d'un château du 17e siècle qui sert encore de prison. Les Danois firent de Charlotte Amalie un port franc en 1724 et le commerce prit le dessus sur l'agriculture. À cause de sa situation de plaque tournante entre le Nouveau Monde et l'Europe, la colonie danoise devint prospère et florissante mais cette situation stratégique exceptionnelle devait amener la vente des îles aux Américains en 1917, ces derniers craignant que les Allemands établissent une base entre le canal de Panama et l'Europe. On dit que le prix de 25 millions$ payé aux Danois a été, compte tenu de la valeur à l'époque, le plus élevé que les Américains aient jamais payé au cours de leur conquête territoriale.

Quoi qu'il en soit, l'influence danoise est d'abord visible par l'architecture. Les multiples entrepôts de brique, aux portes à voûtes et aux toitures en forme de trapèzes, forment aujourd'hui l'essentiel des constructions de Charlotte Amalie non seulement pour le logement, les nouvelles constructions et certains édifices administratifs, mais pour abriter les boutiques de la Dronnigen Gade, par exemple, où l'on trouve côte à côte les Gucci, Cartier, Dior, Saint Laurent et autres avec les spécialistes de l'or et de l'argent, des beaux tissus, des cuirs, des montres, des appareils photographiques et les plus humbles mais inévitables vendeurs de coquillages et de bijoux confectionnés sur place.

Parfois, sous ces arcades, les boutiques s'ouvrent sur deux rues ou alors sur un passage entre les quais et la rue commerciale, ce qui rend possible d'avoir à la fois un œil sur les vitrines et un autre sur l'un ou l'autre des grands paquebots qui sont immanquablement en rade, en pleine ville pour ainsi dire, plus gros que les maisons qu'ils touchent presque de la proue et contenant quasiment autant de gens, lorsqu'ils se mettent à plusieurs, que la population de la ville.

Ville pourtant calme, pas trop bruyante, aux venelles fleuries, aux terrasses accueillantes où passent vers la fin de l'après-midi des crieurs qui appellent les passagers des bateaux à regagner leur bord.

Ville d'environnement, de conservation; sans affiches lumineuses, sans trop de vendeurs ambulants, sans individus qui vous sollicitent de toutes parts malgré l'évidente vocation commerciale et touristique de cette cité dont personne n'a tellement entendu parler ici, si l'on en juge par la réaction des gens à qui vous dites que vous revenez de Charlotte Amalie et qui hésitent entre une ancienne possession britannique d'Asie ou un bled du Nouveau-Brunswick.

Même les Îles Vierges ne paraissent pas très connues chez nous. Elles sont américaines presque au même titre qu'un État américain, bien que les habitants des îles, quoique citoyens américains, ne votent pas, si ce n'est pour élire un représentant qui n'a pas le droit de vote au Congrès.

Comme Charlotte Amalie est un port franc, c'est-à-dire sans taxe sur la vente, il est certain que beaucoup de produits s'y vendent moins cher qu'ici, mais là il convient de faire attention.

Si les montres de grandes marques, les cigarettes, les alcools, certains bijoux et divers autres produits de luxe sont des aubaines, la règle n'est pas générale. Ce qui est intéressant pour nous, ce sont les prix des excellents repas dans les nombreux restaurants, ceux des taxis, des services en général et des tarifs aériens ou maritimes entre les trois îles principales, qui sont très raisonnables.

Et puis Saint-Thomas, avec ses 57 000 habitants en tout et pour tout, n'est pas que la capitale. On peut louer une voiture pour une vingtaine de dollars par jour et circuler sur ces routes carrossables mais presque toujours en lacets, silonnant les pentes abruptes, pour découvrir, du haut des sommets, des baies magnifiques comme Magens Bay, longeant des boisés fleuris ou coulant le long d'une plage de sable blanc. Il n'y a pas d'industrie à Saint-Thomas, à part le tourisme; c'est le paradis du commerce, du condominium luxueux, des résidences somptueuses, des retraités qui font de la voile ou qui jouent au golf, des entreprises de charters soit pour la voile pure ou pour la pêche en haute mer, des marinas et du repos malgré la solide vie de nuit de «Charlotte» et l'affluence de touristes venus de partout.

Les Américains ont tenté d'effacer les traces des Danois qu'on retrouve encore dans l'architecture des maisons, au point que la Dronnigen Gade est mieux connue sous le nom de Main Street. Mais ils n'ont pu rien réussir contre le French Town, quartier français composé de gens originaires de Saint-Barthélemy, intéressant non seulement à cause de la petitesse des maisons (on dirait un village de maisons de poupées), mais des cafés, bistrots et autres établissements aux noms français, sur des rues comme Grégoire ou des Trois-Pignons. La plus belle des trois principales îles Vierges américaines est sans conteste l'île Saint-John, sauvage et luxuriante, mais pour moi Charlotte Amalie a été une agréable découverte, d'autant plus que le malaise entre Blancs et Noirs, que tout le monde essaie de cacher mais qui est réel dans toutes les Antilles à divers degrés, ne paraît pas évident dans cette partie des États-Unis qui, l'an dernier, a tenu un référendum sur l'indépendance et qui a été refusée à plus de 80%.

Si la durée du voyage est importante à cause des escales, voilà quand même un paradis à portée de la main et du portefeuille, un port franc mais aussi blanc, chatoyant, calme et animé à la fois, chaud mais rafraîchi par la brise qui s'insinue dans les rues et sous les arcades abritées, chaleureux par la gentillesse de ses habitants, intéressant à cause de son passé historique original et toujours présent.

28 mars 1980

MA CABANE À MAYO BAY

En camping dans les îles Vierges

Le doux ronron du climatiseur de la chambre 213 de l'hôtel Magens Point, à Saint-Thomas, m'était une musique agréable et réconfortante; je refaisais tout à coup connaissance avec un tapis moelleux, des lits confortables, des murs blancs et surtout une douche généreuse coulant à volonté.

Bonheur de réfugié, redécouverte de la douceur de vivre, hommage à la civilisation, pensée profonde pour l'homme, ce génie, qui a su inventer le climatiseur, domestiquer les forces de la nature et nous donner l'eau chaude et froide au robinet, la lumière du commutateur, la douche et les toilettes à portée de la main, le bar et le restaurant à une demi-encablure.

Voilà à quoi songe l'homme moyen, gâté certes par le confort nord-américain habituel, qui revient d'un séjour au camp de vacances de Maho Bay, sur l'île voisine de Saint-John, dans les îles Vierges américaines.

Maho Bay, c'est un concept nouveau de vacances, assez près du camping, mais axé sur la protection de l'environnement, l'écologie, l'économie de l'eau, très rare sur cette île qui est la plus petite mais aussi la plus belle de l'archipel américain des Petites Antilles.

C'est la réalisation d'un riche homme d'affaires de New York, l'original Stanley Selengut, qui a obtenu un bail de trente-cinq ans des autorités du Parc national des îles Vierges américaines pour installer sa colonie sur les pentes escarpées qui bordent une belle petite plage de sable blanc.

M. Selengut vient d'acheter cinquante-huit acres de terrain à l'autre bout de l'île et commence la construction de petites maisonnettes bizarres où, là encore, les eaux d'égout seront traitées par le procédé Annelgester qui fournit un liquide inodore et transparent, excellent engrais pour les jardins communautaire de ce nouveau village.

Il y aura des véhicules électriques qui circuleront parmi les groupes de cottages et descendront les gens jusqu'à la merveilleuse plage de Nanni's Point et l'électricité sera fournie par des éoliennes. On trouvera cuisinette, douche et eau courante dans chacune de ces maisons conçue par un architecte local et qui seront assemblées sur place dans une petite usine installée par Stanley. Le village de Nanni's Point accueillera des vacanciers dès l'hiver prochain.

Mais revenons à Maho Bay où les habitations sont des sortes de tentes en toile montées sur des plates-formes de bois, lesquelles sont soutenues par des pilotis, dans les arbres, et reliées entre elles par des quais de bois. Entre la plage et la tente la plus élevée dans cet escarpement, il y a une dénivellation de deux cents pieds et cent quarante-sept marches d'escalier. Le centre de ravitaillement et de rendez-vous, tout près des douches et toilettes communes, se trouve à peu près au milieu du village. On y trouve des viandes congelées, des conserves, de la bière et du vin, des cigarettes et tous les produits d'utilité courante. Le matin, on y sert des petits déjeuners confectionnés par les gars et les filles qui forment le personnel du village. Parfois, le soir, ces jeunes gens, d'une gentillesse remarquable, organisent des dîners.

Bon. Mais j'aimerais ouvrir une parenthèse immédiatement sur l'engouement écologique, qui encourage le retour à la nature mais interdit d'y toucher pour éviter toute pollution. Et le pollueur, c'est l'homme, ce vilain, ce massacreur de la création, cet intrus, cet étranger. Un instant! L'homme fait partie de la nature, il me semble, jusqu'à nouvel ordre. Une éolienne, c'est très joli, mais c'est l'homme qui la fabrique avec des matériaux qu'il a mis au point, avec des roulements à billes, des accumulateurs et une génératrice de courant.

Pourquoi le moteur diesel deviendrait-il tout à coup le symbole vicieux de la déchéance surtout quand on comptera énormément sur lui pour fournir l'électricité, les jours de calme plat? C'est comme la betterave qu'on ne peut plus manger parce que l'homme a ajouté des «engrais chimiques», c'est-à-dire peut-être le très naturel potassium dont sa terre était pauvre. L'homme est en soi un laboratoire de chimie; il est le royaume de l'hydrolyse, des diastases, de la transformation chimique, de l'acide, de l'alcali et des sels, des chaînes phénoliques, du carbone et finalement, lorsqu'il a terminé son stage sur terre, de la solide putréfaction. Mais le mot «chimique» est tabou; il faut l'éviter. Il faut saupoudrer du sel naturel, de préférence de mer, sur nos aliments et surtout pas du chlorure de sodium. Dans les établissements d'aliments «naturels», il faudrait donner les formules chimiques très complexes des produits qu'on vend. Les clients décrocheraient; ils n'y croiraient plus, je gage. Ils trouveraient que le brave glutamate de sodium de leur sauce à pizza en pot a l'air bien inoffensif à côté. Moi je dis: bravo, les chimistes! Continuez votre œuvre bienfaitrice qui permet la conservation, l'hygiène et la bonne alimentation à des prix plus bas; nos sucs gastriques appelleront toujours amidon le spaghetti qu'on leur confie, qu'il vienne de Catelli ou de chez Vogel.

Alors, à Maho Bay, tout le matériel a été transporté à la main pour ne pas perturber la nature. On a mis au point des procédés de recyclage des eaux usées, on a installé des poubelles pour les objets de plastique, d'autres pour les objets métalliques, d'autres pour les produits organiques. Les escaliers, qu'il faut se taper notamment pour le transport de l'eau dans les jerricans, fournissent un stimulateur cardiaque naturel et c'est l'endroit rêvé pour observer la vie des lézards, des mangoustes et des rats des champs qui font pratiquement ménage avec vous, de même que les plantes tropicales qui vous entourent. Mais comme ce village est aussi un véritable banc d'essai pour les maisons Raid ou 6-12, *because* les moustiques, le chimique revient à toute vitesse côté produits à appliquer sur sa peau pour tenir à l'écart les bonnes petites bêtes de la nature qui, sans *bugs repellent*, vous déguiseraient vite fait en boursouflure humaine, en Van Gogh de la pustule rubigineuse. On nous dit aussi de jeter notre eau de vaisselle dans la nature pour «nourrir les plantes». Ivory liquide devenu engrais chez les naturistes! Le magasin d'alimentation n'hésite pas non plus à proposer des pommes de terre déshydratées sous forme de flocons qui, une fois mélangés à l'eau, donnent un produit que je situe personnellement entre le stuc d'intérieur et la colle à tapisserie.

Ce ne sont là que des exemples qui illustrent combien il est difficile d'être fidèle à la nature quand on est un bipède pensant qui a l'inconvénient de ne pas être issu du croisement entre le lézard et la mangouste, qui monte dans des avions à réaction, qui utilise du shampoing et de l'huile à bronzer, qui fait de la photo et du shopping, qui sait rire et pleurer et qui doit travailler pour gagner «sa vie». Décidément la nature nous a complètement ratés.

Ceci étant établi, il ne faut pas conclure que Maho Bay est à proscrire. D'abord, c'est du camping plus confortable que celui qu'offre la tente normale. Ces cottages de toile font seize pieds sur seize pieds et sont constitués d'une pièce faisant salon et cuisine, d'une chambrette à deux lits simples et d'un balcon découvert avec table et chaises pour les repas ou les bains de soleil en privé.

Chaque tente est pratiquement isolée des autres par les arbres et il y a des points d'eau un peu partout à travers le camp, de sorte qu'on n'a jamais besoin d'aller loin pour

s'en procurer. Il y a une cuisinière au propane et des usten-
siles qui ont un côté plus «gamelle» que porcelaine bre-
tonne mais qui permettent de faire une honnête «popotte»,
d'autant plus que les viandes surgelées, vendues au com-
missariat du bord, sont d'excellente qualité. On déplore un
sérieux manque de fruits et de légumes frais mais en général, bien que tout soit importé de l'extérieur, les prix sont
raisonnables, l'établissement ne visant pas à faire des pro-
fits mais simplement à couvrir ses frais. Les salles communes de toilettes et de douches sont d'une propreté remarquable mais les douches sont autorisées à raison d'une par
personne par jour entre 15h et 20h et la quantité d'eau est
limitée à deux ou trois gallons. Un ressort ferme automati-
quement le débit lorsque le pèlerin, même s'il est encore
tout mousseux de savon, a eu sa ration.

Il n'y a pas d'eau chaude mais cette eau de douche,
contenue dans des réservoirs chauffés par le soleil, est tiède
et fort convenable. L'eau est potable mais on peut acheter
de l'eau en bouteille au magasin.

La clientèle est plutôt jeune et décontractée. La plage
est magnifique et trois beaux voiliers, d'une trentaine de
pieds chacun, proposent des croisières d'une demi-journée
et d'une journée complète. Les équipages sont très sympathiques et les eaux des îles Vierges, tant américaines que
britanniques (toutes proches), sont un enchantement non
seulement pour ceux qui veulent faire de la plongée sous-
marine mais pour ceux qui veulent se reposer loin des
moustiques, sur un bateau où l'on offre les boissons et un
repas gratuitement, la baignade dans la mer verte, la vue
des tortues qui plongent et refont surface tout autour et la
compagnie de gens qui ne demandent qu'à s'amuser.

Le campeur québécois ne sera pas dépaysé dans cet
environnement pour peu que la compagnie du lézard, la
chaleur parfois intense sous la toile et un manque d'activités sportives ne l'effraient pas.

En gros, les clients paraissent très satisfaits de l'endroit et les deux griefs majeurs portent sur les moustiques

et la sérieuse lacune des moyens de transport. On rejoint l'île de Saint-John par un bac qui fait la navette entre Saint-Thomas et Cruz Bay (la seule ville de Saint-John) entre 7h et 19h tous les jours. Maho Bay se trouve à huit milles de Cruz Bay et, outre les taxis, il y a des autobus locaux mais dont les horaires sont incertains et qui ne fonctionnent pas le soir.

Pas facile de parvenir et de sortir de Maho Bay à moins de louer une jeep, véhicule idéal pour faire le tour de cette île enchanteresse. On pourra, par exemple, louer la jeep la dernière journée du séjour, visiter l'île, aller déjeuner au restaurant de l'hôtel Caneel Bay appartenant aux Rockefeller, histoire de prendre congé, pour un prix fort raisonnable, de la popote sous la tente, et reprendre la jeep le lendemain matin pour revenir à Cruz Bay, remettre le véhicule et prendre le ferry-boat qui nous mène à Red Hook en vingt minutes, sur l'île de Saint-Thomas où des amusants véhicules, sorte de camions munis de bancs sous des auvents, nous conduisent dans la capitale administrative, la belle ville de Charlotte Amalie dont il a déjà été question dans ces pages. Moi je me suis rendu directement à l'hôtel Magens Point, à dix minutes en auto de Charlotte Amalie, pour passer la dernière journée.

Il tombe quarante pouces de pluie en moyenne par année et c'est le mois de novembre qui est le plus mauvais. Donc, il fait pratiquement toujours beau et il est à noter que le vent souffle presque toujours modérément. Maho Bay se trouve sur le versant nord de l'île, c'est-à-dire du côté où se déversent les eaux de pluie et où conséquemment la flore est plus luxuriante.

Bref, des vacances non pas sur la dure mais du camping honnête avec quelques désagréments certes, mais à un prix abordable à l'heure où tout est si cher partout. Quant au nouveau village de Nanni's Point, Stanley Selengut n'a pas encore arrêté ses prix pour l'hiver prochain, mais là encore, même dans un hébergement plus confortable, il est évident qu'il y aura moyen de passer des vacances bon marché. Répétons enfin que les îles Vierges américaines sont d'une rare beauté qui m'a personnellement rappelé la Polynésie. C'est vous dire l'attrait de cet archipel curieusement si mal connu des Canadiens.

5 avril 1980

De Lisbonne à Madère

Moi, les fleurs, en dehors de la rose, de la tulipe, de l'œillet et de deux ou trois autres espèces de nos jardins, je n'y connais rien. C'est comme pour les oiseaux: je sais que l'hirondelle ne fait pas le printemps et je différencie le canard classique du moineau ou du pigeon urbain mais mon ignorance en ornithologie est aussi vaste qu'en botanique.

J'admire les gens qui s'exclament et disent: «Regardez la belle bergeronnette grise, ou la petite mésange charbonnière ou encore le mignon rouge-queue à front blanc!» Mais moi, c'est zéro.

Je raconte cela en guise d'introduction à l'île de Madère parce que, en plein Atlantique, au large des côtes africaines, Madère est un véritable jardin botanique. J'en reviens enchanté car, si je ne connais pas le nom des plantes, je les aime quand même. Peut-être que je côtoyais, en marchant au bord de la route, près de Funchal, la capitale, des cognassiers du Japon, des clématites, des glycines, des gaillardes vivaces, des serpentines ou des montbrétias, mais je l'ignore. Je ne pourrais pas dire.

En revanche, et pour commencer par le commencement, je sais que poser un Boeing 727 (série 100) sur la piste de 1 500 mètres de Santa Catarina, à vingt kilomètres de Funchal, là où les vents sont presque toujours du sud-ouest alors que la piste suit l'axe nord-ouest ou sud-est, ça relève à la fois du sport et de l'acrobatie aérienne. En approche finale, sur la piste 31, vous avez à gauche la montagne qui s'élève au-dessus de vous, à droite la mer houleuse infestée de requins et devant, un mince plateau qu'il faut tout de suite toucher si on veut pouvoir s'arrêter à temps à l'autre bout. L'avion se présente à vingt ou trente degrés de l'axe de la piste, because le vent («o vento», en portugais). Les pilotes ont une expression pour qualifier ce genre de situation («un chat, disent-ils, sur un toit brûlant»), pour symboliser le pilote qui s'agite sur les gouvernes de ses deux pieds. Pour le décollage, les restrictions de poids sont sévères et on pèse même vos bagages à main. Souvent le pilote attend de longues minutes en bout de piste que le vent tourne un peu en sa faveur et ses paramètres de décollage comprennent les volets à trente-deux degrés plutôt qu'à dix degrés, comme c'est presque toujours le cas. Il met 50 % de la poussée des réacteurs avant de lâcher les freins et là, tu n'as plus qu'à te demander si tu vas aller en haut ou dans la flotte, comme c'est arrivé à deux avions de ligne dans la même semaine, il y a trois ans. Depuis ce temps, les restrictions sont beaucoup plus sévères et le taux d'annulation des vols vers Madère est d'environ 50 %. Air Portugal a deux à trois vols par jour vers Madère au départ de Lisbonne et il est de bon ton de s'en remettre à elle pour s'y rendre. Le seul ennui est qu'on ne sait jamais quand on va y arriver et quand on va en repartir.

Quand on se trouve à Madère, on se trouve au cœur d'une végétation tropicale dans un décor fait de sommets impressionnants, de pics, de caps, de petites routes bordées de fleurs, d'une mer très bleue et assez sauvage puisqu'il n'y a pas de plages. La très grande majorité des hôtels ont une piscine soigneusement installée à l'abri du vent car si la température est relativement douce et stable à Madère, le vent peut parfois rendre inconfortable le bain de soleil. Aussi, quand on est à Madère, on profite également des bas prix du Portugal, compte tenu de notre dollar. Et les Madériens ne cessent de vous dire que tout est plus cher à Madère à cause de la quantité de produits importés alors que les salaires sont parfois la moitié de ceux payés au Portugal continental.

Je ne parlerai pas des produits artisanaux, des glissades en traîneaux sur les pentes de l'île, des excursions à l'île voisine de Porto Santo, des agréables terrasses au centre de Funchal, pratiquement dans le port, et des attraits divers qui n'empêchent pas Madère d'être un endroit paisible mais pas ennuyeux.

Je glisserai un mot sur la pêche en haute mer, peu organisée, mais qui peut faire de vous un recordman du thon en peu de temps. Le mieux est de s'adresser à M. José Braz, 73 avenida Arriaga, qui a un bateau bien équipé.

Moi, j'adore le Portugal, c'est connu. Madère, c'est toujours le Portugal et par conséquent, toujours la même gentillesse et la même honnêteté des gens. Et puis la plaisante langue portugaise.

Les Portugais, eux, ont simplifié leur langue en 1948. Ils ont aboli les lettres inutiles pour adopter la langue phonétique.

Ils ne trimballent plus des «ph» lorsqu'un «f» suffit comme «foto» ou «farmacie». Il me semble qu'on pourrait regarder de ce côté chez nous. C'est assez difficile comme ça d'écrire que je ne vois pas l'utilité d'être constamment aux prises avec des doubles «n» ici, un «l» là, deux «r» à un endroit, des «ph», des «y» et des «h» aspirés ou muets.

Mais il y a mieux chez les Portugais. Par exemple, si vous voulez être réveillé à sept heures le lendemain, vous vous adressez à la gentille et jolie réceptionniste de l'hôtel et vous lui balancez: «Eo agustava que se agressar me a sete horas demain matin.» Ce qui se traduirait littéralement comme: «J'aurais le goût que vous m'agressiez à sept heures demain matin.»

C'est pas de la langue bien pensée, ça? C'est pas bien tourné, à côté des «ring me» et des «réveillez-moi»?

Les Portugais ne cachent pas les choses. Comme Sacha Guitry, ils savent que réveiller quelqu'un, c'est comme ouvrir une lettre qui ne nous est pas adressée et conséquemment, qu'il s'agit d'une agression pure et simple.

Moi, je me mets résolument au portugais. C'est trop beau. Mais il y a parfois des ennuis. Ainsi, à Lisbonne où il faut absolument s'arrêter en allant ou en revenant de Madère, je m'étais mis dans la tête de m'acheter un pantalon noir. En portugais ça se dit «calças negros». Seulement, il faut prononcer «calsache négrouche». Après plusieurs boutiques, j'étais en cale sèche bien plus qu'en calças quand on m'a expliqué qu'on ne vendait pas de pantalons noirs au Portugal sauf en cas de deuil et encore il faut les commander dans des endroits spécialisés. Et c'est vrai. Les «calças negros», vous pouvez toujours les chercher. Il était près de 18h lorsque j'ai décidé de quitter la Plaça Rossio pour mettre le cap sur mon hôtel aux abords de la Plaça du Marquèche de Pompal, tout en haut de l'avenida da Liberdade.

Mais juste avant d'arriver à destination, je me rends compte que je n'ai plus mon passeport que j'avais glissé dans la poche arrière de mes jeans. Ça, je n'aime pas. J'ai un avion à prendre demain matin à 7h pour Athènes pour ensuite me rendre en Égypte et en Israël. Sans passeport, je suis cuit. Les boutiques s'apprêtent à fermer et je pars à l'épouvante vers la deuxième boutique où j'ai essayé des «calças» de je ne sais plus quelle couleur. J'ai le désespoir dans l'âme, je pourrais presque chanter du «fado» maison dans les rues de Lisbonne quand j'arrive à la boutique où le propriétaire m'attend en riant avec mon passeport en main. Il m'explique qu'il a déjà téléphoné à l'ambassade du Canada pour avertir que «o senhor Deshaies» est délesté de son passeport et qu'il ne pourra plus passer nulle part. Il me dit qu'il va aller retéléphoner chez son voisin pour raconter à notre ambassadeur qu'il n'a plus besoin de s'en faire pour moi, comme si celui-ci ne s'en balançait pas éperdument. Je veux refiler des escudos (prononcer échecoudouche) à mon sauveteur mais il refuse, moi qui ne lui ai même pas acheté de «calças».

Ce n'est pas la première fois que je le dis, mais en voilà un solide attrait touristique. Je dis «oui» au Portugal encore plus fort que jamais. Je dis «oui» à Madère et à ses fleurs que je regrette amèrement de ne pas connaître, je dis «oui» à l'Algarve, à ses plages, à ses sardines grillées et à ses vins verts; je dis «oui» à Nazaré, à Porto, à Sintra, à Setubal, je dis «oui» au fado, à Carlos de Parme, à Rodrigo et aux grosses chanteuses de la Plaça Alegria, je dis «oui» à Lisbonne la calme, aux taxis verts et noirs et aux vendeurs de fraises fraîches et de billets de loterie. Pour les couvents, les musées, les visites guidées, les bons achats et les hôtels, il y a plein de brochures.

9 mai 1980

ESCALE À PORT-SAÏD

L'Égypte en douze heures

Il est 9h, le matin du 15 avril, et nous sommes à l'ancre au large de Port-Saïd, dans des eaux tumultueuses et brunâtres où se balancent au bout de leurs chaînes une cinquantaine de navires de toutes nationalités, attendant de passer dans le canal de Suez.

Le vent du sud-ouest apporte un sable fin qui recouvre le pont et le bastingage. Les passagers vont et viennent en regardant le brise-lames crachant les vagues au large et, de l'autre côté, les formes de la ville avec ses ruines et ses minarets. Des felouques multicolores sillonnent cette immense zone d'ancrage, allant de navire en navire, et on aime à penser qu'elles participent à un quelconque trafic inavouable. C'est déjà un dépaysement; un environnement envoûtant, des images de cinéma. Mais les haut-parleurs du navire annoncent que nous attendons toujours le pilote qui nous guidera à quai.

Dans la timonerie, le commandant Dimitrios Mendrinos ne s'impatiente pas mais ne lâche pas sa radio VHF. «Port-Saïd pilot, this is Neptune passenger ship, do you read me please.» Pas de réponse. Le commandant prononce: «Nétouné pazenzer zip», ce qui n'est rien à côté des autres navires qui se lamentent comme en un étrange concert des ondes. Le mur des Lamentations, ce n'est pas demain à Jérusalem qu'on y aura droit, c'est ici aux portes du canal de Suez.

Un gros chalutier soviétique annonce qu'il attend

depuis trois jours pour entrer dans le canal et il parle fort, sur le ton de la colère. Un cargo vénézuélien demande le pilote et précise qu'il réclame ainsi le pilote depuis deux jours. Ça promet. Le commandant me dit qu'ici, il ne faut surtout pas se fâcher car on risque de ne jamais voir de pilote. Et puis c'est la litanie qui reprend: «Nétouné pazenzer zip». Soudain, une grosse voix répond que le pilote est en route pour nous. Cris de désespoir chez les voisins d'ancrage et effectivement, on aperçoit le canot automobile du pilote qui fonce sur nous.

Il est 11h lorsque le Neptune est immobilisé à quai à Port-Saïd. Les autorités de l'Immigration estampillent le visa d'une journée sur tous les passeports qui ont été préalablement remis au commissaire de bord. Les passagers récupèrent leurs passeports mais doivent attendre encore une demi-heure qu'on répare la passerelle qui permettra aux passagers de se rendre à la rive et aux vendeurs ambulants d'approcher le navire pour attaquer les premiers arrivants.

Il faut y aller résolument. On quitte le navire comme on quitte un abri par temps d'orage, avec l'idée de se rendre le plus rapidement possible de l'autre côté sans trop se mouiller. C'est pas facile. D'abord tu dois éviter de regarder les vendeurs et ne pas ralentir. Mais c'est une passerelle flottante qui t'oblige à quelques acrobaties. Le pire, ce serait de tomber à l'eau ici. Parce que, c'est évident, un gars te sortirait de là et après, il faudrait bien que tu lui achètes des cartes postales, une pipe à pot, des fleurs, une casquette américaine ou n'importe quelle breloque à l'étalage.

L'abri, de l'autre côté, c'est l'autocar qui nous mènera au Caire. On s'y engouffre sans trop de dommage et c'est ici qu'on rend hommage à ceux qui ont inventé les vitres. Sans elles, on ne pourrait pas subir l'assaut des vendeurs de colliers et de beaux bijoux en plastique véritable qui frappent dans les vitres. Après, c'est trois heures de route dans le désert, avec une guide sympathique qui résume, forcément dans les très très grandes lignes, 6 000 ans d'histoire.

On tombe dans des embouteillages monstres, une dizaine de milles avant d'atteindre le cœur du Caire, mais c'est une sorte de coup de foudre. On raconte qu'Alexandrie est la plus belle ville d'Égypte mais le Caire, c'est envoûtant. Tout ce qu'on a lu de romans dont l'action se passait ici nous revient à l'esprit. C'est grouillant, c'est animé et c'est d'une incomparable beauté ces rives du Nil qui se ramifie dans cette ville tapageuse mais mystérieuse en même temps. Les autobus s'affaissent sous le poids non seulement des ans mais des usagers qui s'agrippent à leurs flancs comme des mouches; il y a des boutiques partout, à tous les étages, dans le fond de toutes les cours et les gens se bousculent sur les places, au pied d'hôtels ou d'édifices somptueux.

Mais nous, nous ne pouvons pas nous perdre comme j'aurais aimé dans cette masse humaine. Nous plongeons dans le Musée du Caire qui recèle les richesses des pharaons mais dont l'architecture déçoit.

Malgré les œuvres des grandes dynasties, malgré l'or massif et tous ces témoignages émouvants d'une étonnante civilisation, on ne peut qu'être surpris par le musée lui-même qui ressemble à un gros hangar de pierre. Mais encore là, c'est la visite vite faite.

On déjeune vers 15h dans un grand hôtel, avant de partir pour les pyramides tout près. En moins d'une demi-heure, malgré la circulation, nous sommes à la première pyramide, celle de Chéops, où ceux qui le désirent peuvent descendre pour s'embarquer à dos de chameau vers la grande pyramide de Chéphren. Moi, le chameau, je ne suis pas tellement partant, surtout pour la photo, dans ce tohu-bohu commercial qu'est devenu le lieu sépulcral de la IVe dynastie.

Il y a des petits casse-croute ambulants, des étalages, des vendeurs, des chameaux, des chevaux, des photos et des touristes qui montent et descendent des chameaux et se font photographier par des Mohameds en turbans à cordon qui amassent l'argent.

Vous pouvez aller à l'intérieur des pyramides risquer le manque d'oxygène et la courbature, mais la plupart des touristes restent dehors. Je sais qu'il y en a qui diront que je traite des pyramides à la légère; et surtout qui se scandaliseront des comptoirs commerciaux installés sur les dalles des grands tombeaux égyptiens. Les égyptologues en particulier; eux, ils tolèrent mal. Ils voudraient qu'on chasse les vendeurs du temple, qu'on mette des barrières et qu'on les autorise, eux à la rigueur, à aller se recueillir sur ces merveilles du monde dont eux seuls comprennent la grandeur.

Mais les Égyptiens vivent avec les pyramides depuis si longtemps qu'ils ne les regardent même plus. Eux, ils ont pensé que ces monuments qui témoignent du génie de leurs ancêtres ne devraient pas faire perdre le sens du commerce et qu'une balade à dos de chameau n'invaliderait en rien l'environnement pyramidal. Et puis, ils sont humains. Ils ont compris que tu pouvais avoir soif, même au pied des pyramides, et qu'il serait de bon ton d'installer des buvettes à divers endroits pour que l'organisme qui se balance éperdument des pyramides puisse ne pas souffrir.

Aujourd'hui, on se paie donc le Sphinx dans la fumée d'échappement des autocars, le déclic des appareils photo et le blatèrement du chameau. (Parfaitement. Le chameau blatère et j'ai senti que ceux que j'ai vus, s'ils avaient su parler, auraient même déblatéré véhémentement.)

Donc, beaucoup de vie dans ce lieu dédié aux morts. Par contre, à la Grande Mosquée, c'est mort en dehors des heures de cérémonie.

C'est le côté paradoxal de nos contemporains. Après la visite d'une belle boutique à touristes pour les achats de divers articles, dont de l'argent ciselé très beau et des chemisiers d'une rare élégance, c'est la traversée du désert vers Port-Saïd.

Nous regardons s'éloigner les lumières du Caire derrière nous et Moustapha, le chauffeur, arrête l'autobus au bord de la route. Nous ne comprenons pas ce qu'il demande; Champollion n'est pas avec nous et Moustapha ne parle qu'en hiéroglyphes modernes, de sorte que nous finissons par comprendre qu'il ne veut pas que nous fumions à bord. Moustapha n'est pas content. D'abord, il veut une cigarette et deuxièmement, nous finissons par comprendre: il veut savoir si les autres autocars des passagers du Neptune sont derrière nous, ce que nous ne savons pas. Il poursuit sa route.

Deux heures plus tard, une heure avant d'entrer dans Port-Saïd, Moustapha arrête son véhicule devant un restaurant assez grand qui fait halte routière, une des seules entre Port-Saïd et Le Caire.

Je remarque un petit garage tout près où on débosselle les voitures et je ne peux m'empêcher de rire à la pensée de la gueule que ferait le type si on arrivait chez lui en chameau. C'est con, je sais, et c'est court car le comique s'arrête là.

À l'intérieur du restaurant, les touristes commandent des boissons et le patron, dont l'établissement est vide à cette heure, apporte les Omhar Kahan (bière), les Coca-Cola et autres boissons avec un empressement exagéré et un sourire à se décrocher les mandibules.

Tout le monde est content jusqu'au moment où il s'agit de payer la note. C'est là qu'on apprend que la Omhar Kahan coûte 7$ la petite bouteille, le Coca-Cola 6$ et j'aime autant ne pas parler des alcools ou liqueurs, de peur de passer pour quelqu'un qui serait porté aux exagérations. Ça gueule dans la place. Moustapha s'est effacé en douce et il y a du client qui refuse de payer. Surtout celui qui avait offert le Coke à tout le monde et qui voyait soudain ses économies de l'année s'envoler.

Et puis, au milieu de ce début d'émeute surgit dans la salle un colosse barbu portant une énorme mitrailleuse et qui se plante à côté des rebelles. Moi, dans ces cas-là, je n'hésite pas. Je paie, et ça me fait plaisir à part ça. Je donne mon 7$ (US) mais le patron, n'abandonnant pas son sourire, me dit que si j'emporte mon Omhar Kayan avec moi il faudra payer la bouteille, c'est-à-dire 2$ additionnels. Les autres paient et laissent même des pourboires. C'est la bonne entente, l'amitié entre les peuples, les tapes dans le dos.

Une mitrailleuse, qu'on le veuille ou non, c'est l'outil idéal contre l'inflation galopante, la barrière linguistique et la colère.

Mais on comprend tout de suite pourquoi le Moustapha du désert voulait savoir où en était la caravane. Lui, il devait bien toucher une légère ristourne sur les dépenses des touristes dans l'oasis et il aurait aimé attendre les autres autocars, histoire d'arriver avec une cargaison plus abondante de porteurs de dollars pour faire mousser les ventes de la brasserie Omhar Kayan.

On regagne le Neptune à 11h le soir avec plaisir parce que la journée a été essoufflante. Mais elle n'a pas été perdue. Douze heures, dont sept d'autocar, mais Le Caire, les pyramides, le Musée, la Grande Mosquée, les rues de Port-Saïd et la halte de Moustapha.

Ce n'est pas l'Égypte mais, en ce qui me concerne, ça se traduit par le goût toujours présent et tout aussi vif d'y retourner plus longtemps, en évitant certaines oasis mais en consacrant de longs jours au Caire et à Alexandrie que je brûle de connaître.

6 juin 1980

OAXACA, MEXIQUE

Vingt siècles d'histoire
au fond d'une vallée

Les mordus d'archéologie, non seulement en Amérique mais de partout dans le monde, se ruent depuis long-temps sur le Mexique et ses 15 000 sites archéologiques, pour escalader les plus grandes pyramides du monde, fouiller les ruines, tenter d'élucider les mystères encore tenaces des civilisations précolombiennes et s'extasier dans les nombreux musées archéologiques mexicains.

Les autres, majoritaires, légèrement plus prosaïques, se ruent davantage sur les plages d'Acapulco ou de Cancun, se risquent parfois à Mexico malgré ses seize millions d'habitants et, légitime préoccupation, se satisfont en gros du soleil local.

C'est le Mexique des *mariachis*, des attractions touristiques internationales, des dangereux *tacos*, de la *turista*, des insolations sérieuses, de la fiesta, du sombrero souvenir qui ne passe pas dans les portes d'avion, de la tequila, des plages et des vacances sans trop de soucis.

Personnellement, je suis peu porté sur l'archéologie et je démêle mal — et même pas du tout — l'écheveau des Aztèques, Olmèques, Totonaques, Mixtèques, Mayas, Zapotèques et autres mecs des temps anciens. N'empêche qu'il serait dommage de rater les œuvres et les trésors de ces vrais pionniers du Mexique et qu'il n'est nul besoin d'être diplômé en archéologie pour apprécier la visite des temples et des cités dont les constructions remontent à plus de 2 000 ans.

Et puis, la recherche de ce Mexique millénaire nous amène nécessairement hors des sentiers trop battus, à l'air pur, parmi un peuple plus authentique, comme à Oaxaca (on prononce o-ha-haca), au cœur de la Sierra Madre del Sur, dans le centre sud du Mexique, mais à deux cent cinquante milles, par une route excellente, des villages de Puerto Angel ou Puerto Escondido, sur le Pacifique, avec des plages quasi désertes, des petits hôtels et une population contente de voir déboucher de temps à autre dans son territoire quelques touristes nordiques.

À Oaxaca, dès qu'on descend de l'avion sur ce plateau au fond de la vallée, on ne voit pas tout de suite les cités archéologiques qui entourent cette ville de 300 000 habitants, mais on respire avec plaisir l'air plus frais et on apprécie ce soleil plus tolérable qui jette une lumière éclatante sur les versants de ces montagnes qui ont été les assises de cités zapotèques et Mixtèques il y a 2 000 ans, et qui ont été désertées vers le huitième siècle on ne sait encore pour quelle raison.

C'est déjà le mystère qui plane et précède le ravissement, même pour le profane, dès l'entrée dans le musée régional d'Oaxaca qu'abrite un couvent du XVIe siècle, adjacent à la merveilleuse église de Santo Domingo, une splendeur d'architecture baroque aux richissimes dorures, où des femmes et des hommes prient constamment et devant laquelle des enfants jouent gaiement. Comme si, tout juste derrière ces vieilles portes, ne se trouvait pas le plus fabuleux trésor jamais découvert en Amérique, le trésor de Monte Alban, cité zapotèque située à vingt-cinq kilomètres de la ville. Ce sont des perles grosses comme des œufs, des masques, des pendentifs en or massif, des objets en cristal d'une rare pureté, des sculptures de jade, des mosaïques de turquoise, des vases d'albâtre, des pierres précieuses de toutes tailles. Le guide fait voir des masques qui font penser à des sculptures orientales et parfois à l'Égypte des pharaons; il exprime encore ici le mystère qui entoure les origines lointaines de ces peuples qui, il y a vingt siècles, avaient un calendrier plus perfectionné que le nôtre, même aujourd'hui. Sur le site même de Monte Alban, sur un plateau de vingt-cinq kilomètres carrés qui surplombe la vallée, et où s'élèvent d'immenses pyramides, des gradins étranges, des colonnades, on voit des vestiges de scènes difficiles à identifier: sacrifices humains, chirurgie? Nul ne sait. On est pris par le mystère, par l'immensité des monuments, par l'ambiance silencieuse, par la magnificence et conséquemment, par notre propre petitesse.

Bon, voilà pour l'archéologie, les trésors, les richesses et les mystères qu'on retrouvera également dans les cités millénaires voisines de Mitla et Yagul. Mais Oaxaca, capitale de la gastronomie, lieu de naissance de Benito Juarez, avec ses petites rues étroites, ses vingt-six églises bien catholiques, son marché, sa place du Zocalo sous les arbres où les gens dansent et chantent le soir, ce n'est pas du mystère. C'est un Mexique quotidien, plus fier que jamais, industrieux mais détendu. Et si le francophone pense que Juarez, fils d'Oaxaca, a chassé les Français du Mexique au siècle dernier, qu'il ne craigne pas d'annoncer sa couleur. Comme partout ailleurs au Mexique, il n'est pas de bon ton de passer pour Américain à Oaxaca, ville universitaire de surcroît. On s'adresse aux gens en français; ils ne comprennent rien mais vous situent dans leur échelle d'appréciation et puis, après, on parle anglais comme tout le monde, à moins de maîtriser l'espagnol ou, ce qui serait encore plus original, le *zapoteco*, dialecte local parlé par tous et fort commode pour ne pas être compris par les touristes qui se mettent de plus en plus à causer espagnol dans le monde. Bref, du citoyen indépendant mais accueillant et d'une gentillesse remarquable.

Oaxaca, au fond de sa vallée, ne nous fait jamais soupçonner ses 300 000 habitants; à chaque détour, une place aérée avec beaucoup d'arbres, des arcades qui se suivent et où nichent de belles boutiques peu achalandées. Le marché recèle des trouvailles bon marché et le marchandage se fait tranquillement, sans exagération, et même pas du tout si on n'en a pas envie, puisque les prix marqués frisent souvent le ridicule: par exemple, une belle blouse brodée à la main pour 4$ sans marchander.

Et puis, il n'y a pas eu que les civilisations millénaires. Il y a eu de l'Espagnol en quantité dans le sillage de Cortés. Ce qui fait qu'en dehors des superbes églises et autres monuments des siècles derniers, le touriste peut descendre, par exemple, à l'hôtel Presidente, un ancien couvent de dominicaines, fondé en 1576 et qui, quatre cents ans plus tard, a été aménagé par le gouvernement mexicain en hôtel de cent chambres, chacune avec salle de bains, téléphone et mobilier colonial. Une piscine dans la cour intérieure, un bar, un excellent restaurant font également partie de ce décor inoubliable, en plein cœur d'Oaxaca, au 300 de la rue du 5 Mai, où, si l'on passe trop vite, on ne voit même pas la façade du couvent. Pour une quarantaine de dollars, on loge dans cet établissement unique, dans une ville superbe, entre les trésors archéologiques, les élégantes boutiques, le marché, les musiques nocturnes de la place du Zocalo, une gastronomie déroutante avec ses soupes aux fèves et aux nouilles, ses venaisons, ses canards sauvages fumés, son bœuf mariné, ses pâtés à je-ne-me-souviens-plus-quoi et, au petit déjeuner, ses *casacos* et *chile quiles*, sorte de crêpes et petites saucisses.

Oaxaca compte toutes les gammes d'hôtels et de restaurants, tel l'excellent hôtel de la chaîne Mision, le Mision de Los Angeles, situé aux contreforts de la ville. Aeromexico et Mexicana posent leurs Boeings quotidiennement à Oaxaca mais une voiture de location serait un atout précieux pour le visiteur qui aimerait se déplacer d'un site archéologique à l'autre, se promener dans cette magnifique vallée puis, une fois le plein fait d'archéologie, de bonne nourriture, d'air sain, repartir soit vers le Pacifique pour

les plages, soit vers le golfe du Mexique à moins de trois
cents milles pour les trésors mayas du Yucatan ou tout
bonnement pour le soleil de Veracruz.

13 février 1981

Destination USA

Qu'on le veuille ou non, et bien que nos ministères du Tourisme fassent tout ce qu'ils peuvent pour nous retenir au pays (je ne parle pas des ministres qui, eux, ne se privent pas), les États-Unis sont chez nous une destination fort populaire.

Au Québec, il y a deux ans, on avait même composé une chanson pour nous interdire d'aller chez nos voisins du Sud en été et il est vrai que depuis deux ou trois ans, avec notre dollar agonisant, il y a eu plus de Canadiens en général et plus de Québécois en particulier qui sont restés à l'intérieur de leurs frontières.

Mais tout ça reste fragile. L'automne dernier, par exemple, il était plus fréquent que jamais d'entendre nos concitoyens raconter qu'ils «n'allaient nulle part cet hiver». Beaucoup prenaient ce genre de décision par souci d'économie, à tel point que nos voisins du Sud venaient nous relancer en faisant miroiter non seulement des brochures enthousiasmantes mais des faveurs du genre dollar canadien honoré au pair, comme en Géorgie, par exemple.

Et puis ce fut le temps des Fêtes. Le mercure est tombé en chute libre, les voitures ont cessé de démarrer, le froid a resserré son étreinte jusqu'à atteindre quarante degrés sous zéro et mettre nos vies en péril. Alors ç'a été le *rush* éperdu aux comptoirs aériens pour gagner coûte que coûte la Floride. Dans ces cas-là, ça prend toute une chanson pour te garder au bercail et l'illusion d'un hiver doux, comme celui de 1980 comme il s'en trouve une fois par deux ou trois siècles, est vite perdue.

Bref, on ne peut pas fermer les yeux sur les États-Unis. Même ceux qui, par principe, parce qu'ils sont politisés dans le bons sens, haïssent les Américains, sont bien obligés un jour ou l'autre d'aller oublier les grands problèmes du globe et se prélasser sur quelque plage de la Nouvelle-Angleterre, de la Californie ou même de la Floride, quitte à critiquer méchamment ce gros pays par la suite pour exhorter les autres de ne pas céder à la facilité. C'est humain.

Et puis, les immenses efforts des associations touristiques régionales du Québec dont il faut louer le travail, certes, ne demeurent pas très convaincants. L'hallucinante panoplie de festivals de toutes sortes depuis celui de la mode de Cowansville (textuel) aux innombrables festivals western commandités par des brasseries, en passant par ceux de la crevette, de la pomme, du bleuet, de la galette et autres, souffre d'un manque certain d'imagination.

Il est vrai que des activités très intéressantes se greffent à ces grandes manifestations, comme celle qu'on propose immanquablement et qui se nomme «la marche en forêt». Mais c'est sous-estimer grandement le moustique québécois à côté duquel la mouche tsé-tsé demeure de l'insecte gentil et inoffensif. Soyons juste: il y a la pêche au saumon mais comme on peut difficilement se la payer, se profile toujours tôt ou tard l'imminence du départ pour les États-Unis.

J'ai remarqué que chaque fois que j'ai parlé d'une destination en particulier aux États-Unis, il s'est trouvé une foule de lecteurs pour demander des renseignements précis et s'intéresser de façon générale à ces destinations comme lieux éventuels de vacances.

En réalité, ce grand voisin puissant est souvent mal connu tant au plan de la géographie humaine que physique. Son histoire recoupe toujours la nôtre, de sorte que ses musées, parfois fort originaux, présentent toujours un intérêt particulier. Mais les Québécois fréquentent surtout la Nouvelle-Angleterre et la Floride avec des échappées de temps à autre vers la Californie.

Or, il y a aussi la vallée du Mississipi, l'Arizona, le Texas, le Nevada et tout ce Mid-West et ce Sud américains qui promettent un dépaysement certain et une source nouvelle de découvertes pour nous.

Malgré la dévaluation de notre dollar, on sait que les États-Unis restent une destination abordable. Le fait qu'ils soient nos voisins est certes un avantage, tout comme le fait d'avoir chez nous, à Montréal, non seulement des représentants de plusieurs États américains mais de leurs organismes nationaux de tourisme.

Il ne s'agit pas de pousser inutilement les touristes canadiens vers les États-Unis, mais de constater leur goût naturel pour ce pays facile d'accès et de souligner le fait qu'il existe des régions américaines fascinantes mais très peu visitées par ces personnes qui, de toute façon, se proposent de voyager aux États-Unis.

Comme on ne peut y échapper, pourquoi ne pas sortir un peu des sentiers battus et découvrir d'autres régions chez notre voisin?

Les Canadiens sont aimés et bien accueillis par les Américains et, à plus forte raison, par ceux qui ne nous voient pas souvent, comme au centre du pays, où les surprises sont beaucoup plus fréquentes qu'on ne le soupçonnerait.

Un des principaux inconvénients de ce pays, pour celui qui veut préparer un itinéraire enrichissant, est qu'il n'existe pas un organisme centralisé de tourisme. Pays capitaliste par excellence, ce n'est pas le royaume de la nationalisation des services, de sorte qu'à côté des services du tourisme (United States Tourism Services) qui ne peuvent donner que des renseignements très généraux et n'ont pas à se mêler des affaires des autres, il faut s'adresser à chacun des bureaux de tourisme des États qu'on veut visiter, lesquels vous renvoient aux services des comtés, des municipalités et des inévitables *Chambers of Commerce* locales. Tous ces organismes se recoupent souvent, vous envoient les mêmes brochures et vous obligent à des travaux compliqués de tris et de recherche. Car ce n'est pas les informations qui manquent. Ce qui manque, c'est un organisme qui regrouperait tous les autres. Ça viendra peut-être. En attendant, nous continuerons de voyager aux USA.

6 mars 1981

TERRE-NEUVE

Où le soleil est dans le cœur des gens

Terre-Neuve est certainement la province la plus spéciale du Canada, tant par la féerie de sa géographie et de sa sauvage beauté que par l'originalité de ses sympathiques habitants qui ne sont que 660 000 sur cet immense territoire.

L'ennui, c'est qu'on ne sait pas par quel bout l'entreprendre ni par quel autre bout la quitter. Moi, j'avais légèrement minimisé les distances en ne jetant qu'un coup d'œil furtif sur la carte terre-neuvienne avant le départ. En six jours, j'ai fait surtout de la route, beaucoup de route.

Moins rapidement, cependant, que cet autre Québécois tirant une tente-roulotte et qui avait signé le livre d'accueil du bureau d'information touristique en débarquant du traversier de Port-aux-Basques. Six jours plus tard, et neuf cents kilomètres plus loin, au traversier d'Argentia, j'apprenais que ce Québécois, dont j'avais retenu le nom, était passé «il y a quatre jours» en quittant Terre-Neuve. Il a eu sans doute le réflexe typiquement québécois qui consiste à dire: «Puisqu'il fait mauvais, faisons de la route.» Comme il a plu tous les jours, ce voyageur s'est retrouvé hâtivement en fin de parcours. Lui, Terre-Neuve, il l'a fait au volant, tout d'une traite, façon express et, comme il pleuvait également en Nouvelle-Écosse, il s'est peut-être arrêté seulement à Saint-Hyacinthe, son lieu d'origine, content d'avoir bouclé son voyage deux fois plus vite que prévu.

C'est dommage, car Terre-Neuve, malgré un climat incertain, a été, pour moi en tout cas, une découverte inoubliable de fjords d'une saisissante beauté, de petits villages de pêcheurs, de montagnes abruptes, de forêts, de cascades, de chutes, de rivières à saumon, le tout parsemé d'une cinquantaine de ces merveilleux parcs de camping provinciaux, remarquablement aménagés — gratuits pour les gens de l'âge d'or — et répartis également sur le réseau routier restreint de la province, de sorte que vous en avez toujours un à portée de la main pour ainsi dire, soit pour passer la nuit, soit pour pique-niquer.

Car il est important de dire que le seul véritable moyen de visiter Terre-Neuve, c'est en voiture et j'ajouterais presque, en camping. Il y a certes un réseau d'hébergement, mais il m'a paru déficient et légèrement minable, quoique peu coûteux. Le camping permet de séjourner dans les parcs provinciaux de Terre-Neuve de même que dans les deux immenses parcs fédéraux de Gros-Morne et de Terra-Nova, tout en offrant la possibilité de s'arrêter à peu près n'importe où sur ce territoire sauvage.

Terre-Neuve, c'est un peu comme un désert de forêts, de rivières, de fjords et de montagnes dont les oasis sont davantage les parcs de camping et les stations-service que les villes et villages.

La station-service terre-neuvienne est un commerce qui fait généralement épicerie, très souvent restaurant. Parfois, outre l'essence, on y trouvera quelques chambres ou la cabine qui ressemble à celle qu'on trouvait en Gaspésie dans les années 50. C'est aussi la plupart du temps un magasin général, un lieu où l'on peut acheter son permis de pêche.

Vous y trouverez presque toujours un mécanicien et, immanquablement, des personnes ressources dont on ne sait d'où elles viennent. Vous avez roulé pendant quatre-vingts kilomètres sans voir âme qui vive et la carte vous montre bien que pour les prochains cinquante ou soixante kilomètres, ce sera le néant. Mais il y a une station-service. C'est le pompiste qui généralement le premier fait son enquête sur vous. Il veut savoir d'où vous venez, ce que vous faites là et si vous lui demandez un renseignement, il fait appel à l'un ou l'autre des hommes qui sont là. Le Terre-Neuvien comble agréablement la lacune du manque d'indications routières. Il parle, il fait des gestes mais ses explications posent deux problèmes à l'étranger.

Le premier, c'est la langue. Que le parfait bilingue ne débarque pas à Terre-Neuve la tête trop haute, car la langue dans laquelle il aura à communiquer est délicate à utiliser. Combien de fois j'ai dit «yes, thank you very much» à la suite d'une explication dont je n'avais pas saisi le moindre mot. C'est comme lorsque je demandais des cigarettes «light». Le gars me disait «loyt», je disais «light» et il persistait dans son «loyt» que je croyais être une marque inconnue. Selon le degré d'instruction de votre interlocuteur, c'est du «cockney» ou un anglais étrange qui fait, par exemple, que «two dollars» ressemble parfaitement à «two doors».

Il importe de parler du Terre-Neuvien car je ne crois pas qu'il y ait de Canadien plus accueillant, plus chaleureux et d'un commerce plus agréable. Mais le plus singulier, c'est qu'il y a un type physique terre-neuvien. C'est très souvent un roux trapu, portant une moustache épaisse, ayant une grosse touffe de cheveux hirsutes, surmontée d'une casquette genre «gapette» de baseball; il conduit un petit camion *pick-up*, véhicule le plus répandu à Terre-Neuve. Il rit beaucoup et s'amuse énormément à raconter des blagues de «newfies». À Terre-Neuve, si le soleil n'est pas souvent au rendez-vous dans le ciel gris et pluvieux, vous le trouverez toujours dans le cœur des habitants, ce qui représente une valeur inestimable à une époque où le touriste, dans bien des pays, est accueilli avec peu d'enthousiasme.

Deuxième difficulté de l'information terre-neuvienne:

celui qui la donne prend curieusement pour acquis que vous connaissez parfaitement la région. Alors vous avez droit au rocambolesque et inutile: «C'est simple: vous prenez le chemin du moulin et vous tournez en face de chez Mike Barlett et puis, deux milles avant d'arriver à l'épicerie de madame Blow, vous longez la rivière South Ouest, etc.» La plupart du temps, heureusement, on ne comprend rien côté langue, alors on dit merci et on part à l'aventure. Mais celui qui saisit l'explication en reste bouche bée et s'il demande des détails, le Terre-Neuvien ne s'impatiente pas, mais il en remet avec de nouveaux noms d'individus et de nouvelles rivières dont les découvreurs à Terre-Neuve ne se sont pas forcé les méninges au chapitre de la toponymie. Partout ce sont des South West, South East ou North East Rivers ou Brooks, ou encore des North East Arms ou South West Arms. Rien d'étonnant, avec des rivières et des ruisseaux qui sont tous baptisés dans la rose des vents, qu'on ne vous mentionne pas le nom de la dite rivière lorsque vous traversez un pont. En revanche, on a droit au nom du pont, même le plus petit.

J'ai fait la route, donc, de Port-aux-Basques où le traversier du CN nous conduit depuis North Sydney en Nouvelle-Écosse. Je me suis rendu, en traversant toute l'île de Terre-Neuve, à Argentia, pour reprendre un autre traversier du CN à destination de North Sydney.

En six jours, j'ai dû renoncer avec regret à la capitale St. John et aux pittoresques villages qui bordent la côte de Conception Bay. En revanche, j'ai pu passer deux jours dans le parc national de Gros-Morne sur la côte ouest et deux jours également dans le parc de Terra Nova. Si j'avais un conseil à donner à celui qui se propose de visiter Terre-Neuve, ce serait de choisir un seul côté de l'île afin de consacrer plus de temps au même endroit, de faire connaissance avec les extraordinaires Terre-Neuviens plutôt que de faire de la route; de sortir des sentiers battus, c'est-à-dire de la Transcanadienne, de s'attarder dans les curieux villages qu'on croirait parfois sortis directement du XIXe siècle, de pêcher le saumon, la truite ou encore d'aller en haute mer et tout ça, dans un rayon de moins de cinquante milles de la plupart des parcs de camping, tant provinciaux que fédéraux ou de tout autre type d'hébergement.

Il y a beaucoup de place à Terre-Neuve pour l'improvisation, pour l'organisation sur place, sans réservation à propos d'une activité quelconque. C'est rare de nos jours et c'est d'autant plus facile et agréable à Terre-Neuve que les gens se font un plaisir de vous faciliter les choses, et dans le rire quasiment continuel.

On peut prendre l'avion de Montréal à St. John et louer sur place une voiture et un matériel de camping puis se bâtir un itinéraire pas trop long. On peut, si on y va avec sa propre voiture, traverser de North Sydney soit à Argentia et tracer son itinéraire via Harbour Glace, le petit village de Brigus, Hibbs Cove et la capitale ou encore jusqu'au parc de Terra Nova ou le long de la côte est de la péninsule d'Avalon.

De North Sydney à Argentia, la traversée dure dix-huit heures et les tarifs pour les passagers et la voiture sont en conséquence plus élevés. Mais l'aller-retour par Argentia permet d'éviter la longue traversée de la province si on est pressé par le temps. Même chose si on veut faire l'aller-retour par Port-aux-Basques. De là, le parc fédéral de Gros-Morne est un endroit à ne pas rater mais aussi les francophones de Port-au-Port, la ville de Corner Brook et les paysages inoubliables de toute cette côte ouest de Terre-Neuve.

On voudra revenir à Terre-Neuve. J'ai rencontré un gars de Vancouver qui s'était amené à Terre-Neuve pour trois semaines après avoir traversé le Canada. «L'an prochain, dit-il, je reviens pour trois mois. J'ai rencontré ici les gens les plus extraordinaires et les plus chaleureux au monde.» Cet homme d'une soixantaine d'années et sa femme s'étaient aventurés au hasard des routes secondaires pour aboutir dans des petits villages côtiers où les habitants, comme ça, les avaient invités non seulement à la pêche à la morue, mais à manger du homard à leur table et à installer leur roulotte sur leurs terrains, comme cela se faisait jadis au Québec.

C'est peut-être ça le secret de Terre-Neuve, plus que ses musées de la marine, de la pêche et de son histoire de pionnière américaine et de dernière-née de la fédération canadienne. Ne pas s'arrêter à Terre-Neuve, c'est rater ce qu'elle a de plus authentique à offrir. Il faut se faire un itinéraire restreint en se disant qu'on y reviendra pour découvrir une autre région.

Les ministères du Développement, division du Tourisme, et du Tourisme, des Loisirs et de la Culture de Terre-Neuve publient des brochures et des guides d'information qui pourraient servir de modèle à plusieurs provinces, y compris le Québec. Il n'y manque rien côté camping, hébergement et autres services, par exemple la liste de tous les dépositaires de gaz propane de la province pour les campeurs. Cette publicité, bien terre-neuvienne, a l'humilité de ne dire à personne que derrière chaque porte de chaque maison, même les plus petites et parfois d'une pauvreté désarmante, que dans ce pays réside une âme chaleureuse et accueillante dont rêvent tous les pays qu'on dit «à vocation touristique».

17 juillet 1981

LA NOUVELLE-ÉCOSSE ET SES SURPRISES

La plus maritime des Maritimes

La Nouvelle-Écosse, cette presqu'île toute en longueur dans l'Atlantique, au bout du Canada, est peut-être, parce qu'elle est pratiquement entourée de mer, parce qu'elle a été historiquement le lieu de débarquement des premiers pionniers et parce qu'elle a jalousement maintenu sa vocation, la plus maritime des provinces maritimes.

Plus riche que ses consœurs de l'Atlantique, possédant une infrastructure touristique plus développée, jouissant de lieux historiques exceptionnels et ayant des côtes d'un pittoresque singulier dans des décors variant selon ses régions, la Nouvelle-Écosse et sa capitale Halifax sont certainement les principaux piliers de tout ce que l'on entend et de ce que l'on imagine en parlant des Maritimes.

Mais faire le tour de la Nouvelle-Écosse signifie *grosso modo* 2 000 kilomètres et le voyageur moyen qui aborde la Nouvelle-Écosse presque toujours par le milieu, c'est-à-dire à Halifax par avion ou à Amherst en voiture, sur le cordon qui la relie au Nouveau-Brunswick, choisira soit de faire le tour de la péninsule ouest, soit d'aller vers l'est. Par l'ouest, c'est la vallée d'Annapolis sur l'Évangeline Trail jusqu'à Yarmouth d'où l'on remonte vers Halifax, sur la côte sud, par la Lighthouse Route qui passe notamment par des villages aussi connus et typiques que Lunenburg, où fut construit le Bluenose ou Peggy's Cove, traditionnel rendez-vous d'artistes, au creux d'une anse dont l'image a plus d'une fois servi de marque de commerce de la Nouvelle-Écosse.

Ou alors, le voyageur prendra vers le nord-ouest pour «faire» la Sunrise Trail qui longe le détroit de Northumberland et faire le tour de l'île du Cap Breton, en passant par l'incomparable Cabot Trail, pour revenir à Halifax par la côte Atlantique.

Je viens tout juste de parcourir ce dernier trajet et il me semble que, quelle que soit la partie de la Nouvelle-Écosse qu'on choisisse de visiter, les images, les points d'intérêt, les beautés naturelles, fort bien décrits dans l'abondante documentation touristique de la «royale province», se valent, aussi bien pour leurs festivals de toutes sortes, que pour leurs villages historiques, leurs parcs d'État, leurs plages, leurs bonnes routes, leurs côtes inoubliables.

Mais il existe une autre image de marque de la Nouvelle-Écosse au sujet de laquelle je ne puis m'empêcher de chicaner un peu. C'est le homard. Il n'existe probablement pas un seul dépliant à propos de la Nouvelle-Écosse qui ne montre la photo ou le dessin d'un homard. C'est une province qui s'annonce carrément sous forme de pinces et de queues de ce crustacé qui vit dans des eaux dont la température interdit certes toute baignade mais qui fait que la chair en est d'autant meilleure. Partout, sur les quais, dans les boutiques de souvenirs, dans les publications, c'est un étalement de cages de homards en plastique, de publicité de restaurants aux noms aussi originaux que Lobster Pot, Fisherman Wharf, Captain's Table et Lobster Trap. Des touristes achètent de belles cages à homards toutes neuves qu'ils attachent sur le toit de leur voiture. On ne sait trop ce qu'ils en feront; des boîtes aux lettres, des cabanes à chats, du bois de chauffage peut-être.

Bref, la frénésie homardienne. Seulement, tenez-vous bien, des homards il n'y en a pas en Nouvelle-Écosse. Je sais, l'affirmation est grosse, elle est lourde de conséquences, elle peut faire vaciller dangereusement ma crédibilité, mais je dis qu'il y a malentendu; la trappe à homards, c'est l'attrape à homards.

D'Halifax à Truro, je me trouvais à l'intérieur des terres et je ne me préoccupais pas de homards. Puis, sur la route de New Glasgow jusqu'au détroit de Canso, j'ouvrais l'œil, histoire d'acheter comme ça un petit homard le long de la route. C'est sur la route 19 appelée Ceilidh Trail, sur l'île du Cap Breton, versant nord, que j'ai commencé naïvement à demander du homard. On restait bouche bée devant ma demande. À Chéticamp, où pourtant la langue française est plus répandue que l'anglais ou le gaélique, j'ai commencé à comprendre que lorsque je demandais où je pourrais trouver du homard, je provoquais le même effet que si j'avais demandé à un pope du mont Athos où je pourrais trouver quelques grammes de cocaïne. Non, mais, c'est quoi l'idée? Est-ce une farce? D'accord, il s'est trouvé des gens qui m'ont fait comprendre que ce n'était pas la saison et je suis parti pour Terre-Neuve où, soit dit en passant, le homard n'est pas tellement plus abondant que les dernières créations de Cardin.

À mon retour en Nouvelle-Écosse, au bureau d'information touristique du quai de North Sydney, j'ai persisté. Mais façon décontractée, mine de rien, en glissant discrètement le mot homard dans la conversation, pour ne pas choquer. Ainsi, je mangeais un petit morceau d'un immense gâteau sur lequel on avait confectionné une feuille d'érable en sucre parce que c'était la Fête du Canada et j'ai glissé aux deux jeunes filles présentes, dont une Québécoise assurant le bilinguisme des lieux: «Eh, pardon, pour acheter un petit homard vite, comme ça, c'est possible, vous pensez?» Consultation des deux agent(e)s d'information puis réponse: «Non. La saison est terminée», me fait savoir la Néo-Écossaise.

Pourtant, sur les brochures du gouvernement, on apprend qu'il y a un festival du homard à Pictou les 10 et 11 juillet alors que nous sommes le 1er juillet. C'est que les saisons ne coïncident pas avec les mêmes dates partout. En tout cas, on en a vite marre du homard et on se dit que de retour à la maison, plus précisément à Longueuil, on ira s'acheter quelques homards vivants, moins chers d'ailleurs que dans les Maritimes. Mais pour les aventuriers, ceux que rien ne décourage et qui persisteraient envers et contre tous à acheter du homard en Nouvelle-Écosse, je dirai qu'il faut qu'ils recherchent les «lobster pounds», c'est-à-dire les viviers où les propriétaires ont un permis pour vendre des homards vivants en toute saison.

Ils sont rares, parfois pratiquement cachés, hors des grands axes et pas annoncés. Quant à vouloir de surcroît dénicher une bouteille de vin blanc qui accompagnerait le crustacé, alors là, je laisse l'imagination trotter et je renonce à narrer les recherches nécessaires et les inévitables frustrations qu'entraîne pareille fantaisie.

Pour le reste, rien à redire sur la Nouvelle-Écosse, à part un emballement particulier pour le Cabot Trail qui contourne l'île du Cap Breton dans un environnement exceptionnel, surtout à l'intérieur des limites du parc national du Cap Breton.

Que vous alliez à la forteresse de Louisbourg, à l'un de ces merveilleux hôtels du gouvernement que sont le Keltic Lodge ou le Liscomb Lodge, sur le chemin du retour du Cabot Trail, que vous vous arrêtiez au village historique de Sherbrooke qui plaît davantage par son appartenance au village actuel habité que par ses œuvres du passé, que vous longiez la côte qu'on appelle ici East Shore, même si elle est au sud, par la route 7 (Marine Drive), vous trouverez une province fort agréable avec des jardins derrière les maisons, des potagers, de beaux aménagements forestiers, des lacs paisibles (qui sont toujours des «lochs» en Nouvelle-Écosse), des baies au fond desquelles nichent des villages pittoresques où les habitants sont encore extrêmement fidèles à la royauté britannique, ce qui ne les empêche nullement d'être accueillants et chaleureux.

Le francophone rencontrera souvent en Nouvelle-Écosse d'autres francophones du cru. En dehors, cependant, de communautés plus importantes comme celle de

Chéticamp sur la Cabot Trail, il pourra avoir des difficultés à comprendre ceux qui veulent absolument parler français mais qui, hélas, ont depuis longtemps délaissé cette
langue pour passer à l'anglais, quoique émaillé de quelques
mots français.

À Chéticamp, la jolie Gisèle Bourgeois, préposée à
l'accueil du parc national du Cape Breton Highlands, par-
lait un excellent français et elle a eu la plaisante originalité
de ne pas savoir où était la ville de Montréal. Bravo! Le
Montréalais croit toujours que son bled est archi connu
à travers le monde. Alors il débouche à Chéticamp,
Nouvelle-Écosse, et, en s'enregistrant dans le parc, il
annonce fièrement et fort son lieu d'origine: Montréal. La
préposée écrit Montréal sur la carte tout comme elle a
peut-être écrit Medicine Hat dans le cas du visiteur précé-
dent et puis elle demande poliment: «Et c'est dans quelle
province, ça?» Encore une fois, bravo. Où serait le dépaysement si partout où l'on met les pieds, les gens en savaient
davantage sur ton habitat naturel que soi-même?

La Nouvelle-Écosse, avec son magnifique petit parlement en plein cœur d'Halifax, est aussi la mieux connue, la
mieux desservie, la mieux promue des provinces de l'Atlantique. Ce que l'on sait moins, ce sont toutes ces petites
originalités, dont quelques-unes, comme le fait de ne pas
avoir de homards, sont décevantes mais qui font de cette
province historique un lieu de surprises constantes, de
découvertes parfois déroutantes et, somme toute, de bonne
humeur assurée.

24 juillet 1981

LA NATURE À DEUX PAS DE LA CIVILISATION

Et pourquoi pas l'Ontario?

L'Ontario c'est, au sud, une sorte de Californie canadienne avec ses vignes, ses vergers, son climat tempéré, ses présentoires de pêches et de maïs, ses immenses exploitations agricoles au milieu de la zone la plus industrialisée du Canada. Plus au nord, c'est la forêt, les lacs innombrables, la nature sauvage dans ce qu'elle a de plus typique, mais avec une infrastructure importante d'excellentes routes, de petites auberges, de parcs bien aménagés et d'installations de loisirs qui ne se trouvent pas ailleurs au Canada.

Ajoutons à cela les Grands Lacs, Toronto, les chutes Niagara et diverses autres originalités qui font de l'Ontario, à n'en pas douter, un produit touristique parmi les plus valables du Canada.

Seulement, le Québécois n'est pas naturellement porté sur l'Ontario. D'abord, il n'y a pas la mer, attrait incontestable pour des touristes, et puis il y a justement l'Ontario, c'est-à-dire le camp ennemi, le lieu qu'il convient d'éviter, le bastion orangiste, le Haut-Canada, terre promise du loyalisme britannique.

Le Québécois n'aime pas. Il se peut qu'il aille à Toronto par affaire, ou à la rigueur aux chutes Niagara aller-retour pour dire qu'il les a vues. Mais il revient vite et envisage difficilement un voyage comme tel en Ontario. Il a ce qu'on pourrait appeler le «réflexe du bûcheron beauceron» en vertu duquel les jarrets noirs étaient toujours contents d'aller travailler dans l'État du Maine mais refusaient d'aller gagner leur sel en anglais, dans le nord de l'Ontario.

Je viens de parcourir 1 000 kilomètres sur les routes ontariennes jusqu'au nord de la baie Géorgienne et jusqu'aux inévitables chutes Niagara, en passant par Toronto, et je n'ai pas vu une seule plaque d'immatriculation du Québec. C'est tout de même significatif quand on pense qu'à la même période, c'est-à-dire avant la Fête du Travail, les couleurs de la Belle Province sont presque exagérément portées en Nouvelle-Angleterre.

Moi, ce qui m'a le plus frappé en Ontario, c'est la richesse de cette province; non pas une richesse récente, style albertain, mais une richesse historique naturelle, qui se traduit par des réalisations solides, par une planification du développement, par un sens de la protection de l'environnement, par des services et par des réflexes liés à sa bonne situation financière. J'ai visité en juin la province de Terre-Neuve, il est vrai, et quand, pratiquement tout de suite après, on découvre l'Ontario, on comprend immédiatement ce que veut dire l'expression «disparité régionale». Ce sont deux mondes. L'Ontario fait du jogging, elle ne fume pratiquement plus, elle ne jette jamais ses papiers le long de la route, elle boucle sa ceinture de sécurité, elle fait des marches en forêt, elle interprète la nature, elle donne priorité aux piétons sur la voie publique, elle fait pousser des fleurs, elle avironne, elle pédale, elle purifie ses eaux, elle observe les oiseaux, elle favorise le transport en commun et mène un combat opiniâtre et de tous les instants contre de nouvelles installations susceptibles de polluer — comme l'aéroport de Pickering, par exemple, qui est toujours un champ de maïs. Bref, elle a des réflexes de riche.

À Terre-Neuve, et au Québec aussi, peut-être davantage à cause de son caractère latin, les gens prennent la vie à grosses brassées plutôt que par pincées délicates. Ils ne se nourrissent pas à la graine de sésame et à la levure de bière. Ce ne sont pas des peuples dont les cultures reposent sur des extraits mais sur des entités; la bière, ils la boivent à même la bouteille avec tout ce qu'elle contient et n'hésitent pas tellement à jeter la bouteille vide par la fenêtre de l'auto. Ce sont des peuples qui mordent à belles dents, qui arrachent, qui utilisent des moteurs puissants, qui font du bruit et qui meurent probablement plus sec, plus spectaculairement que les délicats Ontariens dans leur doux paysage.

Nous, par exemple, quand on voit un insecte sur le sol, on l'écrase carrément comme un mégot de cigarette et on continue la conversation sans plus. Mais il fallait voir les Ontariens dans le magnifique et immense parc provincial Algonquin, partant par petits groupes derrière les interprètes de la nature sur des sentiers aménagés à cette fin. Les horaires de ces excursions sont publiés quotidiennement. On suit le spécialiste qui porte son chapeau contre le soleil et brandit un petit filet pour attraper papillons ou mouches. C'est le silence pour ne pas apeurer la faune, pour pouvoir jouir du chant du pinson bleu ou de la bergeronnette des berges; pour, avec énormément de chance, apercevoir peut-être un roitelet huppé ou même un guêpier à queue courte; c'est l'œil ouvert aussi pour étudier l'usnée du Nord, se pâmer devant un framboisier sauvage, pousser des cris de stupeur à la vue d'un sac de chips Fritos laissé vide au bord du sentier certainement, comme on doit bien se dire, par un Québécois ou un Mexicain de passage, et puis tout à coup s'extasier par petits gloussements sur une belle touffe d'origan gris, juste là, derrière l'épinette bleue. C'est un style comme un autre, mais qu'on adopte une fois bien d'autres problèmes réglés.

En Ontario, on a toujours cette impression que les grands problèmes sont réglés et qu'il s'agit juste d'entretenir les installations existantes en s'adonnant à des loisirs enrichissants. Le luxe.

Cela veut dire beaucoup d'avantages pour le touriste, même si les Ontariens, toujours très corrects et accueillants, n'ont pas les débordements d'humour et le sens de la personnalisation des services qui caractérisent certains de leurs compatriotes moins bien nantis économiquement.

Pour cette trop brève semaine ontarienne, j'avais récidivé côté transport en louant un véhicule récréatif mais optant cette fois pour un véhicule mieux équipé, plus confortable et plus grand que celui que j'avais retenu dans les Maritimes. Je ne peux ici m'empêcher de glisser un mot sur la clientèle allemande qui descend de l'avion à Toronto, loue en dollars canadiens sa caravane motorisée et se dirige tout droit vers les États-Unis soit par l'État de New York, soit par l'Ohio. J'observais les transactions dans le bureau de la Trailer Ranch. La dame a tout à coup dit aux trois mangeurs de choucroute: «Ah! j'oubliais. Voici la carte routière de l'Ontario.»

«Nous n'en avons pas besoin», de répondre sèchement le plus gros du trio RFA en demandant en revanche une carte des États-Unis. Les Français sont plus délicats, ai-je pu constater.

Ils prennent la carte routière de l'Ontario, ils disent merci puis ils la consultent discrètement afin de trouver le plus court chemin pour les États-Unis. Dans les deux cas, ils ne rateront peut-être pas les chutes Niagara sur leur chemin vers les USA, mais il rateront malheureusement l'Ontario que j'ai découvert partiellement et où je me promets de retourner.

J'ai pris l'autoroute 400 jusqu'à Barrie, sur les rives ouest du lac Simcoe, où j'ai pris la route 26 jusqu'au parc Craigleith sur la baie Nottawasas du magnifique lac Huron. En tout, cent cinquante kilomètres pour se retrouver sous les conifères au bord d'une immense plage.

Le Craigleith Park est un des cent vingt parcs provinciaux de l'Ontario. La plupart des parcs provinciaux ontariens sont ouverts tard l'automne, jusqu'à la fin d'octobre. À Craigleith, les activités, à compter du 15 septembre, se concentrent sur la pêche de la truite arc-en-ciel dans le lac Huron.

Le lendemain, j'ai fait route de Craigleith à Tober-
mory, pour prendre le traversier qui nous amène à Mani-
toulin Island, reliée à l'autre rive de la baie Géorgienne par
une route sur les marais et quelques ponts. Ce sont de
beaux villages propres tout au long de la route, des terres
en culture, de riches résidences et partout des auberges,
des restaurants classés, des relais. C'est là qu'on constate
l'infrastructure touristique ontarienne qui n'est pas seulement urbaine, comme dans la plupart des autres régions
du Canada, mais se trouve bien établie dans la campagne.
Forêts, certes, lacs, nature sauvage, mais toujours dans un
environnement domestiqué où, en tout cas, les services, les
bonnes routes et même le luxe de la gastronomie et de l'hébergement touristique confortable se trouvent à proximité.

Ce n'est pas nécessairement ce que tout le monde
recherche, surtout en camping, mais c'est une facette de
cette riche province où, pour peu qu'on sorte du croissant
fertile de la péninsule du Niagara et des grandes villes, on
se retrouve dans un décor d'affiches de promotion du
Canada. Elles sont peu nombreuses; elles représentent
presque infailliblement un Indien, un totem, le lac Louise,
le château Frontenac et un canot qui glisse sur un lac sauvage entouré de sapins. Cette dernière image, ontarienne,
ne laisse pas soupçonner cependant ce manoir ou ce restaurant français sur l'autre rive du lac, ou encore ce centre
d'interprétation de la nature à deux pas, cette belle route
derrière et un parc d'État aménagé tout près.

L'Ontario, c'est ça. La coexistence dans un même
environnement de la nature sauvage et du développement.
Je ne parle pas du grand Nord de cette immense province,
mais de toute cette partie du réseau touristique qui comprend une région si vaste autour des Grands Lacs qu'un
seul itinéraire touristique ne peut en couvrir qu'une infime
partie.

Je passerai vite sur les chutes Niagara, un des lieux les
plus visités d'Amérique du Nord, en signalant cependant

que je m'attendais à un centre beaucoup plus commercial ou, en tout cas, à une sorte de foire sans goût. La promenade de Niagara Falls, au contraire, est une sorte de beau parc de verdure et d'arbres aux pieds des gigantesques chutes et la route qui longe la rivière jusqu'à Niagara-on-the-Lake traverse un pays ravissant où les haltes routières dans les sites les plus pittoresques sont nombreuses.

Avec les enfants, je n'ai pas pu échapper à la visite de Wonderland, en banlieu de Toronto. Par malheur pour les investisseurs de ce Disney World canadien, les foules sont bien moins nombreuses que prévu, ce qui fait le bonheur du client et surtout des enfants; dans le cas des miens, ils ont mieux aimé Wonderland que Disney World en Floride.

Je ne porte pas de jugement sur ces lieux infernaux mais il est vrai qu'il y avait davantage de possibilités de se détendre à Wonderland, moins cher que Disney Land, plus petit naturellement, mais sans mauvais goût, et dans une ambiance empreinte de gentillesse.

Mais à deux pas de là, dans le petit village de Kleinburg, se trouve la fabuleuse collection McMichael du groupe des Sept et un relais gastronomique aménagé dans une ancienne écurie.

Ce n'est là qu'un autre de ces contrastes ontariens. Le ministère de l'Industrie et du Tourisme de l'Ontario publie un nombre incalculable de brochures, de guides, de choix d'itinéraires qu'il est bon de consulter si, une fois oublié le voyage à la mer, on a envie, dans notre automne multicolore, de s'aventurer à l'ouest de l'Outaouais.

18 septembre 1981

HAWAÏ

Les États-Unis au cœur du Pacifique

Du haut des airs, notre petite voiture noire devait ressembler à une mouche arpentant une gigantesque bouse de vache.

Je sais. En guise de première description du paysage hawaïen, ça déséquilibre un peu le style des belles brochures invitantes sur Hawaï. Mais la route menant au cratère Kilauea, sur l'île d'Hawaï, la plus grande de l'archipel, est un passage sinueux taillé à même la lave brunâtre solidifiée de ce volcan actif qui, de temps à autre, se charge de raser la végétation de la montagne.

C'est un paysage lunaire, noir, brûlé, au bout duquel on parvient sur les bords du cratère géant d'où s'échappent des vapeurs de soufre emportées par un petit vent frais. Moi, pour tout dire, la vulcanologie ce n'est pas tellement ma branche et les balades à dos de volcans à sale cratère, sans arbres, les pieds dans la lave à respirer des émanations sujettes à caution, je ne les mettrais pas d'emblée au programme.

Mais on volcanise à Hawaï pour se reposer du monde. Sur les deux îles que j'ai visitées, ou bien vous êtes en ville et banlieue ou bien vous êtes au volcan local. Il y a huit îles mais il faut en éliminer au départ pratiquement trois. D'abord, Nihau qui a dix-huit milles de long et six milles de large et qui est une île privée appartenant à un éleveur. Deuxièmement, Canai, dix-huit milles par treize milles, qui appartient en quasi-totalité à l'empire Dole pour sa plantation d'ananas. Finalement, la petite île de Kahoolawe, onze milles de long par six milles de large, qu'il faut éviter à tout prix car elle sert de cible à la marine américaine. On ne lui tire pas dessus tous les jours mais elle est farcie d'obus non explosés et ce n'est pas l'endroit idéal pour les pique-niques. Restent les îles d'Oahu où se trouve la capitale Honolulu et où habitent près de 800 000 habitants sur une population globale d'un million, l'île d'Hawaï qui fait cent milles de long par soixante-quinze de large avec une population de 80 000 habitants, et les îles de Kauai, Molokai et Maui que je n'ai pas visitées. Mais, si on prend en considération le fait que ces îles reçoivent plus de quatre millions de touristes par année, il n'y a plus de surprise à affirmer qu'il y a du monde à Hawaï, beaucoup de monde. Celui qui imagine des plages quasiment désertes, des petites routes de campagne au bord desquelles on s'arrête quand on veut et où on veut, des paysages sauvages dans la végétation tropicale, doit se faire une idée contraire. Oahu, par exemple. Sur les cinquante et un restaurants McDonald's qui sévissent à Hawaï, il s'en trouve vingt-sept à Oahu. Il y a également quinze terrains de golf sur cette île qui est à peine plus grande que l'île de Montréal et où, bon an mal an, cohabitent, touristes compris, environ un million et demi de personnes.

Ce qui fait qu'en sortant d'Honolulu, vous ne tombez pas en rase campagne; vous êtes sur une autoroute, dans une sorte de banlieue fleurie, il est vrai, et où se trouvent toutes sortes d'attractions, de musées, d'hôtels, de centres commerciaux, d'activités, de parkings, entre les plages et les sommets volcaniques. Je ne suis pas contre, nécessairement. Tout cela est assez propre, bien construit, bien vivant et tout est à portée de main côté services, restauration, hôtellerie. Il y a du monde et du monde coloré. J'ai déjà consacré un article complet aux seuls Japonais qui envahissent l'archipel d'Hawaï et photographient tout au passage, avec une ardeur déconcertante. Mais il y a du touriste occidental, nordique, gros, pratiquement toujours drapé de chemises multicolores représentant des paysages tropicaux, des perroquets, des combats navals, des couchers de soleils agressifs, des volcans en éruption, des vagues de fond, des voiliers, des feux de forêts et autres scènes menaçantes pour les rétines peu habituées à de pareils éclats. La chemise, à Hawaï, elle mériterait un chapitre. C'est comme si ceux qui les confectionnent et que je n'hésite pas le moins du monde à qualifier d'artistes de génie, s'étaient dit que, puisque les hôtels cachent les plages, que les autoroutes, les parkings et les centres commerciaux ont rasé la jungle, que les volcans, quoique actifs, ne font que toussoter sottement et que Pearl Harbor n'est plus qu'un mauvais souvenir, il serait plaisant de reconstituer ces images sur des chemises que tout le monde porterait. Ainsi, en dégustant un Big Mac, vous pouvez admirer sur la chemise voisine une belle hawaïenne faisant du macramé sur une plage déserte; plus loin, dans le dos du gros qui fait la queue pour avoir sa ration de calories, c'est le volcan Mauna Loa qui crache de tous ses feux comme un dragon en furie. Derrière vous, sur la devanture d'une plantureuse touriste, c'est carrément la plantation d'ananas. Et pourquoi pas? C'est pratique. Un autocar de touristes s'arrête et en descendent des gens dont les vêtements rappellent tous les panoramas et tous les grands moments de l'histoire d'Hawaï. C'est coloré, ça bouge et ça te donne tout de suite l'envie d'aller acheter la chemise la plus éclatante, la plus provocante, la plus excessive qui soit.

Le choix est vaste à Honolulu. On ne peut pratiquement pas éviter la capitale de plus de 750 000 habitants, d'abord parce qu'on y descend de l'avion et parce qu'il serait dommage de rater cette grande ville érigée, elle aussi, comme un volcan sur le bord de la mer, à Pearl Harbor, et dont la partie balnéaire, pourrait-on dire, est constituée par son prolongement de Waikiki où, un peu comme à Rio de Janeiro, la plage est bordée de gratte-ciel sur une distance de quatre kilomètres. Encore là, c'est la ville mais une ville faite presque exclusivement d'hôtels et de boutiques.

Waikiki, c'est un immense bazar, à commencer par sa place Internationale du marché en finissant par ses vendeurs ambulants, ses innombrables boutiques, restaurants, cabarets, ses rues achalandées, arpentées en tous sens par des touristes chargés de colis, des prostituées importées de New York, Détroit et Los Angeles, et des policiers typiquement américains, genre Hawaï 5-0, munis de walkie-talkie, de menottes, de bâtons, de revolvers, d'insignes divers, de «gapettes» et de gros souliers noirs.

Mais tout ça reste détendu et ce qu'il faut mentionner par-dessus tout, c'est la gentillesse, l'ardeur au travail et le sourire des commerçants. On le comprend. La concurrence est telle que chacun se fend en quatre pour offrir à meilleur prix, pour envoyer des bonjours aux gens derrière la vitrine, pour sourire tout le temps, pour s'informer de la santé de l'éventuel acheteur, etc. Dans cet assortiment de breloques, de vêtements, dont les fameuses chemises susmentionnées, de bijoux de toutes venues, de souvenirs, dans cette concentration de commerces les plus variés, collés les uns aux autres, dans ce rude combat de la restauration où les plats de tous les pays à tous les prix sont proposés aux visiteurs, le commerçant ne peut pas se permettre de rudoyer la clientèle. Celui qui fait la gueule, ne sourit pas ou a des manières brusques ne reste pas longtemps en affaires à Honolulu, c'est clair.

Il convient également, puisqu'il s'agit d'Honolulu, de parler un peu d'une criminalité qui a fait l'objet, au cours des dernières années, d'une publicité que le Hawaï Visitors Bureau qualifie de rien de moins que d'une «caricature grotesque».

Il y a eu, à Hawaï comme ailleurs, des actes criminels commis aux dépens de certains touristes mais, tandis que Miami détient le plus haut taux de criminalité en Amérique du Nord, Honolulu se trouve au 18e rang des dix-huit

villes américaines ayant une population comparable, c'est-
à-dire entre 500 000 et 1 000 000 d'habitants. C'est à
Honolulu qu'il se commet le moins de meurtres, de viols et
d'assauts graves en comparaison des autres villes américaines. En revanche, Honolulu est au sixième rang au chapitre des larcins et vols à la tire. Bref, si ce n'est pas un bon
endroit pour se faire assassiner, violer ou agresser, ce n'est
pas non plus l'endroit choisi pour oublier son sac à main
ou sa caméra sur un banc public. C'est tout.

Honolulu, ou surtout Waikiki, c'est du tourisme balnéaire urbain. C'est la plage certes, très belle d'ailleurs,
mais d'où l'on voit les gratte-ciel et au bord de laquelle
passent les autobus, les voitures de police, la foule bigar-
rée. C'est un style qui en vaut un autre et la température
est pratiquement toujours merveilleuse dans cet archipel
américain, le plus au sud de tous les États américains, et où
la vie est organisée de la même manière que dans le reste de
ce pays que nous connaissons bien.

Mais si l'on veut s'éloigner un peu de la densité
urbaine d'Honolulu, il y a tous les excellents hôtels, les
appartements en copropriété, les restaurants, les locateurs
d'autos et autres services habituels dans les autres îles touristiques de l'archipel, et les tarifs aériens d'une île à l'autre
qui sont vraiment bas.

Comme ailleurs aux États-Unis, la location d'une voiture ne représente pas une dépense excessive mais, à moins
d'aimer les volcans ou de trouver plaisant la conduite sur
les routes achalandées, je me demande si une voiture est
indispensable à Hawaï. La mer est là partout, bleue; la
végétation, là où il y en a, est d'une très grande richesse et
les variétés de fleurs sont surprenantes. Le soleil est écla-
tant autour des sommets de 13 000 à 15 000 pieds de ces
îles volcaniques et il est indéniable que les couchers de
soleil, comme ailleurs sur le Pacifique, sont d'une rare
beauté. Il y a des terrains de golf et de tennis partout, des
possibilités de pêche en haute mer, de voile et d'excur-

sions, des visites organisées partout, et les transports en commun m'ont paru bien organisés et très bon marché.

Alors oui, en se promenant davantage que je l'ai fait d'île en île, en se disant qu'il y a beaucoup de repos à prendre dans une atmosphère finalement assez détendue et qu'il n'y a pas grand-chose à voir, voilà qu'Hawaï, où 300 000 Canadiens se rendent chaque année et constituent le troisième marché touristique en importance (3 milliards$) après les Américains et les Japonais, devient une destination soleil fort valable avec son petit côté asiatique dans un pays façonné totalement à l'américaine.

27 novembre 1981

LES SAINTES

Un paradis à l'ombre de la Guadeloupe

Je les avais vues du haut des airs; j'avais navigué à quelques reprises au large de leurs côtes, entre la Guadeloupe et la Martinique, mais jamais je n'y avais posé le pied.

À vrai dire, les Saintes, puisqu'il s'agit d'elles, ne me disaient pas grand-chose. J'y voyais un bled sans grand intérêt, tout à côté, bien sûr, du papillon guadeloupéen, mais qui ne valait pas même ce court déplacement lorsqu'on se trouve dans l'une des plus belles îles des Antilles.

On m'avait dit pourtant qu'à certains égards, les Saintes ressemblaient à la Polynésie, par leurs sommets, leurs escarpements, leurs plages, leur mer verte et cette sauvage beauté unique à certains îlots du Pacifique sud. Dans la seule et maigre brochure que publie l'Office départemental du tourisme de la Guadeloupe à propos des Saintes, une rivale qu'on ne semble pas aimer outre mesure d'ailleurs à la Guadeloupe, on concède cependant la phrase suivante au sujet du village de Terre-de-Haut où le bateau ou l'avion vous dépose pour la conquête des Saintes: «Avec son accueillante baie en arc de cercle, est-il écrit, son 'Pain de sucre' aux monumentales orgues de basalte, Terre-de-Haut n'est pas sans rappeler un Rio de Janeiro miniature.» Eh bien, tout cela est vrai. Je viens de passer une journée seulement aux Saintes et mon seul regret est de ne pas y être resté plus longtemps.

Mais outre le paysage exceptionnel de ces neuf petites

îles dont deux seulement sont habitées par 3 600 personnes, il faut d'abord parler de ces habitants blonds, descendants de Bretons, parmi lesquels plusieurs mariages consanguins ont laissé quelques curieux individus légèrement tarés mais non moins sympathiques que leurs concitoyens.

Vous marchez sur les quelques kilomètres de routes autour de Terre-de-Haut et n'importe quel automobiliste (il y en a quelques dizaines) se fera un plaisir non seulement de vous faire monter mais de vous conduire à votre destination le cas échéant. Vous voyez un bateau se préparant à prendre le large à un quai quelconque et, si le blond capitaine se rend près d'une île où vous souhaitez passer la journée, il vous prend à bord. Une jeune fille passe sur votre chemin avec un immense plateau chargé de pâtisseries faites de confiture de coco et de pâte feuilletée et elle vous fait goûter en vous apprenant que cette pâtisserie authentiquement saintoise se nomme «tourment d'amour». Alors on achète, surtout à ce prix.

C'est ce rythme lent, nonchalant, accueillant, souriant et détendu qui nous gagne en premier dans les ineffables Saintes. Le village aux petites rues ombragées, dans lesquelles des enfants blonds jouent sans danger puisque des ralentisseurs (dos d'âne) ont été installés à tous les cent mètres, est un lieu de détente et de repos. Les Saintois aiment parler aux étrangers. Parfois vous en rencontrez qui ne sont jamais sortis de leur île, même pas pour aller à la Guadeloupe à quinze minutes d'avion et à quarante-cinq minutes en bateau.

On vante beaucoup le Fort Napoléon sur Terre-de-Haut, face au Fort Joséphine construit sur l'îlet Cabrit. La vue y est magnifique, notamment sur cette baie surprenante qu'on compare à celle de Rio. Mais ce sont les gens, il me semble, qui constituent le premier attrait touristique des Saintes. Ce sont des habitants reposants: denrée extrêmement rare de nos jours.

Et puis, où que vous habitiez aux Saintes, il y a toujours une ou plusieurs plages à moins de dix minutes. À

Pont-Pierre, dans la baie de Marigot, la plage est aménagée avec tables, bancs, et les campeurs sont les bienvenus. Aux Saintes, nul besoin d'avoir une voiture ni même une bicyclette (surtout à cause du relief), car il existe une sorte de système de transport collectif assuré par les automobilistes locaux. Si un minibus s'arrête pour vous prendre, il se peut que ce soit le propriétaire de l'hôtel Bois-Joli, le plus gros établissement de l'archipel avec ses vingt et une chambres. Demandez-lui son menu du jour et n'hésitez pas à aller vous attabler dans sa salle à dîner tout ouverte sur la mer, surplombant une plage d'où part, à intervalles réguliers, un excentrique marin blond à bord de son petit bateau à destination du quai municipal, pour le traversier vers la Guadeloupe ou toute autre destination comme la plage de l'Anse Crawen, pour les adeptes du nudisme, les autres îlots inhabités, la pêche à la bonite, la plongée. Tout cela se fait tranquillement. Vous montez à bord et c'est tout.

Il n'y a que cinquante chambres d'hôtel aux Saintes, toutes au bord de la mer. Il n'y a que trois restaurants: Le Mouillage, Le Coq d'Or et l'Abordage. Mais les hôtels comme le Bois-Joli ont une excellente table. J'y ai mangé, merveilleusement surpris d'être servi par une jeune fille blonde, type scandinave, en pleines Antilles, et qui, toute française qu'elle fût, affichait une timidité et une gentillesse pudiques, une réserve qui ajoute à ce charme indéfinissable qui est la marque de commerce des Saintes.

Et les prix n'ont rien d'effrayant, surtout quand on se rend compte que le propriétaire s'est légèrement gouré dans ses calculs. Par exemple, au Bois-Joli, on vous propose une chambre première catégorie taxes et service compris incluant le petit déjeuner pour 34$ (US) pour deux personnes ou 170 F. Le propriétaire annonce qu'il modifiera le prix en dollars selon la fluctuation des cours mais on n'a qu'à payer en francs, ce qui fait, par les temps qui courent, 28,50$ (US) pour arriver aux 170 F demandés. Il y a aussi La Saintoise, dans le village, l'hôtel Jeanne-d'Arc sur la plage de Fond-de-Curé (amusant, non?) et La Colline qui offre des bungalows tout confort à flanc de colline avec vue spectaculaire.

Bref, vous descendez de l'avion d'Air Canada à l'aéroport du Raizet, à Pointe-à-Pitre, et quelques minutes plus tard vous montez dans un ADAC canadien, un Twin Otter d'Air Guadeloupe qui, quinze minutes plus tard, vous dépose, après un spectaculaire atterrissage, entre deux pics et la mer, sur Terre-de-Haut, un paradis insoupçonné.

Il y a d'autres îles périphériques des Antilles françaises comme la Désirade, Marie-Galante, Saint-Martin et Saint-Barthélemy. Il y a quelques années, la préfecture de la Guadeloupe voulait promouvoir ces îles et notamment Saint-Barthélemy afin de soulager l'infrastructure hôtelière de la Guadeloupe et faire bénéficier davantage des retombées du tourisme les autres îles du département. Mais l'année dernière a été désastreuse sur le plan touristique à la Guadeloupe et à la Martinique, et l'hiver s'annonce douteux quoique moins mauvais. Cependant, on ne vous parle plus tellement des îles périphériques et la grande hôtellerie guadeloupéenne et martiniquaise fait tout ce qu'elle peut pour garder ses clients. Je n'ai jamais vu Saint-Barthélemy, qu'on dit extraordinaire, mais Marie-Galante m'a un peu déçu. Île plate, agricole, sans relief et qui n'offre que quelques chambres d'hôtel dans les villages. Naturellement, on peut rester à la Guadeloupe que je préfère, personnellement, à la Martinique, et profiter de ses belles plages, de l'air frais des sommets de la Soufrière, de l'excellent réseau de Gîtes ruraux (auberges mon marché), du camping-caravaning, si l'on veut, en s'adressant à M. Lasseron de Caraïbes-Loisirs qui loue des «campers»; on peut passer ses vacances à l'un ou l'autre des deux clubs Méditerranée de la Guadeloupe, etc. Pour finir, réglons une ambiguïté au sujet des «basses terres, des grandes terres, des terres-de-haut et de-bas». Cela n'a rien à voir avec le relief ou les

sommets des lieux. En réalité, Basse-Terre, à la Guadeloupe, est la partie la plus élevée. Ces hauts et ces bas
signifient la position du territoire par rapport aux vents
dominants: les alizés de l'Est. Les territoires à l'Est sont
toujours, selon la terminologie maritime, désignés comme
«hauts», c'est-à-dire les premiers à recevoir le vent tandis
que les parties sous le vent sont appelées basses. Voilà.

Avec la nouvelle vigueur de notre dollar par rapport
au franc français, la stagnation de l'industrie touristique,
du côté notamment de la clientèle européenne, fait que les
Antilles françaises demeurent, parmi toutes les destinations antillaises, au sommet de l'échelle qualité/prix,
comme j'ai eu souventes fois l'occasion de le dire en parlant de l'équipement, des services et de l'organisation de ce
département français.

Mais cette année, ma découverte aura été tout simplement les Saintes, un petit paradis sans prétention, à l'ombre de la Guadeloupe, mais qu'il ne faut pas tarder à visiter
avant de s'y retrouver trop nombreux.

31 décembre 1981

Les mille et un chemins des Cotswolds

Nous, c'est en sortant de Wells, où on venait d'arpenter les jardins de la cathédrale et les belles petites rues adjacentes dévalant les dernières pentes des collines, qu'on s'est gouré pour la première fois.

«Il aurait fallu prendre la B3367 à gauche», annonce la navigatrice, assise à ma gauche, c'est-à-dire là où, dans des pays moins originaux, prend place normalement le conducteur.

Tout en observant les lois fondamentales de la politesse et de la courtoisie, je ne fais aucun cas de sa remarque et je poursuis mon chemin sur la B6125, sachant que l'Angleterre est sillonnée de tellement de routes que tu finis toujours par être replacé sur la bonne voie à la faveur d'un carrefour; et des carrefours, il n'y a pratiquement que de ça. Justement, en voici un qui annonce qu'à droite on peut aller à Norton, Radstock et autres lieux que les cartes n'indiquent pas et qu'à gauche, à la condition naturellement de bien garder la gauche, on aboutira à Midsommer. «Midsommer, c'est parfait, risque la navigatrice. De là on prendra la 39 pour Bath.»

C'est ainsi que quelques minutes plus tard, on regagnait notre quartier général d'Homewood Park, une magnifique petite auberge aux frontières de l'Avon et du Wiltshire, un domaine de paix et de gastronomie sur dix acres de verdure et de collines, au cœur de la vallée Limpley Stoke, à dix minutes de Bath.

Car qu'on arrive à Bath ou sa banlieue via Wellow ou Midsommer, via Midford et Hinton Charterhouse, ou encore par Brassknocker Hill, ça change quoi au juste? Si on rendait à la nature toute la superficie occupée par les routes en Angleterre, on doublerait probablement la surface cultivable. Mais pour l'automobiliste, c'est précieux cet extraordinaire réseau de milliers de petits chemins dont seuls les principaux sont illustrés par les cartographes britanniques. Que ceux qui envisagent d'y circuler ne congédient pas illico de leur esprit l'idée de se munir d'une boussole marine, pratique pour conduire en Angleterre. Il n'est d'ailleurs pas rare de voir ces petits compas sur les tableaux de bord des Britanniques. On n'a qu'à choisir son cap d'un lieu à un autre et on suit la boussole en prenant les routes qui s'engagent dans la bonne direction! Il y en a toujours une à portée de la main.

Ce soir-là, l'amusant Stephen Ross et sa femme Penny, maîtres de céans à Homewood Park, avaient préparé entre autres choses, pour les clients de leurs huit chambres à coucher et pour les dîneurs de passage, un boudin blanc aux épinards, une tarte au fromage blanc, du saumon sauce moutarde et une soupe de poisson aux quenelles en guise d'entrées, puis offraient le choix entre un navarin d'agneau, une escalope de veau en aillade, un suprême de volaille farci à l'estragon et une entrecôte au beurre d'anchois, sans oublier le poisson du jour. Les «sweets» (desserts) comprenaient notamment un soufflé au chocolat.

Un repas de cette catégorie coûte environ 25$ au domaine du couple Ross mais il ne faut pas oublier la beauté de la salle à manger tout ouverte sur la vallée où le matin, en prenant son petit déjeuner, on ne peut plus anglais, il n'est pas rare de voir passer dans les brumes du début du jour des cavaliers et écuyères, en bottes, en toque et redingote, faisant trotter leurs belles montures en s'arrêtant derrière chaque bosquet au cas où il y aurait une route de l'autre côté.

C'est l'aspect plaisant de l'Angleterre. Que les syndicats aient pris carrément le contrôle du pays, que les cotes en Bourse fassent du rase-mottes avec tendance à la baisse, que certains touristes prennent les routes à droite au péril des vies environnantes, que la toiture du manoir commence à couler et que la jolie Margaret soit amoureuse du restaurateur pakistanais plutôt que du fils boutonneux de la famille Ellingworth, il n'y a jamais de panique au château, du moment que les chevaux sont en santé. Il suffit de se trouver un coin de campagne anglaise, comme la vallée de Limpley Stoke, pour comprendre qu'en ce pays, les us modernes et les difficultés de l'économie ne sont que modes passagères. La fière Albion en a vu bien d'autres; rien ne l'ébranle, elle reste ce qu'elle est, comme on l'aime.

Le lendemain soir, on fait route vers le château de Thornbury dans le village du même nom, mais que plusieurs cartes routières ne mentionnent pas. On roule successivement sur la A36, la A4, la A46, puis sur l'autoroute M4 pour prendre la B4053, la B4060 et la B4461, en espérant apercevoir, dans le brouillard extrêmement épais, une quelconque indication du village où il faudra demander la route du château.

Mais vous pouvez vous composer un tout autre programme routier. De Bath, il s'agit simplement de se diriger nord nord-ouest. Si vous avez une boussole, mettez le cap sur 345 degrés pour tomber éventuellement sur le château construit au XIVe siècle, résidence de Marie Tudor, en ruines pendant deux siècles puis acheté en 1966 par M. Kenneth Bell qui, dans l'aile sud, a aménagé l'une des meilleures salles à manger du pays. À part un vin blanc embouteillé au château, tout est relativement cher mais la table est exquise et, n'eût été les toilettes d'une clientèle étonnamment jeune et les Bentley ou Rolls qui traînent à la porte, on aurait carrément l'impression d'être convive à un quelconque banquet de la famille Tudor.

De Bath, on rayonne facilement dans toutes ces directions des Cotswolds, les «sommets» anglais, et il convient de se réserver de longs moments dans cette magnifique cité baignée par l'Avon, vieille de 2 000 ans et où les bains romains, superbement conservés et restaurés, derrière l'abbaye avec leurs sources chaudes, ont fait de Bath depuis les débuts un lieu de rendez-vous des rois et des reines du monde.

On y marche dans de belles allées piétonnières, on longe des rangées de maisons géorgiennes, on visite le musée des costumes dans l'édifice de la Chambre d'Assemblée, on se balade sur Royal Crescent, une pièce d'architecture colossale, œuvre de John Wood, qui date de 1767. Le numéro 1 de ce gigantesque pâté d'appartements chics est ouvert aux visiteurs.

Bath respire la détente, la gentillesse, et le long de ses belles rues, on trouve presque partout quantité de beaux pubs et de restaurants chaleureux, comme le Hole in the Wall, au 16 George Street, qui propose une cuisine française dont l'authenticité est garantie au départ par les pâtés en croûte, les petits légumes, les tartes Tatin, les artichauts vinaigrette, les baguettes de pain et autres nourritures étalées sur une grande table à l'entrée de la salle à manger.

Il n'est pas convenable cependant de demander à voir le menu en français s'il se trouve quelqu'un parlant français dans ces lieux. Cela vous attire un regard glacé, peut-être un léger mépris. L'Angleterre, rappelons-le, se mettra à la cuisine française avec enthousiasme mais sa concession à la Gaule s'arrête là.

De Bath, vous pouvez emprunter, entre autres possibilités, la A4 jusqu'à Chippenham, un autre de ces pittoresques villages des Cotswolds avec son Sheldon Manor dont la chapelle du XVe siècle était le lieu d'un mariage, ce samedi matin. Bien sûr, le décor ne peut pas être plus charmant pour pareille cérémonie, mais je ne peux m'empêcher de glisser un mot sur le couple dont on consacrait l'union éternelle ce jour-là. La mariée surtout. Impossible de donner un âge à cette colossale femme drapée entièrement dans l'organdi couleur canari, le tout surmonté d'une énorme chevelure rousse mise en bataille par le vent.

Quant au marié, il était d'un gabarit plutôt menu, bien qu'il portât un uniforme militaire. En voilà un qui s'apprêtait à changer de colonel non pas pour le meilleur mais certainement pour le pire.

On repart donc joyeux de Chippenham, le malheur des uns, c'est bien connu, alimentant le plaisir des autres, et on prend des A420, une B52, quelques autres numéros gagnants et une B4039 qui nous dépose à Castle Comb, un ravissant groupe de maisons aux toits de chaume, sculptées dans la pierre jaune, avec son marché, ses fleurs, sa mousse sur les pierres, son église du XVe et ses quelques gros pubs cossus où les mangeurs discutent une bonne partie de la journée entre le jambon cru, le Stilton et de riches «triffles» apportés par la grosse aubergiste.

Tout cela se trouve dans un rayon de quelques milles. Ajoutons Cirencester, où l'on nous dit que convergent six anciennes voies romaines, auxquelles il faut ajouter au moins une douzaine de voies anglaises. Nous y sommes arrivés par la A433 mais peut-être aussi par la A413, à moins que ce ne soit par la B4068, étant donné que nous sommes allés à Dodington House, un château plutôt ennuyeux mais où je me rappelle qu'un lord quelconque, entre une chasse à courre, un verre de brandy et quelques affaires pressantes, avait l'habitude de prendre des décisions concernant le lointain et froid Canada. Par la porcelaine chinoise, les tableaux montrant des chevaux, les théières et les portraits de famille qui ornent la maison Dodington, on a comme l'impression que les French Canadians dont il pouvait être question ne devaient pas attirer une sympathie exagérée dans les visées politiques de l'époque.

Aujourd'hui, l'amitié règne et les Cotswolds sont un bassin de découvertes et de lieux chaleureux, que ce soit Tetbury, Chipping Campden, Cheddar où est né le fromage du même nom, l'extraordinaire Broadway avec son non moins extraordinaire hôtel Lygon Arms, l'un des plus prestigieux d'Europe, construit il y a quatre cents ans et dont le directeur Douglas Barrington s'efforce de maintenir les normes les plus élevées de confort et d'hospitalité.

Commencé à Bath, le voyage dans les Cotswolds ne peut mieux se terminer qu'à Oxford, la ville des clochers, mais qu'on visite surtout pour ses collèges datant du XVIe siècle, dont certains ont encore leur cloître, comme Magdalen, ou celui recelant la plus vieille bibliothèque d'Angleterre, comme Merton. Je ne crois pas avoir jamais vu pelouse plus verte qu'à Oxford. On conduit une dernière fois à gauche jusqu'à la gare oxfordienne pour rentrer à Londres.

Alors on repense aux images inoubliables de cette belle campagne, on revoit, par exemple, le féerique hôtel Swan, au bord de la Coln près de Bibury, avec ses jardins, ses pêcheurs du dimanche, ses bassins de truites où Collin Morgan, le propriétaire, puise une partie de son menu du jour. On revoit Bourton-on-the-Water, Stow-on-the Wold, Moreton-on-the-Marsh et il est difficile de croire que toutes ces beautés sont blotties dans un rayon de moins de trente kilomètres.

5 mars 1982

SUR LA ROUTE D'HONOLULU À GUAM

L'inoubliable Micronésie

Plus j'y pense, plus j'en arrive à la conclusion que c'était du chien. Je crois en effet avoir mangé du chien à Guam, dans un petit marché ouvert où l'on proposait des plats dont ni la vue ni le nom, en micronésien, ne permettaient la moindre identification.

Mais ce n'était pas si mauvais, agrémenté de pousses de bambou, de riz, de nouilles étranges, d'amandes et autres accompagnements. C'était plutôt la forme de l'ossature de la côtelette qui éveillait les premiers soupçons.

Mine de rien, je demande à ma guide, originaire de Guam, quelle est l'origine du ci-devant «spare rib». «It's pork», affirme-t-elle en dévorant son assiette. Mais avez-vous déjà vu un porc muni d'un os moyen, en forme de boomerang irrégulier et qui se termine par une sorte de rotule? Nul besoin, il me semble, d'être vétérinaire pour te savoir confronté à une mâchoire de chien adulte. Parfois, il est vrai, je me laisse emporter par mon imagination ou par quelque préjugé, mais cette fois, à Guam, oui, je gagerais qu'il y avait, outre les hot-dogs essentiels en territoire américain, du dogue réel au menu.

Guam, c'est en quelque sorte le terminus du périple micronésien, l'extrémité de la grande mare qu'est le Pacifique. C'est, en somme, le bout de la mare. On peut certes prendre un vol direct entre Hawaï et Guam mais c'est rater les îles Marshall et Mariannes, c'est se priver d'un rare dépaysement, de beautés exceptionnelles, encore sauvages, et d'un contact avec une population un peu étrange dont le sourire ne permet jamais de savoir si elle est plus marquée par les anciens colons japonais chassés à la Seconde Guerre mondiale ou par les nouveaux occupants américains qui, curieusement, sont extrêmement discrets et pratiquement absents de ces territoires. Population authentiquement micronésienne, fière et perdue sur plus de 2 000 îles éparpillées sur une superficie de 6 000 kilomètres entre Hawaï et les Philippines.

Moi, à Hawaï, en m'embarquant sur Continental Airways pour Ponape et Truk pour le vol Honolulu-Guam, j'avais calculé grossièrement que 3 000 milles nous séparaient de Ponape. J'avais raison. Aussi ne suis-je pas abasourdi de constater que l'avion que nous allons prendre est un Boeing 727 de série 100 en version mixte fret-passager. Voilà un appareil qui ne peut pas s'envoyer la distance susnommée sans faire escale. Montons tout de même. Peu après le décollage, une charmante agent de bord micronésienne nous annonce que dans moins d'une heure et demie, nous nous poserons à l'île Johnston.

Effectivement, deux heures plus tard, l'avion descend rapidement sur l'immensité bleue du Pacifique. Les volets sont sortis à quarante-cinq degrés, le train d'atterrissage est baissé et nous volons à quelques pieds au-dessus des vagues sans apercevoir de terre ferme. Et puis on touche du solide, une sorte de langue de sable sur laquelle on a construit la piste. L'hôtesse nous dit: «Nous venons d'atterrir sur l'île Johnston; vous n'avez pas le droit de descendre et il est interdit de prendre des photos par les hublots.»

Nous sommes dans une base militaire plus ou moins secrète de l'armée américaine. Une sorte de porte-avions de sable au milieu du Pacifique. Redécollage après le plein d'essence. Cette fois, l'hôtesse nous apprend que dans deux heures nous allons atterrir à Majuro et j'apprends par le fait même que je me suis embarqué probablement sur la plus longue «run» de lait au monde. De Majuro, on fait un saut de puce sur l'île de Kwajalein, après quoi on redécolle pour Ponape. De là, l'avion vole vers Truk avant d'accomplir son trajet vers Guam d'où, souvent, il continue jusqu'à Saipan ou encore Yap et Palau.

À cause d'un retard dans mon itinéraire, causé par la fâcheuse perte de ma valise, péripéties qui ont déjà été narrées [dans le tome 1], je ne peux pas visiter Ponape, une île que les visiteurs tiennent parmi les plus belles au monde (avec Bora Bora), bordée de plages, semée de rivières et de chutes spectaculaires, possédant son centre culturel micronésien et offrant de charmants hôtels et quelques bons restaurants, si j'en crois mon collègue Garry Marchant de Vancouver qui m'attend depuis deux jours à Ponape.

Nous voyageons ensemble jusqu'à Truk. Un district de plusieurs dizaines d'îles et d'îlots, dont plusieurs sont inhabités. L'avion se pose sur l'île de Moen et, comme partout en Micronésie, le petit chalet qui sert d'aérogare est envahi par la population locale pour qui l'avion est un événement en soi, un lien avec l'extérieur, signalant l'arrivée de colis, de courrier et de quelques touristes toujours accueillis chaleureusement. Dans la foule se trouve inévitablement Hauoli Smith, un joyeux Américain né à Hawaï, directeur du seul hôtel décent du district, le Continental, propriété du transporteur aérien du même nom.

On parcourt une quinzaine de kilomètres sur une piste de terre battue jusqu'à l'hôtel de cinquante-six chambres climatisées, avec boutique, salle à dîner et immenses jardins fleuris au bord de la mer.

L'atoll de Truk s'est doté d'une législation locale qui interdit toute vente et consommation d'alcool. Cependant, au bout du jardin de l'hôtel, il y a une sorte d'entrepôt, ouvert vingt-quatre heures sur vingt-quatre, où un sympathique garçon vend spiritueux et bières américaines à un prix moindre qu'aux États-Unis.

Ces détails étant communiqués, nous voilà dans un jardin taillé à même la jungle, sur une île chef-lieu habitée par 12 000 Micronésiens relativement pauvres auxquels se mêlent des jeunes Américains du Peace Corp, enseignant au collège catholique de Xavier High School.

Dans ces îles, il n'y a pas beaucoup d'infrastructures touristiques. En revanche, vous y trouvez toujours quelques jeunes gens enthousiastes à l'idée de vous faire visiter, de vous véhiculer sur les pistes de terre. On s'arrange sur place pour le transport mais à Truk, on ne se rend pas compte tout de suite qu'on se trouve sur les rives d'un immense cimetière marin.

C'est dans le lagon de Truk que la flotte impériale japonaise avait sa plus importante base du Pacifique, à l'extérieur du Japon. Sur l'île Dublon, voisine de Moen, il y avait une ville de 30 000 habitants, une base aérienne et les quartiers généraux de l'amirauté nipponne. Dans le lagon, plus de cent navires de guerre et de ravitaillement étaient à l'ancre, dont le porte-avions Fujikawa Maru, au matin du 16 février 1944, lorsque soixante-dix chasseurs Hellcat américains, partis de deux porte-avions à quatre-vingt-dix milles à l'est de Truk, arrivent sans avertir. Quelques navires s'enfuient mais une soixantaine sont coulés et plus de cent avions détruits. Les vivres sont coupés aux survivants qui se cachent dans des trous, des cavernes et des abris. On raconte qu'au cours de l'hiver 44, les survivants, Japonais et Micronésiens, affamés, se sont livrés au cannibalisme. En avril, les Anglais ont envoyé des bombardiers pour parachever la destruction des îlots de résistance.

Depuis, il n'y a plus de Japonais mais il faut visiter l'ancienne ville de Dublon, envahie par la jungle et où vivent encore quelques familles micronésiennes. On voit l'hôpital japonais, les rues, les canalisations d'égouts, un temple dont il ne reste plus que les escaliers, des enfants joyeux et des vieillards dont le regard semble refléter encore les horreurs de 1944.

À Pearl Harbor, les Américains ont élevé des monuments en souvenir du raid japonais. On respecte des minutes de silence à tout instant, on visite, on prie, on se rappelle. Mais à Truk, rien.

Seulement des carcasses de navires au fond du lagon,

des avions Zeroes parfaitement conservés, un peu recou-
verts de corail, avec les squelettes des milliers de Japonais
tués. Après la guerre, le gouvernement américain, régis-
sant la Micronésie par voie de législation territoriale,
déclarait le lagon de Truk monument national et veillait à
sa protection contre les chercheurs de souvenirs et de trésors. En réalité, Truk est un paradis mondialement connu
pour la plongée sous-marine et 60 % de la clientèle de l'hôtel
Continental est composée de plongeurs venant de toutes
les parties du monde.

Souvent, on peut carrément amarrer son embarcation
au mât d'un navire de guerre japonais coulé, comme c'est
le cas de l'immense Fujikawa Maru (450 pieds) dont le
profil sinistre dans les eaux vertes se voit très bien de la
surface. Ne vous avisez pas de prendre une babiole sur un
navire ou un avion submergé...

À l'aéroport, au départ, les bagages sont inspectés à
cette seule fin. De temps à autre, des groupes de Japonais
visitent le lagon pour se recueillir, prier debout dans une
petite chaloupe au-dessus d'un navire sur lequel peut-être,
un parent a été englouti, pour interroger aussi les plus âgés
des villages riverains qui parlent encore japonais puisque
la colonisation de ces territoires par les Japonais remonte à
la Première Guerre mondiale.

Bref, une drôle d'impression nous envahit dans ces
sentiers touristiques inédits, peu fréquentés et pleins d'im-
prévus. On finit généralement la tournée à Guam où nous
attendent la grande ville et ses activités: nombreux hôtels,
golf, voile, boîtes de nuit, etc.

Depuis Honolulu, il existe de nombreux forfaits
aériens vers la Micronésie. J'ai déniché une brochure relative à un petit navire de croisière, battant pavillon de la
République de Nauru, qui paraît offrir une solution de première classe à ceux pour qui le temps ne compte pas trop et
qui veulent se plonger en tout confort dans ce paradis pratiquement vierge du Pacifique.

Le M.V. Enna n'embarque que cent passagers au

maximum dans des cabines de luxe, avec restaurant, salon de coiffure, bars et piscine. Il organise des croisières partant de San Francisco vers Majuro, Ponape, Truk, Saipan et retour à San Francisco, d'une durée approximative de dix-huit jours mais sans horaire précis, semble-t-il, à des prix variant entre 2 600$ et 3 800$ par personne, incluant tous les repas, services et taxes. Il propose aussi des croisières depuis Honolulu jusqu'à San Francisco via Majuro, Ponape, Truk et Saipan, à des prix variant entre 2 145$ et 3 135$. On peut aussi prendre ce bateau pour voyager d'une île à l'autre. Il s'agit en réalité d'un petit cargo mixte mais bien aménagé pour des passagers. Il me semble, avec tous ces arrêts dans ces îles perdues dans une mer d'émeraude, que ce voyage doit être inoubliable même si je ne me fie qu'à une brochure; l'itinéraire est prometteur et les photos des cabines ne trompent pas.

Ma tournée micronésienne a été rapide. Je ne me souviens plus combien d'heures j'ai passé en avion. J'ai même de la peine à me rappeler les dates, *because* le décalage qui n'est plus horaire mais *per diem*. Tu pars d'Hawaï le mercredi matin et tu arrives à Ponape le mardi après-midi après avoir traversé plusieurs fuseaux horaires.

Au retour, après seize heures d'avion entre Guam et Honolulu, tu perds une journée au total. C'est dire la confusion qui règne à bord. Essayer de faire la tournée en moins d'une semaine me paraît peu sérieux, à moins de ne s'arrêter par exemple qu'à Truk et de revenir directement de Guam à Honolulu.

En tout cas, la Micronésie fait la preuve qu'il existe encore des lieux figés dans le temps et où le voyageur découvre une région du monde pratiquement non touchée par la «civilisation».

17 septembre 1982

Bateaux

Les belles croisières d'antan... en cargo

Il n'y avait ni piscine, ni restaurant, ni bar, ni orchestre, ni salle de lecture, ni sauna, ni boutique pour les sept passagers que nous étions et qui allions faire la traversée transatlantique de Hambourg à Montréal en dix jours.

Sur le pont, il n'y avait ni chaises longues, ni jeux de galets, ni garçons en livrée, ni comtesses à caniche, ni barons à pipe mais des conteneurs entassés et enchaînés autour des écoutilles.

À 10h le soir, nous étions accoudés au bastingage et nous regardions s'éloigner derrière nous, lentement, la ville de Hambourg alors que nous nous engagions sur l'Elbe et que la jeune Élisa, émigrant au Canada, s'écriait en pleurant et en allemand: «Adieu Allemagne maudite!»

C'était à bord du plus petit cargo de la flotte Hambourg America Line, le «Magdebourg», jaugeant 2 600 tonneaux et commandé par le capitaine Hans Krabbe, trente-trois ans, originaire de Cologne, buvant systématiquement deux grosses bouteilles de bière au petit déjeuner et proclamant à qui voulait l'entendre que le Canada était un pays invivable car les Juifs dominaient la politique et l'économie.

Bref, ce n'était pas gai et ça faisait plus rapatriement de réfugiés que départ touristique comme ambiance. Il n'y avait pourtant que deux émigrants, la jeune fille et le dénommé Fritz Müeller, vingt-cinq ans, transportant sa Volkswagen dans la cale du navire et se dirigeant vers Toronto pour aller mettre sur pied une imprimerie. Il y avait quatre vieilles dames se rendant visiter leurs enfants au Canada et moi, rentrant au pays.

Chacun s'était adressé à une agence de voyages pour obtenir un billet sur ce navire à destination de Montréal. C'était au début des années 70 et j'avais payé 273$ pour cette traversée.

Les cabines étaient très confortables sauf peut-être celle que j'occupais avec Müeller et qui se trouvait être la cabine normalement réservée aux pilotes. Il y avait deux garçons qui s'occupaient de faire le service à la table des officiers où nous prenions nos repas avec le commandant et qui faisaient également le service aux cabines des passagers.

Dans la salle à manger, qui devenait salon en dehors des heures de repas, il y avait un magnétophone à cassettes, une centaine de livres dont trois en anglais et un en français (ce dernier portant sur la flore dans les Cévennes) et un petit frigo contenant diverses boissons mais surtout de la bière allemande: c'était le bar.

Ça faisait par conséquent très maigre comme perspective d'amusements pour les dix prochains jours, surtout que sur d'autres navires de la compagnie, plus grands, on pouvait trouver presque tout ce qui existe sur un paquebot, y compris une piscine.

Je dois dire néanmoins que ce voyage a été pour moi un des plus beaux, des plus enrichissants et des plus reposants.

D'abord la mer. La mer du Nord, relativement calme, que nous devions laisser après deux jours de navigation entre les îles Orkney et Shetland au nord de l'Écosse et où les goélands allemands, qui avaient pris place sur le navire le long de l'Elbe, débarquaient pour laisser la place à des goélands écossais partant pour le long voyage.

J'ignorais à l'époque que les goélands voyagent beaucoup en bateau. Ils voltigent autour du navire, se jettent à l'eau puis viennent se reposer sur les mâts et les structures. On les reconnaissait à leur plumage et parfois l'un d'eux pouvait nous quitter définitivement en plein océan pour aller adopter un autre navire — japonais, soviétique ou autre — que nous rencontrions sur la route.

À bord, c'était une sorte de routine. Petit déjeuner tôt, promenade sur la passerelle, repos appuyé sur la cheminée du navire pour se réchauffer en regardant l'immensité de la mer et en respirant à pleins poumons l'air salin. On se mêlait aux quarante-cinq hommes d'équipage, on allait fureter aux cuisines juste pour admirer le chef et ses chaudrons suspendus au-dessus de la flamme, se balançant au gré du roulis; on aimait l'odeur du pain que le boulanger cuisait au pont inférieur, on s'intéressait à des riens comme la destination écrite sur les conteneurs, comme les travaux du menuisier fabricant un support en bois pour un treuil de secours. Et puis, on consultait plusieurs fois par jour la carte de la mer sur laquelle l'officier traçait notre itinéraire et la lente marche du navire.

On pouvait descendre dans la salle des machines où l'officier ingénieur ne se lassait pas de nous montrer l'effroyable diesel dans l'exercice de ses fonctions, les génératrices, les pompes, les systèmes d'eau chaude autour desquels des jeunes gens, la face barbouillée d'huile, s'activaient. On pouvait monter à la timonerie où le capitaine Krabbe n'arrêtait pas de raconter des histoires que les subalternes s'efforçaient de trouver drôles, mais où on pouvait consulter le radar, entendre les communications radio ou observer la lecture du sextant. Le soir, il y avait toujours quelque veillée à la bière dans les quartiers des marins, où nous étions cordialement invités.

Et puis, dans la nuit du quatrième ou cinquième jour, la tempête était telle que ce n'était plus tenable dans les couchettes. Tandis que Müeller et moi étions adossés au mur pour ne pas tomber, nous entendions à travers le lugubre sifflement du vent et le bruit des objets projetés de toutes parts dans le salon, les cris éperdus du commandant Krabbe qui multipliait les ordres. Côté sonore, c'était pour moi du vrai cinéma de guerre avec méchants Allemands

venant d'apercevoir un sous-marin anglais dans les parages. Mais mon compagnon me traduisait les tirades de
consonnes que notre commandant aboyait dans la nuit
tourmentée au péril de son larynx. Il était question d'écoutilles fermées, d'arrimage de conteneurs sur le pont, de
bandes d'imbéciles et d'endormis, de ballast, d'*achtung* et
autres.

Les vingt-quatre heures suivantes furent splendides.
Le navire tanguait beaucoup mais ne roulait pas tellement
étant donné que le vent, qui devait atteindre quatre-vingt-
dix milles à l'heure par moments, nous fouettait par tribord arrière et que le navire se trouvait comme dans la
position d'un voilier qui gîte beaucoup .

Pas question de préparer des repas. Le cuisinier, qui
s'était fracturé le nez en tombant, ne pouvait que fabriquer
en vitesse quelques sandwiches. L'océan était si déchaîné
que le spectacle fascinait.

Puis ce fut plus calme, on aperçut Terre-Neuve à tribord, le Saint-Laurent, les Escoumins, le pilote québécois
montant à bord en disant «Good morning everybody»
avec un bel accent gaspésien, puis Québec et Montréal.

Ce qu'il y avait de passionnant dans cette croisière,
c'était d'une part, l'impression pour le passager de participer à la vie du bateau, à sa vie intime et essentielle, et
d'autre part, d'être mêlé à un transport utile, à un maillon
de l'économie des deux pays reliés par ce cargo soumis à
des horaires stricts, affrontant la mer en furie, poursuivant
inlassablement sa route.

Il n'y a pas, sur un cargo, cette vie sociale artificielle
des paquebots de croisière qui n'est pas nécessairement
désagréable, on apprécie en somme cette impression de
non-futilité du voyage.

L'ennui, le malheur, l'inconvénient, le désastreux est
que ce genre de croisière n'existe plus aujourd'hui. M.
Jochem Carton, président de la March Shipping, à Montréal, le déplorait ces jours-ci et me disait ceci: «En tant
qu'armateur, je n'aurais pas les moyens de faire voyager

mon fils sur un de mes cargos.» La raison en est simple.

Dans leur convention collective, les marins exigent qu'il y ait du personnel supplémentaire et spécialisé pour s'occuper des passagers. Or, à cause du nombre forcément restreint de passagers sur ce genre de navires de marchandises, il serait impossible de recruter toute la gamme des employés de services et d'espérer maintenir des tarifs raisonnables. D'autre part, les syndicats de marins acceptent de faire le service mais en comptant des heures supplémentaires. Comme on ne peut compter moins de deux heures supplémentaires, cela signifie en pratique que si, à 11h le soir, un passager demande une eau gazeuse, cette eau coûtera 20$ en heures supplémentaires à la compagnie qui la vend 0,20$.

Mais c'est dommage. Le touriste se précipitait de plus en plus sur les cargos, il n'y a pas longtemps. Il fallait faire des réservations très à l'avance. Pourquoi cette forme de voyage ne serait-elle pas relancée?

Parmi les programmes que lance actuellement le gouvernement pour garder le tourisme au pays, pourquoi ne pas penser à des places sur nos navires des Grands Lacs, ce qui permettrait de sillonner la voie maritime, de descendre jusqu'à Sept-Îles, de remonter jusqu'au canal Welland, par exemple, d'où le passager pourrait revenir par autobus en passant par les chutes Niagara, etc. Ce serait au moins un début.

Quand vous voyez un cargo se dirigeant vers la mer sur le Saint-Laurent, dites-vous que vous pourriez être à bord et vous offrir non seulement un voyage extraordinaire mais vivre une expérience inoubliable.

C'est très excitant de consulter des brochures et les annonces des agences de voyages dans les journaux, mais personnellement, le goût de partir se fait plus pressant lorsque je consulte la liste des départs que publient les agences maritimes. Exotisme? Peut-être. Et alors?

2 mars 1978

Dans le sillage du *City of Andros*

Sur les avions, bien que le mal de l'air soit plutôt rare, des sacs en papier sont mis à la disposition des victimes de ce mal; sur le *City of Andros*, petit paquebot qui sillonne les îles grecques, ce sont des contenants en carton pareils à nos «casseaux de patates frites» qui sont offerts aux passagers souffrant du mal de mer.

Tout ce préambule pour dire que ce vendredi 6 avril dernier, une heure après avoir quitté le port du Pirée, on se serait cru dans un faubourg de Bruxelles tant était généreuse la distribution des «cartons à frites». D'autant plus qu'il se trouvait un fort contingent de Belges parmi la clientèle, mais c'est eux cette fois qui se chargeaient de remplir les contenants, suivis par des Américains, des Français, divers Scandinaves et même un Sud-Africain devenu vert, lui aussi, comme tout le monde, l'apartheid ne pouvant plus rien contre le déchaînement de cette mer bleue tant chantée par les poètes et les aèdes depuis l'Antiquité.

À voir les teints blafards, les mauvaises gueules des touristes agrippés pour contrer le roulis, les mines d'agonie dans le hall du commissaire de bord, les bouilles ahuries de quelques résistants, titubant à la recherche de l'emplacement le plus stable du navire, on sentait tout de suite comme du regret dans les cœurs, et on voyait que le charme de la croisière sous ciel bleu en Méditerranée venait de tourner à l'émétique. Le *City of Andros* changé par les flots en *City of Ipeca*.

Un qui devait remettre en cause l'utilité de son travail, c'est le cuisinier, alors que le commandant, à 10h du soir, soit six heures après un départ qui avait été retardé de six heures, annonçait qu'il n'y aurait pas d'arrêt à Mykonos, la mer étant trop mauvaise, explication comprise d'emblée par la foule qui déjà, entre deux houles, se souhaitait des «bonne nuit», des «good night», des «kali nikta» et des «Acropolis adieu» en regagnant leurs cabines, cartons en main.

La mienne, que je partageais avec un collègue, se trouvait à bâbord, juste au-dessous du niveau de flottaison et de l'arbre de l'hélice à l'arrière du navire. On se serait cru sur le banc d'essai d'un vibrateur géant, à la différence que le hublot plongeait dans la mer agitée et qu'on avait l'impression d'être dans un bathyscaphe. Seulement, il y avait le haut-parleur par lequel une fille polyglotte s'adressait presque continuellement aux passagers en commençant par des *paracalo*, s'il vous plaît, attention, *achtung*, merci, *thank you, danke shön, efharisto para poli et danku.*

On avait beau, nous aussi, lui crier des mercis hollandais, elle continuait en huit langues ses explications historiques et géographiques sur Mykonos, à l'intention des agonisants qui se trouvaient à passer en pleine nuit au large de ladite île.

En pareille situation, la bouée de sauvetage de celui qui n'a pas le mal de mer se nomme «bar». Premièrement, il est désert et le service est prompt et empressé; deuxièmement, il épargne le spectacle de ces pauvres dont les canaux semi-circulaires partent en roue libre.

Parfois un malade se pointe le nez au bar mais quand il vous aperçoit en train de boire du jus de tomate, grignoter du fromage de chèvre et fumer des gauloises sur fond de musique grecque, il retourne vite fait dans ses quartiers. Finissons-en avec ces aléas de la «thalassocratie» pour jeter les amarres à Rhodes le matin du 7 avril.

La journée libre passée à Rhodes permet une excursion en autocar avec visites des villes antiques de Lindos, Camiros et Ialysos. Il y a aussi une croisière en petit bateau le long des côtes mais ce jour-là, en tout cas, les passagers du *City of Andros* n'étaient pas tellement preneurs pour la randonnée nautique.

Nous sommes restés dans la ville de Rhodes, et surtout, dans l'enceinte de la vieille ville entourée des remparts des Chevaliers de l'ordre de Saint-Jean-de-Jérusalem, avec le palais et les minuscules rues où les commerçants sont légion avec étalages de tissus, de poteries, de cuivres, de souvenirs de toutes sortes.

Ici, à Rhodes, il y a plus de touristes que de Grecs et ces derniers ne vous voient pas exactement comme vous vous voyez dans votre miroir. Ils voient un portefeuille ambulant qui ne demande qu'à être délesté. Même les restaurateurs sortent de leurs établissements pour vous inviter à entrer. Mais on ne peut pas dire que la sollicitation soit à ce point persistante qu'elle en devienne agaçante. On marche lentement, on écoute la musique grecque qui sort de partout et on dit non, c'est-à-dire oui, parce qu'en grec moderne, non c'est «ohi» et oui c'est «né», comme quoi tout est permis aux peuples indépendants.

Les guides nous apprennent que Rhodes est devenue un important centre commercial et spirituel dès le Ve siècle. Je crois qu'on peut dire aujourd'hui, sans tellement se tromper, que le commerce a gagné du terrain sur la spiritualité, malgré les icônes qui ornent les vitrines des boutiques.

Rhodes a été envahie et occupée tout au long de son histoire par les Romains d'abord, puis les Sarrasins, les Chevaliers de Saint-Jean-de-Jérusalem, les Turcs jusqu'en 1912 et les Italiens jusqu'en 1947.

Tous les styles architecturaux se mêlent entre le port et la plage bordée d'hôtels.

J'ai aimé Rhodes. On prend plaisir à visiter les cuisi-

nes des restaurants pour voir mijoter les plats et on mange
dehors, sous les platanes, des souvlakis, des *moussakas*,
des *dolmades* arrosés de vins locaux très honnêtes. On ne
se lasse pas de marcher dans cette curieuse ville où l'on
peut s'arrêter, histoire de se reposer entre deux achats,
dans un merveilleux jardin botanique au pied des remparts.

À 7h du soir, c'est l'embarquement. Les passagers,
bien rétablis, font penser aux anciens débardeurs char-
geant le navire d'une cargaison hétéroclite de vases, d'icônes, de poteries, de T-Shirts «I Love Rhodes», de statuet-
tes, de «vieilles» pièces de monnaie et d'on ne sait trop
quelles trouvailles, dans des boîtes encombrantes.

On se farcit le dîner du capitaine et la soirée grecque
dansante. La mer est plus calme et la clientèle est amari-
née. Dès le lendemain, sous le ciel bleu, malgré un vent
assez fort et des vagues de deux mètres, il y a du monde sur
le pont. Les touristes prennent les très originales photos de
mouettes voltigeant au-dessus du sillage du navire et des
couples se photographient, mutuellement accoudés au bastingage. Les armes typiques dans le chargeur pour faire
mourir d'ennui voisins et amis au retour. Mais au moins,
la bonne humeur est revenue et la traversée vers Santorin
s'annonce plaisante.

Dès le début de l'après-midi, alors que nous apercevons, droit devant, une île aux contours abrupts, la fille du
micro commence sa leçon de langues étrangères sous
forme d'explications géologiques, historiques et géographiques sur Santorin, anciennement Théra.

Le spectacle de cette île, avec son village tout blanc
juché sur le sommet de la falaise, est fascinant. Le *City of
Andros* jette l'ancre dans la baie non abritée et des villa-
geois, dans une petite barque à moteur, s'emparent des
amarres de poupe qu'ils vont attacher à une bitte incrustée
dans le roc. Le transbordement des pèlerins se fait par
groupes de vingt à trente passagers dans des barques qui

les déposent sur le quai, tout en bas du village de Théra,
qui se trouve à cent vingt mètres au-dessus de la mer. Une
piste en lacet relie le quai au village et les habitants proposent aux touristes des mules chétives pour faire l'ascension.

Ici, tout est reposant dans un décor de rêve. C'est l'île
grecque telle qu'on l'imagine et où chacun se dit qu'il aimerait bien venir y passer une semaine au moins de quiétude,
dans une des petites pensions proprettes qui accueillent les
touristes pour quelques dollars par jour avec cuisine
maison.

Sur la terrasse d'un estaminet, nous avons pris quatre
plateaux d'une sorte de beignets de poissons que le restaurateur, un gros moustachu à casquette, faisait frire devant
nous. Nous avons également commandé une assiette de
sardines frites, une grosse salade grecque pour cinq personnes, deux demi-bouteilles d'un excellent vin que le propriétaire gardait dans des urnes de terre cuite, deux eaux
gazeuses et un paquet de cigarettes américaines. La note?
Cent quatre-vingts drachmes, c'est-à-dire 5,20$.

La croisière de trois jours, d'île en île, est un peu
rapide et la beauté et le charme des îles grecques méritent
un séjour plus prolongé que de simples escales. Mais la for-
mule reste valable et il faut dire que le *City of Andros* en
était à sa première excursion de la saison, d'où le retard au
départ, et qu'en pleine saison la mer risque d'être beaucoup moins tumultueuse.

Quoi qu'il en soit, les nombreux navires qui effectuent
la croisière dans les îles grecques sont très courus durant
l'été et les touristes voient là l'occasion tout de même de
visiter les principales îles, surtout par beau temps, dans
une ambiance agréable.

Reprochons seulement à ces formules de ne pas offrir
plus d'authenticité côté cuisine et divertissements. Après
tout, en Grèce, on peut laisser de côté le poulet rôti pour la
feuille de vigne farcie et on peut danser le sirtaki plutôt que
«I Left My Heart in San Francisco».

Les îles par la mer c'est très bien mais personnellement, je préférerais m'arrêter dans l'une d'elles entre deux
traversées, si j'avais la chance de pouvoir passer des
vacances dans cet inoubliable pays.

4 mai 1979

Sept jours d'îles, de pays et de mer

Dans le beau parc qui surplombe la rade d'Héraklion, entre la forteresse vénitienne derrière laquelle s'abrite la flotte de pêche et l'aéroport de l'autre côté d'où s'envolent les jets vers le nord, les amoureux s'embrassent pudiquement et les touristes scandinaves, en blue jeans, portant des barbes blondes et d'énormes sacs à dos, cherchent leur chemin vers les plages environnantes.

Personne ne prête attention à la petite colonne de béton qui s'élève sous les platanes et sur laquelle est gravé simplement le nom: Nikos Kazantzakis.

Moi c'était le but de mon escale en Crète. L'auteur du *Christ recrucifié* est né à Candie (Héraklion), mais il a vécu en France surtout et est mort en 1957 à Fribourg-en-Brisgau, après avoir élu domicile à Antibes sur la Côte d'Azur. Il y a une dizaine d'années à peine, on a rapatrié sa dépouille en terre crétoise et on l'a placée là, sur la corniche de cette ville de peu d'intérêt, mais au milieu de la vie.

Après quelques instants de recueillement devant ce simple monument, j'ai regagné, avec mon ami Connie Solovanis, la place centrale où, assis à une petite terrasse ensoleillée, on voyait en bas le *M/V Neptune*, notre bateau, amarré au quai, et où on mangeait des chaussons au fromage, arrosés de crème fraîche et saupoudrés de cannelle.

Encore là, par ce beau dimanche du 13 avril, les blonds Vikings s'initiaient à la Grèce insulaire. Comme si les ineffables beautés de son territoire continental ne lui suffisaient pas, la Grèce offre sa Méditerranée et ses îles innombrables dont il n'est plus utile de chanter le bleu de leur ciel, la blancheur de leurs maisons, le noir de leurs vieilles veuves, le vert de leur mer et le cuivre des fiers visages de ses habitants.

Mais pour le passager du paquebot, dans l'une ou l'autre de ces populaires croisières dans le sillage d'Ulysse, l'île est une escale. Pour nous, Héraklion arrivait vers midi, après une escale assez brève à Santorini, la plus belle et la plus méridionale des Cyclades, où on avait vu le soleil se lever sur Théra, la ville blanche juchée sur le sommet de la falaise rocheuse.

Des passagers étaient montés à dos de mules à Théra, d'autres avaient acheté des cartes postales aux boutiques du quai, d'autres s'étaient munis de cruches de vin local, d'autres avaient photographié ce dimanche qui s'éveillait lentement à Santorini en promenant ses premiers rayons de soleil, comme un projecteur sur les faces du rocher. Beau. Très beau Santorini. Mais il faut partir.

Après un après-midi que des passagers auront consacré à une visite en autocar dans les environs d'Héraklion, ou après la ruée sur les musées qui témoignent de 4 000 ans d'histoire, ou sur la petite église de Saint-Menas qui renferme deux icônes de Damaskinos ou encore sur la tombe de Kazantzakis et les chaussons au fromage dont je ne me souviens plus du nom, il faut songer à reprendre la mer.

Cette fois ce sera une nuit complète, la journée du lendemain et la nuit entière en mer avant d'arriver à Port-Saïd en Égypte. Ce sera la pleine mer, la vie en mer, la partie pure croisière, si l'on peut dire, du voyage. Du dimanche soir au départ d'Héraklion nous naviguerons jusqu'au mardi matin.

Cela signifie des visites rapides notamment en Égypte, en Israël et à Rhodes. Mais cette croisière comprend deux trajets de plus de trente heures en pleine mer: celui d'Héraklion à Port-Saïd (trente-cinq heures) et celui d'Ashdod (Israël) à Rhodes (trente-quatre heures). Or, moi en tout cas, quand j'embarque sur un navire, ce n'est pas pour rester à quai. J'avouerai presque que les meilleurs moments pour moi ont été ces deux longs parcours sur la Méditerranée, bien que la mer ait été trop calme à mon goût, surtout que Dimitrios Menderinos, le sympathique commandant, faisait tous les efforts voulus pour prendre un cap fuyant afin d'éviter aux passagers un roulis trop prononcé.

Rien à dire sur l'excellente cuisine du *Neptune*, sur la qualité des services dispensés par un équipage joyeux et dévoué, sur les prix à la boutique du bord et aux différents bars (tout se paie en dollars américains à bord). Que la coiffeuse soit londonienne, que le médecin soit sud-africain et que la directrice de croisière soit italienne, cela passe, mais que les musiciens soient irlandais, ça «déshellénise» un bateau bêtement.

Surtout la soirée grecque, malgré les performances de l'équipage grec. Quand tu vois un garçon dont le visage est constellé de taches de rousseur présenter aux passagers un solo de bouzouki électrique, ça flanche net. C'est comme si on demandait à un cuisinier esquimau de confectionner un couscous. N'abandonnez pas vos droits inaliénables sur votre extraordinaire musique, chers Grecs!

S'il se trouve un Grec émigré qui joue le Reel des protestants sur son violon dans les rues de Belfast les soirs d'émeutes, c'est un problème irlandais. Mais qu'un grand roux échevelé, électrisé aux Beatles, entièrement élevé au porridge et à la bière brune, éduqué dans le trèfle à quatre feuilles, entre les paris sur les chevaux, la tarte aux pommes de terre et le couvre-feu, vienne tenter de manœuvrer une sirtakis sur le pont d'un navire grec entre Le Pirée et la Crète sur un instrument dont il ne percera jamais le mystère ni surtout les possibilités, alors on s'en va droit à l'Ulster d'estomac. C'est un début de décadence; une hérésie difficile à tolérer malgré le charme du troubadour de Londonderry qui, au surplus, essaie de vous vendre son microsillon à décibels électriques.

Je ne chicanerai pas la famille Potomianos pour ce léger détail; ce sont les propriétaires de la flotte Epirotiki. Mais je leur dirai: attention! Rien ne vaut l'authentique. Le passager n'aime pas la musique grecque sur cassettes quand il est en Grèce. Et puis, la petite Sud-Africaine qui se croyait sur l'océan Indien dans cette croisière, aurait peut-être été ramenée plus facilement aux réalités géographiques par du Tsifanis que par du O'Machin. N'en parlons plus.

Deux belles nuits claires et une grande journée de soleil sur le pont, autour de la piscine du bord, nous attendent. Sur un petit navire comme le *Neptune*, les passagers se connaissent plus rapidement. Il y a de tout: des jeunes, des vieux, des entre deux âges; des couples, des passagers solitaires, des groupes et, en moyenne, selon les statistiques d'Epirotiki Lines, la liste des passagers pour chaque croisière comprend vingt-cinq nationalités différentes. C'est aussi un intérêt supplémentaire de ces merveilleux voyages en bateau: la cohabitation de gens des quatre coins du monde. On peut toutefois jouir de l'intimité de sa cabine en tout temps. Personne n'est tenu de se mêler nécessairement aux autres. Le seul reproche que je fasse à la plupart de ces paquebots, est d'avoir, à cause du système central d'air climatisé, des hublots qui ne s'ouvrent pas, ce qui est frustrant. J'avais réussi à débloquer le mien mais le personnel venait toujours le rebloquer en mon absence. Ç'a été une lutte de sept jours. Et puis, on n'a pas à craindre la promiscuité, même sur un petit paquebot. La preuve: il y avait parmi les passagers un couple avec un bébé. Ce n'est qu'à Athènes, après la croisière, que je les ai reconnus sur une terrasse. J'ai alors appris que lui était un jeune chirurgien de Calgary en congé d'un an, qu'il en était à sa deuxième croisière dans les îles grecques avec sa petite famille et qu'il partait maintenant pour la Yougoslavie.

À Rhodes, beaucoup de passagers préfèrent se disperser à leur guise, derrière les remparts de cette ville à caractère médiéval, pour aller faire leurs achats dans ces petites rues aux mille boutiques où les commerçants boivent l'*ouzo* sur le pas de leurs portes, à l'ombre des remparts des Chevaliers de Saint-Jean, sur fond de musique qui sort de partout et de nulle part.

Vers 13h, c'est la remontée à bord. C'est là que le bât blesse. Les passagers se farcissent le quai sous le soleil ardent, chargés des colis les plus invraisemblables; lestés de fausses icônes, de faux vases antiques, de pièces de collection entièrement faites à la machine, mais aussi de jolis chemisiers, de disques de bouzouki pour compenser les lacunes irlandaises du bord, de beaux tissus et de souvenirs hétéroclites.

L'après-midi se passe sur une mer d'huile et c'est la dernière nuit à bord du *M/V Neptune*, brave petit croiseur de la Méditerranée qui regagne sa base du Pirée.

27 juin 1980

CONFORT ET DÉTENTE...
SOUS LA FAUCILLE ET LE MARTEAU

À bord du *M/V Odessa*

Depuis un an, c'est-à-dire depuis l'invasion de l'Afghanistan par l'armée soviétique, les États-Unis ont réduit à trois les ports d'escale où peuvent s'arrêter les paquebots soviétiques: La Nouvelle-Orléans, Los Angeles et Skagway en Alaska.

Depuis un an, le mouvement de boycott des Américains à l'égard des Russes n'a jamais été aussi intense et la crainte qu'inspire l'armement de l'URSS aux citoyens américains n'a jamais été aussi vive.

Cela n'empêche pas que d'ici au 9 mai prochain, tous les samedis, de 8h à 18h, les habitants de La Nouvelle-Orléans verront se dresser la faucille et le marteau de la cheminée du *M/V Odessa* au-dessus de la gare maritime, tout au bout de la rue Poydras. Le navire entreprendra ainsi dix-huit croisières dans le golfe du Mexique et les Caraïbes au départ de La Nouvelle-Orléans, où il paiera des droits d'amarrage et de pilotage et où il s'approvisionnera généreusement en eau, en mazout, en denrées de toutes sortes et en divers autres produits, au grand plaisir des commerçants locaux et des autorités portuaires.

«Je ne vous juge pas, m'a dit un jeune avocat de La Nouvelle-Orléans, la veille de mon départ à bord du *Odessa*, le 12 décembre dernier; mais je trouve indécent de s'embarquer sur un bateau russe. Il est vrai que vous êtes canadien», s'est-il empressé d'ajouter avec un rien de mépris.

Se doutait-il que le lendemain, à l'ombre de l'énorme cheminée arborant la méchante faucille et le vilain marteau, plusieurs de ses concitoyens dont un militaire de la US Air Force, tireraient le pigeon d'argile et boiraient du champagne de Crimée en admirant la beauté des Natacha, Galina, Svetlana et autres femmes de l'équipage et en tapant sur les épaules des Igor, Sacha, Vladimir et Sergei, surpris tout de même un peu de voir ces jeunes Soviétiques souriants, enjoués et de bonne humeur. Car l'Américain, encore plus que le Canadien et énormément plus que le Québécois, est persuadé que tout Soviétique est triste, apeuré, surveillé et brûlé du désir de s'enfuir, naturellement aux États-Unis, pays de liberté.

C'est le côté amusant d'un voyage sur un bateau russe partant des États-Unis. Lorsque ce n'est pas à cause du mal de mer, les Américains paraissent légèrement déroutés par la vie à bord. Au début plusieurs montrent une certaine frustration: ils se plaignent du fait que l'équipage parle mal l'anglais; ils affirment que les draps sont trop courts; ils trouvent que la boutique russe du bord est pauvrement garnie et répandent la nouvelle que la coiffeuse sent la transpiration. Il y a du vrai dans tout cela, mais on voit tout de suite que les Américains acceptent mal d'être à bord d'un paquebot ultramoderne, où tout fonctionne bien, où tout est d'une propreté exemplaire, où la gentillesse est reine, et que tout cela soit russe. On voudrait que ce soit américain ou anglais, ou canadien, ou scandinave à la rigueur, mais quant au prix de telles croisières, il ne fait pas de doute que les Soviétiques défient toute concurrence et c'est d'ailleurs pour cela que malgré tout, ils attirent les Américains sur leurs navires.

Les passagers saluent poliment le commandant Vadim Nikitin, quarante-quatre ans, lorsqu'il promène son énorme berger allemand autour de la piscine du bord ou lorsqu'il se pointe au casino à 1h du matin. Ils ne savent pas toujours qu'il fait confectionner ses costumes chez Cardin à Paris, qu'il a formé une équipe de football parmi l'équipage et n'hésite pas à louer un stade aux escales pour un match et que, lorsque les passagers prennent d'assaut les boutiques de Cozumel, Cayman, Montego Bay ou d'ailleurs, il lui arrive de faire descendre à l'eau l'un ou l'autre de ses deux canots-automobiles privés, superpuissants, afin de pratiquer son sport favori: le ski nautique.

Le camarade Nikitin, on sent tout de suite qu'il ferait un bon départ pour un livre sur la «nomenklatura» mais il a le mérite d'utiliser les satellites russes autant que les américains pour sa navigation, grâce à un système «sat-nav» sophistiqué.

Quant aux stabilisateurs, dont les propriétaires de paquebots font grand état dans leur publicité pour tenter de faire croire que le navire ne peut ni rouler ni tanguer, je crois qu'on peut dire de l'*Odessa* ce qui est vrai pour tous les autres paquebots.

Premièrement, rien ne peut empêcher un bateau de rouler par grosse mer; deuxièmement, les stabilisateurs n'ont aucun effet sur le tangage; au contraire ils l'accentuent; troisièmement, ce sont des équipements qu'on prend bien soin de ne jamais utiliser parce qu'ils entraînent une augmentation énorme de la consommation de mazout.

Ne parlons donc plus de stabilisateurs, ne serait-ce que pour éviter d'être inutilement naïf. Mais, règle générale, durant l'hiver, le golfe du Mexique est relativement calme. Personnellement, du 13 au 19 décembre dernier, entre La Nouvelle-Orléans et Cozumel et au retour, j'ai souvent eu la fâcheuse impression de me trouver dans une cathédrale tant le plancher était stable sous mes pieds. Je dis fâcheuse parce que j'aime un bateau qui bouge, tout en sachant que plusieurs passagers préfèrent le calme à la tempête. Comme beaucoup d'autres navires, l'*Odessa* a des bars, une piscine, une salle de théâtre, un gymnase, un bain sauna, un hôpital, un casino mené par deux croupières britanniques et un administrateur du Kansas, une boutique, des ponts avec chaises longues, une bibliothèque comprenant surtout des livres russes mais agrémentée de quelques ouvrages en anglais et d'une publication intitulée *Moscow News* dans laquelle on explique l'intervention américaine dans le conflit irano-iraquien, où l'on publie un long moratoire de l'URSS pour la paix et le désarmement et où il est fait un portrait peu élogieux du dénommé Reagan.

Il y a aussi une coiffeuse, un masseur, divers commissaires de bord et, le soir, des musiciens et des membres d'équipage qui donnent un spectacle. Il y a Phil Baxter, directeur de croisière, un Américain né à Paris, plein d'élégance et de savoir-vivre, qui organise des activités, la charmante Louise Sauvé, de Montréal, qui chante en français de sa belle voix d'alto des airs connus de Piaf, Félix Leclerc, Aznavour. Il y a Tom, le photographe britannique qui nikonne à tout va entre deux dégustations de vodka (les Russes prononcent woidka), il y a Linda, l'interprète américaine qui, à vingt-trois ans, parle aussi bien le russe que l'anglais et tape les programmes de la journée, et il y a les deux cent soixante-dix Soviétiques membres de l'équipage dont plusieurs sont Ukrainiens mais affirment sans conviction aimer beaucoup les Russes et faire partie de cette belle grande famille unie.

Malgré ce gros mensonge, c'est peut-être justement l'équipage qui fait la première différence importante de ce navire. Du plus petit mousse jusqu'au commandant ce sont, règle générale, des gens bien entraînés, propres, polis, distingués et d'une amabilité peu commune. Or, seuls les Soviétiques, à cause de leur système, peuvent, par les temps qui courent, se payer des équipages d'une telle qualité. Les membres de l'équipage travaillent en effet très dur, plus de douze heures par jour, sept jours par semaine pendant quatre ou cinq mois, puis ils ont un congé payé d'une durée égale dans leur pays. Ce qui fait qu'il y a souvent de nouveaux membres d'équipage à bord. Mais vous ne risquez pas de vous faire voler votre argent ou vos articles de valeur dans votre cabine et les dames sont assurées qu'elles n'auront jamais à leurs trousses quelque garçon du personnel trop entreprenant. Cela déplaira à certaines mais la tenue du navire demeure irréprochable. Des passagers arrivent à reprocher aux membres de l'équipage d'être «plutôt froids». D'abord ils sont moins «froids» que les employés de nos grands magasins, que nos fonctionnaires et que la plupart à qui nous avons affaire en Amérique du Nord. Ensuite, il est certain qu'ils ne se permettent ni familiarités ni discussions politiques. Si vous êtes Canadien ou tout autre chose qu'Américain, ils aiment déjà un peu plus. Ils parlent hockey et mentionnent les noms de Guy Lafleur et d'Esposito. Ceux qui sont déjà venus à Montréal disent qu'ils souhaitent y revenir. Ils parlent des montagnes Rocheuses et parfois, ils risquent deux ou trois mots de français.

Ça s'arrête là. Pour ce qui est de la langue anglaise, certains la maîtrisent mieux que d'autres. Le premier reproche des Américains se situe à ce niveau. Mais je les ai assez observés. Par exemple, s'ils veulent avoir un Coca Cola, ils diront: «I think I'll go for a Coke! Is it okay with you body?» Bref, le Victor de service ne comprend rien, surtout si la réquisition est faite en texan de la bonne année. Car, dans son livre d'anglais, la demande d'un Coke se fait autrement. Il y a ainsi des gars qui ont demandé un Pepsi et se sont fait offrir la poivrière, une «Lite Beer» pour se faire passer le briquet, etc. D'autres passagers, après avoir farfouillé grossièrement le petit vocabulaire anglais-russe qu'on met dans chaque cabine, se croient autorisés à aborder le personnel en russe. Là ça se passe nécessairement ainsi: ou bien ils ne comprennent rien *because* la prononciation ou bien ils comprennent et ça crée une situation désagréable. J'avais personnellement opté pour l'amusant «dobre uttro» en guise de «good morning» le premier jour, mais il a fallu que je renonce vite à cette pratique car le premier garçon à qui j'ai ainsi adressé mes salutations matinales dans la langue de Tchekhov s'est arrêté net et m'a dit quelque chose. Je n'ai pas lâché la rampe tout de suite et je me suis rendu à la limite de mes connaissances dans cette langue rébarbative en risquant un timide «Da». Ça l'a encouragé et il m'a alors débité du plus copieux avec beaucoup de «tchtch», de «broi», de «ski», de «robotte», et autres nouveautés. Peut-être avait-il un léger accent du Kirghizistan, allez donc savoir, mais nous étions dans deux mondes différents. Les ponts étaient coupés, ce qui la fout mal sur un navire, et j'ai dû m'avouer vaincu tout de suite en ayant l'air très con.

En résumé, il faut parler lentement et demander les choses, en anglais certes, mais simplement du type «One Coke, please». Le chemin direct quoi, sans fioritures, sans détours inutiles.

Voilà pour l'équipage hors pair. Mais l'*Odessa* a un autre atout important. Ses quelque deux cent cinquante cabines, à l'exception de trois suites à l'avant sur le pont supérieur, sont toutes identiques avec deux lits simples, la toilette et la douche, une grande penderie, un bureau, la climatisation réglable dans chaque cabine, la télévision, le téléphone et un hublot. Car il n'existe pas de cabines intérieures sur l'*Odessa* et vous ne risquez pas de vous retrouver pratiquement dans la salle des machines ou encore sous l'arbre de l'hélice comme cela m'est arrivé déjà.

Sur les bateaux de croisière, normalement, on donne 1% par jour du prix de la croisière en guise de pourboire à l'équipage à qui l'on remet cette somme à la fin du voyage. Chez les Soviétiques, aucun pourboire n'est exigé. Il est cependant légèrement attendu. On donne ce qu'on veut et il est de bon ton, par exemple, de laisser quelque monnaie aux garçons de table.

Aux escales, ces belles filles et ces braves jeunes gens feront généreuse provision de blue jeans et d'articles de toutes sortes.

Il est bon de savoir aussi qu'au départ de La Nouvelle-Orléans, il faut se farcir cent milles de Mississippi la nuit avant d'atteindre la haute mer le lendemain matin. Je conseillerais d'attendre la fin de la croisière pour visiter La Nouvelle-Orléans et donc faire sa réservation d'avion le lendemain ou deux jours après le retour, au pied de la rue Poydras. Il arrive souvent que le bateau soit retardé en remontant le Mississippi où, apparemment, beaucoup de bateaux s'échouent dans ce méandre où la circulation est très dense.

J'avais mon avion à prendre à midi le vendredi 19 décembre mais le bateau a amarré à 11h au lieu de 8h. Tant et si bien qu'après le contrôle douanier et le voyage à l'aéroport en taxi, j'ai raté mon vol par Eastern Airlines à destination de Montréal via Atlanta. On m'a engouffré *in extremis* dans un petit 727 de Republic Airlines. Surprise: l'hôtesse annonce que nous atterrirons à Mobile dans vingt-cinq minutes. Nous repartons de cette triste escale et, seconde surprise, l'hôtesse fait savoir que nous nous poserons à Birmingham dans trente minutes. Je commence à en avoir marre.

Nous redécollons de la non moins décevante Birmingham pour se faire dire que nous serons à Atlanta dans trente autres minutes. Il y a une heure de décalage. Le nouvel aéroport d'Atlanta est magnifique mais je ne crois pas exagérer en disant que j'ai marché près de deux kilomètres pour atteindre le «Concourse C» où il fallait prendre l'autre avion dans le vague espoir d'arriver à Montréal le même jour. Il y a des trains intérieurs pour butiner de «Concourse» en «Concourse» mais je n'ai pas eu le temps de me familiariser avec les lieux. Nous nous sommes posés à Montréal à 22h le vendredi 19 décembre.

L'*Odessa* et son équipage laissent un merveilleux souvenir. Cette petite croisière de six jours n'avait que l'île de Cozumel comme escale. Quelques passagers avaient acheté l'excursion à Chichen Itza au Yucatan et les autres se sont contentés de descendre à quai à Cozumel où le bateau se trouve à trois kilomètres du village de San

Miguel, un beau bazar de boutiques et de restaurants.

Les croisières sont de plus en plus populaires comme modalité de vacances car, pour le prix, elles défient souvent la concurrence des autres modes de transport dans plusieurs pays et permettent de visiter une foule d'endroits intéressants. Les paquebots soviétiques sont en mesure d'en offrir plus pour le prix au chapitre du service et de la qualité, cela est indéniable, et l'*Odessa*, construit en Grande-Bretagne en 1975, est un navire tout neuf, tout blanc, tout propre où il fait bon vivre, même à l'ombre de la faucille et du marteau.

3 janvier 1981

Montréal-New York
à bord du *SS Veracruz*

Ce lundi matin, fin juillet, dans le golfe Saint-Laurent à l'est des îles de la Madeleine, le Dolphin Lounge du paquebot *SS Veracruz* ressemblait fort à une salle d'urgence de la Croix-Rouge pour réfugiés asiatiques, à cela près que c'était des Asiatiques qui se promenaient à travers les malades québécois et américains.

Des Coréens et des Philippins, membres de l'équipage, ainsi que des Jamaïquains et autres Antillais qui contemplaient les victimes du mal de mer enveloppées dans des couvertures, rendant l'âme entre autres choses, et se demandant par quelle infernale magie ils se trouvaient là, après avoir déboursé 100$ par jour par personne pour éprouver les mauvais tours que peuvent jouer les canaux semi-circulaires de l'oreille interne lorsqu'ils partent en folie, au gré des ondes marines.

Dehors, il faisait un temps normal pour ces latitudes canadiennes: froid, brume et pluie.

Pourtant, la veille, dans les eaux paisibles du fleuve à la hauteur de l'île d'Orléans et de l'île aux Coudres, la soirée annonçait une croisière plus joyeuse. On s'était amusé à des jeux de société dans le Dolphin Lounge; des hommes s'étaient déguisés en femmes, ces dernières avaient été invitées à larguer leur soutien-gorge, ce qui avait donné lieu dans certains cas à des productions étonnantes d'attelages qui n'étaient pas sans rappeler la montgolfière primitive, le hamac militaire ou le foc ballon de la coupe America. Et puis le clou, ç'avait été la cueillette des dentiers des passagers lors d'un jeu dont la subtilité m'avait échappé, le dégoût l'emportant sur le sens de l'observation de mes contemporains.

Bref, nous naviguions bas mais sur des eaux calmes. Mais ce lundi matin ce n'était plus par jeu que les dentiers quittaient leurs rampes de lancement.

Vous me direz qu'en abordant de la sorte une croisière, je m'éloigne des brochures qui vous font voir la piscine du bord, les garçons qui servent les cocktails, les dames en tenue de soirée, les somptueux buffets et les cabines de luxe.

Mais on ne peut éviter cet aspect des croisières, surtout lorsqu'elles se déroulent dans le golfe Saint-Laurent et sur les côtes de la Nouvelle-Angleterre. Le mardi matin, en arrivant à Halifax, au moins une passagère a abandonné la croisière pour prendre le premier avion à destination de Québec. Elle avait acheté l'aller-retour sur le paquebot. En comptant son avion depuis Halifax, diverses taxes et ses dépenses pendant les trois jours où elle a été à bord, cela revient à peu près à 1 000$ par jour pour être malade. À part un hôpital américain, peu d'institutions au monde peuvent vous offrir la maladie à tel prix.

Tout ça pour dire qu'il vaut mieux acheter la croisière dans un sens seulement si j'en juge les commentaires recueillis à bord. Je n'ai rencontré personne parmi ceux qui avaient acheté l'aller-retour qui n'ait pas regretté cette décision. Certains envisageaient d'exiger un remboursement, ce qui n'est pratiquement pas possible, et on convenait unanimement que quinze jours c'était trop long.

Car le climat sous ces latitudes n'autorise pas, bien entendu, l'usage de la piscine et limite énormément les possibilités de s'étendre au soleil sur le pont, ce qui fait que les passagers doivent s'organiser à l'intérieur. Or le *SS Veracruz* est un très petit paquebot, de 10 500 tonnes, compte tenu du nombre de passagers qu'il embarque: sept cent trente-quatre passagers dans trois cent soixante-sept cabines. Cela veut dire des cabines minuscules et peu d'espace à bord, à part le Dolphin Lounge où sévissent les ennuyeux bingos et autres jeux insignifiants, le petit bar appelé Casino Lounge attenant au casino, un cinéma et un petit casse-croûte.

Le commandant Jens Thorn, un Allemand originaire de Lübeck, me confiait que par mauvais temps lorsque le navire est à pleine capacité, il y a des problèmes d'engorgement de passagers à l'intérieur.

Ce qu'il faut bien dire aussi, et c'est ce qu'il y a de plus grave, le *Veracruz*, qui bat pavillon de Panama et appartient à la Bahamas Cruise Line, fait ses frais non seulement à cause de l'exiguïté et du grand nombre de cabines, mais aussi à cause de la main-d'œuvre bon marché. Il faut voir ces Coréens et Philippins qui travaillent jusqu'à quinze heures par jour pour pratiquement rien et ces Antillais, majoritairement des Jamaïquains, qui servent aux tables de la salle à dîner, du petit matin jusqu'à 10h le soir. Les tensions sont évidentes parmi ces hommes de nationalités différentes qui logent en étroite promiscuité pratiquement dans les cales.

Mardi dernier, à la hauteur de Sept-Îles, un Antillais, John Hyppolyte, assassinait à coups de couteau son partenaire de cabine, le Jamaïquain Lloyd Kelly, par suite d'une querelle sur le partage de l'unique placard mis à la disposition de ces deux hommes d'équipage.

Nous sommes loin de la haute qualité mais le *Veracruz* est le seul à offrir des croisières sur le Saint-Laurent cet été avec des départs tous les vendredis, soit de New York, soit de Montréal, en alternance, et ce jusqu'au 2 octobre.

Ceci étant dit, la croisière du *Veracruz* dans ces régions ingrates permet, au départ de Montréal, de passer un agréable après-midi à Québec, ville qu'on redécouvre sur le plan touristique d'année en année et qui ne cesse de s'embellir avec sa place Royale, ses rues piétonnières adjacentes au Château Frontenac, ses terrasses et ses vieux murs. N'insistons pas sur Québec. Pour un Américain, c'est certainement le clou de la croisière au chapitre des escales. Et puis le dimanche se passe dans les eaux du Saguenay dont la féerie du décor nous est connue. Tout le monde brave le froid sur le pont pour apercevoir des baleines. Au microphone, on encourage les gens à guetter. Comme le mal de mer n'a pas encore commencé à faire des victimes, il y a plein de passagers avec leurs appareils photographiques en main, l'œil fixé sur la mer. Certains ont des ciné-caméras. Et puis, comme il n'y a pas de baleine, on se lasse vite de cette vigie. Par chance, lors de ma croisière, au moment justement où je venais de me dire «c'est assez», sont apparues deux cétacées d'un type particulier. Une baleine verte et une rose. Deux Américaines obèses, mangeant des hamburgers au casse-croûte entre les repas, peu intéressées à leurs sœurs marines mais d'une telle taille elles-mêmes qu'on les photographiait discrètement, histoire de ramener un souvenir unique.

Et puis, après deux nuits et une journée en mer, c'est Halifax où il est intéressant de visiter les Historical Properties adjacentes au port et qui sont constituées de belles boutiques, de restaurants, de terrasses, sur des promenades qui surplombent la mer. C'est là un bel exemple d'aménagement d'un coin de port. Et puis, les passagers peuvent entreprendre diverses excursions et visites de la ville. Ajoutons encore que l'arrivée du bateau en Nouvelle-Écosse est accueillie traditionnellement par deux cornemusiers qui s'époumonnent de toutes leurs outres sur le quai, au péril de nos oreilles certes, mais pour le plaisir des photographes du moment.

Moi, côté escales, c'est l'ineffable ville de Falls River au Massachusetts qui m'a le plus frappé. Non pas à cause des navires américains de la dernière guerre, comme le *US Massachusetts* et autres qui sont ouverts aux visiteurs, mais à cause de cette ville faite exclusivement d'usines de textile et de banques. Falls River, c'est un monument à l'ennui; pas un bistrot à l'horizon, pas un espace vert, pas un banc pour s'asseoir. Mais des usines et des banques entourées de commerces relativement minables. Je marchais dans ce désastre urbain lorsque j'aperçus trois hommes plutôt âgés, le teint basané, le cou plissé, les gros doigts trapus, le chapeau noir et l'habit brun. Je m'approche et constate qu'ils conversent en portugais moderne. Je continue et j'avise les bureaux d'un journal portugais, les «novidas» machin et je m'arrête devant la Tabaccaria Acoriana. J'entre et je m'adresse à l'un des barman qui ne comprend pas un mot d'anglais. Le patron vient à mon aide et je lui demande c'est quoi ce morceau de Portugal à Falls River. Il m'apprend que 80% de la population de la ville est d'origine portugaise, provenant pour 99% des Açores.

Il me dit qu'ils sont arrivés au début du siècle, la plupart pour travailler aux usines de coton, tout comme d'ailleurs un certain nombre de Canadiens français. Il y a en effet des Gagnon, des Desrosiers, des Plourde et même un concessionnaire d'autos qui affiche fièrement Poirier Pontiac. La langue s'est perdue mais les valeurs de base sont restées, comme les églises qui sont légion dans cette petite ville triste, dressée comme un témoignage éloquent du libéralisme économique du siècle dernier.

On peut faire à Fall River d'excellents achats de vêtements avant de s'embarquer de nouveau sur le pauvre *Veracruz* qui arrivera le lendemain à New York.

Si on aime l'air salin du golfe, la mer un peu agitée, les paysages du Saguenay, des Maritimes et de la Nouvelle-Angleterre, si on ne se formalise pas trop d'un certain mauvais goût dans les activités à bord et si on ne s'embarque pas en s'attendant à des spectacles de choix, si on ne s'attend pas à une expérience gastronomique inoubliable mais simplement à une table honnête, le *SS Veracruz* représente un assez bon rapport qualité-prix. C'est d'ailleurs le seul à parcourir cet itinéraire.

On pourrait avoir mieux mais tout compte fait, on pourrait aussi trouver bien pire.

14 août 1981

Sur l'air du *Song of Norway*

Puerto Plata, en République dominicaine. Dans les étroites rues de cette ville de 45 000 habitants, entre la mer bleue et le sommet de la montagne Isabel de Torres, il y a partout des boutiques d'artisanat local et surtout de bijoux d'ambre ou autres objets.

Mais attention: même si les mines d'ambre se trouvent à proximité dans cette partie nord-ouest de l'île, près de la frontière d'Haïti, il n'est pas nécessaire d'être expert pour constater que le bijou d'ambre entièrement taillé à la machine dans le plastique véritable est une denrée fort répandue et ma foi largement achetée par le touriste en escale.

Car Puerto Plata est un port d'escale pour les paquebots qui sillonnent la mer des Antilles. Nous, à bord du *Song of Norway*, c'est notre première escale depuis le départ de Miami. Tandis que le gros navire fait marche arrière, entre la carcasse d'un vieux cargo échoué à tribord et, à bâbord, les murs de la forteresse San Felipe, construite en 1520, les passagers voient naître l'animation sur le quai où déjà des danseurs en costumes folkloriques s'agitent et où s'allonge la queue des petits autocars qui conduiront les passagers dans la ville et dans la campagne environnante, notamment aux superbes plages Dorada ou Grande, avec inévitables arrêts aux boutiques des parents ou amis du guide ou du chauffeur. Bref, du parcours classique. Ici plus qu'ailleurs, cependant, parce qu'il n'y a qu'un bateau à la fois et parce que le bateau est pratiquement le seul, ou en tout cas le plus important transporteur de touristes, le passager est accueilli aimablement, comme un bon pourvoyeur de dollars. Comme le seront bientôt les Québécois qui menacent d'envahir l'île.

Pas moyen de passer inaperçu, de se faufiler le long des amarres comme le notaire du bled faisant sa marche de santé. C'est le débarquement agressif, majoritairement américain et il est superflu d'ajouter que les troupes ne manquent pas de couleur.

Déjà, ceux qui font la queue sur la passerelle lancent des pièces de monnaie aux danseurs essoufflés qui leur crient des «amigos» enthousiastes tandis que déboulent sur le quai les premières lignes de front, armées d'appareils photographiques, coiffées de paille, vêtues de tissus fleuris et voyants, drapées d'étoffes éblouissantes allant des blancs purs aux rayures — mais pas aux tailles — de guê-pes, en passant par des vert pomme et rose saumon agres-sifs.

Les chauffeurs d'autocars lancent la première riposte. Ils attaquent les maris surtout, mais comme ces derniers souvent ne retrouvent plus leurs femmes dans la mêlée, ils font marche arrière et se replient du côté de l'embarcadère pour retrouver leurs alliées respectives.

Spectacle plaisant, haut en couleur, animé, plutôt bref car bientôt tout le monde est parti à la découverte de Puerto Plata et sa banlieue, où les voyageurs du jour se croiseront, se reverront aux mêmes endroits, achèteront les mêmes souvenirs et se feront escorter par les mêmes «secrétaires». Car le secrétariat est une solide profession à Puerto Plata. Il s'agit de jeunes garçons qui, que vous le vouliez ou non, vous accompagnent en vous annonçant qu'ils sont votre secrétaire particulier. Cela ne consiste en rien d'autre que de marcher près de vous, vous demander d'où vous venez, parfois vous offrir quelques coquillages «à rabais», vous attendre dehors si vous vous arrêtez au restaurant et, bien entendu vous demander des sous lors-que la tournée se termine.

Parfois leurs sœurs pratiquent un autre type de secrétariat, à l'horizontale, qui trouve également preneurs parmi les passagers solitaires ou auprès de ceux qui ont réussi à semer leur dame autour de la belle place du centre de la ville et dans les petites rues bordées de jolies maisons victoriennes.

Malgré tout cela, aucune agression, personne de désagréable, des gens pauvres mais fiers et vivant dans cette région fort belle de la République dominicaine. Personnellement, c'est l'escale que j'ai préférée bien que Puerto Rico ne soit pas dépourvu de charmes et que Charlotte-Amalie, capitale de Saint-Thomas, présente un attrait certain.

Le *Song of Norway*, après toutes ces émotions, reprend la mer vers 17h avec ses quelque neuf cents passagers dont certains ne sont pas descendus à terre et ne descendront ni à Puerto Rico ni à Saint-Thomas. Il y a comme ça des amateurs de croisières qui ne descendent jamais aux escales. Ils profitent pleinement des repas servis à bord, des activités qui ne s'arrêtent jamais, même lors des escales, de la piscine, du soleil, de leur cabine et des prix plus bas à bord que dans les ports.

J'ai déjà parlé du phénomène des croisières, des critères de qualité des nombreux navires qui se disputent une clientèle importante dans les Caraïbes et de leurs prix concurrentiels par rapport à toute autre forme de voyage. Le *Song of Norway*, comme ses deux semblables de la Royal Caribbean Cruise Line, le *Nordic Prince* et le *Sun Viking* et bientôt le tout nouveau *Song of America*, appartient à la catégorie des navires de qualité, comme beaucoup d'autres d'ailleurs, et se caractérise par une propreté remarquable sur de tels navires, beaucoup d'espace pour les passagers, une cuisine de haute tenue, d'innombrables services et un équipage professionnel, depuis le commandant norvégien jusqu'au plus humble garçon de table en passant par le médecin, le chef des cuisines et les animateurs. Sur ces navires, à cause des bonnes conditions de travail, des salaires plus décents qu'ailleurs et l'hébergement de l'équipage dans des cabines plutôt que dans des dortoirs sordides, les employés veulent garder leur place et l'armateur peut se permettre d'être exigeant au chapitre de l'embauche.

Cela compte pour les passagers qui bénéficient de services professionnels à bord d'un navire toujours à l'heure, d'une propreté toute scandinave et d'un très grand confort. J'ai visité l'hôpital du *Song of Norway*, mais c'est la cuisine qui m'a le plus impressionné. On pourrait carrément manger sur le plancher de la cuisine, que ce soit du côté de la boulangerie ou ailleurs, tant cet endroit est astiqué et brillant de propreté.

Il faut, en effet, parler de ces endroits que les passagers ne visitent habituellement pas car s'ils le faisaient, ils perdraient bien souvent l'appétit à bord de plusieurs «palais» flottants.

Le *Song of Norway*, outre son petit salon aménagé à même la cheminée — d'où l'on peut voir tout autour du navire à une hauteur équivalant à dix étages au-dessus de la mer — est doté d'un système de recyclage de ses fumées d'échappement. C'est un détail qui peut intéresser les écologistes, mais ne laissera pas froid celui qui, allongé sur sa chaise près de la piscine, aura connu sur d'autres navires les retombées de suie noire qui souillent tout sur le pont.

La mer des Antilles, en dehors de la période des ouragans à la fin de l'été, est d'un calme assez étonnant, avec cependant toujours une bonne brise. Une croisière de sept jours est certainement très typique et, pour ma part, j'avoue qu'après une semaine, malgré les escales et la vie à bord, j'ai hâte de descendre. J'ai surtout apprécié que l'itinéraire soit planifié de telle façon que les deux derniers jours se passent en mer.

Vous quittez le port de Miami à 17h le samedi. Toute la journée du dimanche se passe en mer et vous arrivez à Puerto Plata le lundi matin à 8h30 où vous attendent les petits secrétaires, les vendeurs d'ambre, une magnifique petite ville, des plages de sable blanc et un paysage d'une grande beauté. À 16h30, on reprend la mer pour Puerto Rico où on accoste le lendemain matin, à 9h30. San Juan, c'est le Miami des Antilles avec ses gratte-ciel, ses innombrables boutiques, ses restaurants, mais aussi la vieille ville où l'on restaure de beaux vieux édifices et la forteresse El Morro qui surplombe l'entrée du port.

Ici, à Puerto Rico, on peut passer la soirée à terre si on veut car le navire ne quitte le port, qui est au cœur de la vieille ville, qu'à 2h du matin. Six heures et demie plus tard, à 8h30, le mercredi matin, on entre dans la magnifique baie de Saint-Thomas. Beaucoup de passagers, malmenés peut-être par l'escale portoricaine, oublient de se lever ce matin-là et ratent, hélas, le spectacle de l'entrée en rade de Charlotte-Amalie parmi les voiliers qui dansent dans la baie, au pied des sommets verts et déjà ensoleillés. On a jusqu'à 18h pour se balader dans cette ville, qui est en quelque sorte une immense boutique hors taxe encore toute chaude de son appartenance danoise par son architecture, les noms de rues et les arcades commerciales où se cachent des trouvailles. On aura bien fait d'attendre Saint-Thomas pour faire ses emplettes, même si le «hors taxe» ne signifie pas plus ici que dans les lamentables boutiques «hors taxe» des aéroports.

On peut traverser la baie à bord du radeau Kon-Tiki pour aller passer l'après-midi à la plage; on peut faire une excursion de plongée sous-marine; on peut faire le tour de l'île, ou se consacrer au shopping dans l'une des plus belles villes des Antilles. Et puis le jeudi et le vendredi se passent en mer, tranquillement, entre la salle à dîner, la cabine climatisée, le cinéma, les ponts, la vraie piscine. Je dis la vraie piscine parce que, contrairement à beaucoup de navires qui n'ont qu'une sorte de trou, genre baignoire, en guise de piscine, celle du *Song of Norway*, comme celles des autres bateaux de la compagnie, fait six cents pieds carrés.

Le commandant Tor Stangeland informe quotidiennement les passagers de la marche du navire, des prévisions
météorologiques, des distances à parcourir, etc. Les passagers reçoivent également tous les matins le bulletin de nouvelles internationales. On peut suivre la crise polonaise,
les pourparlers entre l'Égypte et Israël, les tempêtes de
neige au nord, les guerres au sud et les résultats des matchs
de la Ligue nationale.

On peut aller au gymnase du bord, tirer le pigeon
d'argile, se faire coiffer, aller à la bibliothèque, jouer aux
machines à sous, aller au cinéma, participer aux innombrables activités, fréquenter les bars à tribord et à bâbord,
parier à des courses de chevaux sur films, courir les filles,
lire, dormir, se plaindre du coût de la vie et de l'inflation et
pousser les cris horrifiés habituels en apprenant la température qu'il fait chez soi, c'est-à-dire sous la calotte polaire
dans notre cas.

Je le répète pour la énième fois: la croisière est pour
moi une des meilleures vacances qui puissent exister, à la
condition qu'elle n'excède pas, je dirais, dix jours, qu'elle
se fasse sous des latitudes clémentes et que le navire, condition primordiale entre toutes, appartienne à la catégorie
des navires de qualité.

5 février 1982

UN VOYAGE EN VOIE DE DISPARITION

L'Atlantique sur le *Queen Elizabeth II*

L e représentant de la Cunard Line avait tenté de me dissuader d'entreprendre une croisière en avril, c'est-à-dire la traversée de l'Atlantique, à bord du *Queen Elizabeth II*. Il m'avait fait valoir le froid et le mauvais temps qui sévissent encore sur l'Atlantique-Nord à cette époque et il m'avait dit: «Attendez donc en juin.»

No sir, parce que moi, un bateau sur la mer qui ne bouge pas plus qu'une pyramide d'Égypte, ça m'ennuie et me blase très vite.

Au contraire, je souhaitais une solide tempête et, ce mercredi 7 avril, tout annonçait du sérieux côté vents, bourrasques, froid et tempête. L'est des États-Unis subissait une forte dépression, des tempêtes de neige avaient balayé plusieurs États et tout était vraiment en place pour un début de traversée intéressant comme je les aime.

Mais j'ai bien failli rater le bateau à cause de ma valise qui n'était pas au rendez-vous à l'aéroport La Guardia. Je crois avoir déjà écrit sur le sujet, aussi je ne reviendrai pas sur ces banales histoires de valises. Quand je suis arrivé en trombe au quai avec ma valise sur l'épaule, parce que la poignée avait été arrachée, j'ai été la dernière âme à m'engouffrer dans le gigantesque paquebot avant qu'on retire la passerelle.

Je n'ai pas eu le temps de me familiariser avec les lieux avant qu'on appareille, de sorte que, tout en naviguant le long de Manhattan vers le large, j'essayais de me retrouver dans ce navire de 67 000 tonnes, d'une hauteur de treize étages, transportant deux mille passagers et mille membres d'équipage, possédant quatre piscines dont deux intérieures, un cinéma de cinq cent trente sièges, quatre restaurants, treize salles communes dont un casino, neuf cents cabines, des arcades de boutiques et plusieurs kilomètres de passages. Certes, tu sais que ta cabine est la 1090 sur le One Deck à l'escalier G, mais ce n'est pas facile à trouver lorsque tu es sur un autre pont et à une extrémité du navire. Tu es bloqué par une salle quelconque. Il faut remonter d'un étage, faire une bonne marche vers l'avant, redescendre, revenir vers l'arrière, prendre l'ascenseur et souvent, te retrouver juste là où tu te trouvais avant d'entreprendre la recherche de ta cabine.

Et puis tu n'es pas le seul égaré à bord. Il y a plein de gens qui se consultent dans les couloirs, qui échangent des opinions quant à l'emplacement de leurs cabines, qui discutent. Parfois elle veut aller à bâbord mais lui affirme que son quartier général est à tribord.

Mais il y a des membres d'équipage, tous plus britanniques les uns que les autres, fort gentils, qui te remettent sur la bonne voie à moins qu'eux aussi (et j'en ai rencontré) soient légèrement égarés.

Pas étonnant le cas de ces deux braves garçons d'un quelconque village de l'Ohio qui ont renoncé, séance tenante, dès le départ de New York, à se retrouver dans le *Queen Elizabeth II*. Eux, ils avaient repéré un bar bien avant leur cabine et ils s'étaient tout de suite mis à ce qui allait être leur principale activité de la traversée: l'ingurgitation de scotch. Ils donnaient un pourboire à n'importe quel employé pour se faire conduire à leur cabine. Même scénario en sens inverse, c'est-à-dire de la cabine au bar le plus proche.

Un jour, on ne les a pas vus. Certains passagers s'inquiétaient et chacun pensait qu'ils récupéraient de la veille. Mais peu après l'heure du thé, ils ont fait leur apparition, escortés d'un membre d'équipage. Ils étaient fin saouls. Alors ils ont expliqué qu'ils avaient découvert le complexe système de commander des boissons à leur cabine. À Southampton, ils se sont fait conduire à la passerelle de sortie et sont disparus dans les brouillards du soir. Le *Queen Elizabeth*, ils ne l'ont à peu près pas vu, pas connu et ils l'ont peut-être même oublié. C'est une façon comme une autre de voyager.

Bon, mais lorsque le bateau pilote nous a lâchés à la sortie du port et que nous nous sommes engagés sur une mer assez déchaînée avec un vent de force 9 et des lames d'une quarantaine de pieds, j'ai constaté que malgré un solide roulis, ce bateau était d'une étonnante stabilité. Normalement, par un temps pareil, c'est du sport. Mais sur cet énorme bateau, il n'y a presque pas de tangage et cette masse file ses vingt-cinq nœuds allégrement. Le lendemain jeudi, la mer était grosse mais s'assagissait. Le mal de mer faisait quelques victimes, mais moins grâce à ces fameux petits disques de scopolamine que plusieurs passagers se collaient à l'oreille. On dit que ça fait des miracles et les témoignages recueillis à ce sujet me portent à le croire. Pour le reste de la traversée: mer calme. On se serait cru sur le lac Tibériade par un soir serein.

Le commandant Alex Hutcheson n'en revenait pas. «Normalement, m'a-t-il dit, l'Atlantique-Nord, à cette période de l'année surtout, devrait être beaucoup plus tumultueux.» Et le vendredi 9 avril, il faisait assez chaud pour que certains se risquent, en maillot de bain, au soleil sur le pont arrière.

J'ai déjà eu l'occasion de parler des paquebots qui nous proposent toutes sortes de croisières dans les Antilles, en Alaska, sur l'Atlantique, dans la Méditerranée et ailleurs. Il m'a été donné d'évaluer la qualité parfois très relative de ces navires dont les propriétaires, eux aussi, font tout pour minimiser les coûts d'opération.

Il ne fait aucun doute que le *Queen Elizabeth II*, le

plus grand de tous les paquebots à naviguer actuellement, fait partie de la catégorie grande qualité. Propreté, bonne tenue, confort, avec un taux de trente-trois tonnes de déplacement par passager, ce qui le place nettement au-dessus de la moyenne. On divise le nombre de tonnes de port en lourd du navire par le nombre de passagers qu'il peut embarquer et on se méfie des navires qui font moins que quinze.

Bref, un immense palace aux cabines spacieuses, chacune munie d'une salle d'eau complète. Un service complet aux cabines, c'est-à-dire la possibilité d'y prendre tous ses repas, ce qui n'est pas commun, et d'immenses salons où se produisent au cours de la journée des conférenciers de toutes disciplines, des artistes, et où, tous les soirs, des spectacles de bonne tenue sont présentés aux passagers. Il y a le casino, le cinéma, la bibliothèque, une salle de cartes, un sauna, un bain turc, deux piscines intérieures, un hôpital, une salle de jeux pour les enfants, des boutiques, etc.

Je chicanerais légèrement le *Queen E.* sur la restauration. Très souvent les passagers de ces navires, les Américains et les Canadiens surtout, portent des jugements sur la quantité des portions servies. Or, avec les petits déjeuners gargantuesques, les déjeuners non moins copieux, les collations l'après-midi, le dîner et le buffet de minuit, rechigner sur la quantité devient presque scandaleux. La qualité des produits est également indiscutable, mais quel que soit le restaurant qui vous est assigné à bord, c'est une grosse cuisine de masse que même les fantaisies, le service impeccable, le décor, les couleurs n'arrivent pas à masquer. C'est un navire extrêmement anglais, ne l'oublions pas, ce qui explique l'excès de viandes trop cuites, agrémentées de diverses confitures, de pois bouillis et de maïs en grain.

On sent le réchauffé dans tout cela, l'impersonnel, la cuisine d'institution, malgré l'abondance et la qualité des produits.

Dans l'ascenseur de l'hôtel Polygon, à Southampton, j'ai surpris une conversation entre un couple fraîchement débarqué du *Queen Elizabeth II* et des amis venus les accueillir. «Et avez-vous bien mangé? de demander l'Anglaise à la passagère américaine. — Comme ci, comme ça», s'est contentée de répondre cette dernière, ce qui laisse songeur sur les expériences gastronomiques du *Queen E.*

Il ne s'agit pas de donner à entendre qu'on mange mal et qu'il faut fuir les quatre restaurants de ce navire, mais il y a là certainement, une mauvaise note à donner, surtout quand on songe qu'il y a des cabines à 20 000$ pour la simple traversée de l'Atlantique.

Tel n'est pas le prix d'une cabine ordinaire. En réalité, il y a une infinité de combinaisons de tarifs comme par exemple l'aller simple (entre 1 200$ et 2 590$) mais le retour gratuit à bord, y compris deux jours payés à l'hôtel, en Angleterre ou en France. Il y a les croisières dans les Canaries, entre deux traversées; il y a le tarif aller simple sur le navire et retour en avion avec un montant forfaitaire de 500$ par personne, offert par Cunard, intégré au tarif normal de l'avion, etc.

La Cunard Line a été la première à offrir des traversées sur des navires à horaires. Samuel Cunard, né à Halifax, avait conçu l'idée, en 1836, d'offrir un service régulier entre l'Europe et l'Amérique. Le premier navire à faire ces traversées fut le *Britannia*, en 1840. Il jaugeait 1 154 tonnes et mettait quinze jours, avec des voiles et un moteur à vapeur, à relier New York et Liverpool. Le *Queen Elizabeth II*, avec ses 67 000 tonnes et ses vingt-sept nœuds de moyenne — la traversée dure cinq jours — semble être le dernier survivant de cette épopée maritime de cent quarante ans.

Mais attention. Ne faites pas l'erreur que j'ai commise. Le sachant anglais comme pas un, j'avais imaginé que la livre sterling serait accueillie à bras ouverts à bord du *Queen E.* Alors j'avais fait provision à Montréal de ces livres avec d'autant plus d'enthousiasme que la crise argentine la précipitait vers le bas. Mais une fois à bord, je devais apprendre que oui, bien sûr, on honorait la livre mais en surestimant sa valeur. À la Banque de Montréal, elle valait 2,20$ la veille du départ (en dollars canadiens) mais à bord, elle se négociait à 2,50$. Il est vrai qu'on n'est pas obligé de dépenser beaucoup à bord mais il y a les pourboires inévitables, les boutiques, divers services, le casino, etc. Il faut s'y résoudre. Pour les dépenses sur le bateau, le mieux est d'avoir des dollars américains.

Voilà donc un navire de grand confort où, malgré le nombre de passagers, il n'y a jamais d'engorgement et où personne ne se marche sur les pieds. Il est d'ailleurs étonnant de voir de nouveaux visages tous les jours, y compris le jour de l'arrivée, lorsque le paquebot s'avance majestueusement entre la côte sud de l'Angleterre et les caps de l'Île de Wight pour faire son entrée à Southampton et que les passagers se rassemblent sur les ponts. Il y a là des gens qu'on n'a encore jamais vus tant le bateau est grand et tant il y a de lieux de rassemblement à bord.

On a aussi cette étrange impression d'accomplir une sorte de voyage en voie de disparition. Non pas la croisière d'île en île dans le Sud mais une traversée de l'Atlantique à bord d'un paquebot qui est peut-être le dernier représentant d'une grande lignée.

Il fallait que tout cela fût anglais comme la gelée de menthe du gigot, les *triffles* au dessert et la dernière tasse de thé que l'équipage nous offre avec les inévitables «scones», alors que le bateau entre lentement dans la rade d'où partait jadis lord Nelson pour découvrir le monde.

23 avril 1982

Mon carnet électoral

Discrétion campagnarde

Dans les comtés ruraux, où chacun se connaît, où les indiscrétions de l'œil et de l'oreille sont largement rachetées par la prudence de la parole, on n'annonce pas facilement sa couleur politique.

Demander carrément à quelqu'un pour qui il vote, c'est comme demander à un Français combien il gagne par mois. C'est presque une insulte, comme ouvrir une lettre qui ne nous est pas adressée. Aussi, à mon premier contact rural lors de cette campagne électorale, quand j'ai demandé aux deux seules occupantes d'un restaurant-épicerie, sur la route 259, entre Sainte-Perpétue et Sainte-Monique, pour quel candidat elles allaient voter dans leur beau et grand comté de Nicolet-Yamaska, la réponse n'a été ni directe, ni facile, ni rapide, ni claire.

Décrivons donc d'abord brièvement ces deux femmes dont le nombre d'années vécues a dépassé depuis long-temps celui des années à vivre.

La plus facile à circonscrire par la plume est la grosse grisonnante au sourire figé, au geste mitigé, mais dont les mains généreuses nous disent qu'elle sait cuire le pain et que sa soupe au chou doit aller chercher au moins dans les 1 000 calories par assiettée.

Sa compagne est plus originale. Plus petite, elle paraît plus menue à première vue. Mais c'est une illusion. Ce sont ses vêtements qui la resserrent et la contractent. Elle, elle veut être coquette, mais la guerre à son embonpoint ce n'est pas par le produit chimique, la gymnastique ou le régime alimentaire qu'elle la livre. C'est une guerre physique de tous les jours, par la gaine renforcée, le maintien de la respiration, la contraction et la centraction. Ses pieds débordent de ses chaussures qu'elle doit enfiler avec une barre à clous. Sa robe n'autorise pas la position assise. Il aurait fallu qu'elle fasse venir par catalogue une quarante ans pour contenir ses cinquante pouces de tour de taille mais elle se voyait assez dans du quatorze ans. Moi je la vois mal. Elle est momifiée par son vêtement, c'est un concentré de femme: la femme-garrot, la femme-étau, la femme-oxo.

«On vote pas!» souffle-t-elle en me regardant de ses petits yeux malins légèrement exorbités par la pression ci-haut expliquée.

«Nous autres, vous savez, les élections on ne se mêle pas de ça, ment la deuxième.

— Qui sont les candidats, ici?

— Monsieur Serge Fontaine, halète la femme-comprimé en parlant du candidat de l'Union nationale.

— Il y a aussi M. Benjamin Faucher, le député libéral», ajoute l'autre pour mieux marquer une objectivité qui s'arrête là puisqu'elles ne connaissent ni le péquiste, ni le créditiste.

Elles me confient que le notaire Fontaine est appuyé par l'organisateur en chef de l'Union nationale et ancien député unioniste du comté, M. Clément Vincent, et elles savent où se trouve son comité organisateur. Bref, ce sont deux bonnes unionistes mais elles ne l'ont pas dit. Elles ont respecté la prudence paysanne en obligeant à la déduction.

J'en déduis donc qu'il y a des unionistes dans Nicolet-Yamaska. En 1973, un vieux fermier m'avait dit ici même: «Clément Vincent est parti pour se faire battre. Si ça arrive, il n'y aura pas un seul député de l'Union nationale.» Bravo. Il avait vu juste. En 1973, le vétérinaire libéral Benjamin Faucher ramassait 11 126 votes tandis que le bon Clément se contentait de 6 337 voix. Le péquiste Pierre Gaudet récoltait 3 233 votes et le créditiste Guy Dufour obtenait près de 2 000 voix. Bref, malgré la popularité de Clément Vincent dans ce comté dont presque la moitié des électeurs vit sur la ferme, le libéral obtenait presque autant de votes que tous les autres réunis.

Cette année, il y a le mécontentement dont parle l'organisateur du candidat péquiste Jean-Paul Touchette. Seulement, avez-vous déjà vu un producteur de lait content? Moi pas. Le mécontentement agricole, il est classique. Il fait partie de nos us et coutumes. Pourtant, un curé de Nicolet m'a affirmé samedi, sur un ton amène (ce qui est de très bon ton pour un ecclésiastique), qu'on pourrait assister à un retour de l'Union nationale. Le mécontentement général, la présence plus forte de l'Union nationale avec son chef Biron, l'accroissement probable de la popularité péquiste même dans cette circonscription où la Loi 22 ne touche pas plus les gens que l'interdiction de chasser le kangourou en Finlande, il se pourrait que l'Union nationale profite de la lutte à trois. Allez donc savoir!

Moi, l'analyse des comtés c'est ma hantise. Je me trompe presque systématiquement dans mes prévisions. C'est le gros risque du journaliste en pareilles périodes. Mine de rien, il trahit sa préférence personnelle en retenant les facteurs qui l'avantagent et néglige les défavorables. C'est humain.

Dans mon cas, il serait bon de mettre tout de suite les choses au clair: je m'en fous. Je préfère les gens aux partis mais les gens se taisent.

Je suis d'accord avec eux!

1er novembre 1976

Le vote des jeunes

Autour du mail Saint-Roch, à Québec, les jeunes filles d'humble origine portent des jeans neufs: mais la veste est en faux cuir et le col en fourrure synthétique. À Sainte-Foy, en revanche, au cœur du comté de Louis-Hébert, dans les rues bourgeoises, la veste est souvent signée Cardin et le chemisier sort de la boutique 20-20 mais le jean est usé, délavé, et même déchiré dans le plus snob des cas. C'est le paradoxe social du jean.

C'est aussi très souvent le signe probant d'un vote péquiste en puissance. Le tout est de savoir si ce vote sera exprimé. Pour les organisateurs de M. Claude Morin, qui affronte M. Jean Marchand dans ce comté huppé, le vote des jeunes est primordial parce qu'il représente 25% de l'électorat.

Sur 44 000 électeurs inscrits, plus de 12 000 ont moins de vingt-quatre ans. Ils sont étudiants, chômeurs de luxe, travailleurs, artistes, très majoritairement péquistes, un tantinet blasés, légèrement dilettantes et pas particulièrement militants.

Pour qui votera par exemple le fils de famille de cette belle maison de briques jaunes, au porche colonial, devant laquelle gisent une vieille carcasse de Peugeot et une motocyclette en pièces? La maison d'un père qui a perdu ses illusions probablement, qui rêvait des plus hauts sommets pour son fils, mais qui est tombé sur le mauvais jeton, le rejeton-cambouis. Le garçon hirsute, à rebours, contrariant, désordonné, boutonneux, pour qui, à la fin et à la rigueur, on se serait peut-être résigné à une carrière d'artiste ou d'amateur de radio amateur, mais qui ramène impitoyablement à la maison des vieilles bagnoles, de la graisse et de l'huile, pour le plus grand plaisir des voisins qui se disent qu'ils ont mieux «réussi» avec leur progéniture. Le fils-tuile, l'enfant-bourreau, le garçon-croix. Mais est-ce qu'il votera seulement?

Difficile à dire. On sait qu'à l'Université Laval, en 1973, sur les 1 200 inscrits (étudiants et professeurs) 1 100 ont voté pour le PQ. Cette année, à cause de la grève à Laval, il y a 350 inscrits et le PQ s'attend à perdre 800 voix de ce côté-là. La majorité du candidat libéral dans Louis-Hébert en 73 avait été de 700 votes.

Il n'y a pas que les étudiants et l'absentéisme des jeunes est souvent le simple fruit d'une négligence et d'une indifférence qui peuvent être le salut des libéraux dans certains comtés comme Louis-Hébert.

J'ai rencontré un jeune au restaurant Marie-Antoinette, sur le boulevard Laurier, dans Sainte-Foy, qui m'a dit pourquoi il ne voterait pas le 15 novembre. «Tous les partis, a-t-il tranché, c'est de la marde.»

Il avait une barbe qui mérite un commentaire. Énorme, touffue, abondante, lourde et désordonnée. Une barbe sans laquelle son propriétaire ressemblerait peut-être à une nouille au beurre mais qui lui confère cet air sérieusement anarchique. Une barbe dont l'allure raspoutinienne nous dit qu'elle a résisté aux ires parentales, qu'elle a bravé l'ironie, le mépris et l'opprobre publics, qu'elle a survécu aux débuts d'incendie causés par des mégots de «pot» de fins de tournées, qu'elle a affronté des soupes gratinées brûlantes tout autant que froids et poudreries, qu'elle ne s'est pas dérobée devant l'adversité, qu'elle a fait face là où le visage qu'elle cachait aurait peut-être blêmi. Bref, une barbe ayant une histoire; une histoire plus intense probablement que celle de son propriétaire.

Ce dernier n'est pas léniniste, ni même marxiste. Son originalité n'est pas d'appartenir à une formation peu courue; elle consiste à être politiquement incolore. Il n'y a pas d'autres arguments que tous les partis sont pareils et dirigés par des gens corrompus ou qui le deviendront. C'est là que j'ai parlé du «devoir du citoyen» et de «l'exercice démocratique de nos droits inaliénables». Il ne fallait pas. On ne discute pas de la révolution noire avec un policier sud-africain pas plus qu'on ne parle de la générosité des gens à un mendiant écossais.

L'homme-brousse en avait long à dire sur «l'exercice de nos droits» et de «nos devoirs de citoyens».

Pour lui, ces devoirs consistent d'abord à ne plus passer tout droit sur le trottoir quand on voit un blessé, un malade ou quelqu'un en difficulté. Il dit que les gens jettent leurs vieux papiers dans les parcs publics, qu'ils vident leurs cendriers d'auto dans les parkings, qu'ils détruisent leur environnement avec leurs imbécillités de motoneiges, qu'ils se nuisent entre eux, se déchirent, se volent dans le plus pur mépris de la saine démocratie. Il ajoute que les gens se font rouler par les gouvernements et que les grosses compagnies polluent les rivières au même rythme qu'elles garnissent les caisses électorales, sans rencontrer plus d'opposition dans un cas comme dans l'autre.

Il raconte que si Ottawa lui offre un emploi, il le prendra même s'il a autant à cœur l'unité canadienne que l'indépendance du Saraoui. Il fustige l'égoïsme de ses concitoyens, affirme que le parlement est un opéra-bouffe, qu'il n'y a pas de jeunes, qu'il n'y a pas de femmes, qu'il n'y a que des citoyens et qu'ils sont tous idiots de s'imaginer qu'ils sont gouvernés démocratiquement parce qu'il y a des élections. Il dit qu'il ne veut même plus en parler. Merci Noé.

«Si, termine-t-il, c'est l'exercice d'un droit que d'aller mettre un petit X sur une feuille une fois tous les quatre ans, moi je m'en passe.»

Est-ce que le Parti québécois pourra s'en passer aussi facilement dans Louis-Hébert? Ce n'est pas pour rien que le slogan réservé aux jeunes se lit: «Et si on commençait par voter.»

2 novembre 1976

Le vocabulaire

Maintenant que la campagne électorale est bien engagée, que les chefs de partis accusent et promettent et que les cinq cent cinquante candidats ratissent leurs comtés, même si plus de quatre cents d'entre eux seront battus, le vocabulaire électoral s'installe dans les comités organisateurs.

C'est comme une bible, un lexique, une langue d'usage dont les mots, en temps d'élection, ont une signification particulière.

Ainsi un «gros» candidat peut désigner un maigrichon mais dont la popularité et les chances de l'emporter lui confèrent la «grosseur» électorale. Lise Payette n'est pas nécessairement une «grosse» candidate même si elle a déclaré qu'elle «plongeait» au risque de faire chanceler le principe d'Archimède et que ses adversaires ont dit qu'elle était «parachutée» dans le comté de Dorion.

À la campagne, les organisateurs parlent fréquemment des «hauts» et des «bas» de comtés. Cela ne réfère pas à l'altitude des lieux. Le «haut» du comté est la partie éloignée du pôle d'attraction de ce comté où se concentre la population.

«Il est fort dans le haut du comté», dira un organisateur en parlant de son candidat. Et le jour des élections, au dévoilement du scrutin, lorsqu'une organisation se réjouira de son avance, il se trouvera toujours un gars de l'autre clan pour dire: «Attendez! Ne riez pas trop vite, le haut du comté n'est pas encore rentré.»

Il y a les assemblées de cuisine qui se font toujours

dans le salon. Il y a les «poteaux» qui sont des individus chargés d'animer un secteur du comté et qui, le jour de l'élection, s'occupent de «faire sortir le vote». Cela signifie encourager les gens à voter, les transporter au besoin, éviter l'absentéisme qui nuit généralement au parti au pouvoir.

Par les temps qui courent, les candidats «travaillent» leurs comtés par le porte à porte. On dit que l'élection se gagnera bureau de scrutin par bureau de scrutin, comté par comté, maison par maison. Des candidats s'attendent à «passer entre les deux», c'est-à-dire profiter d'une «lutte à trois» pour obtenir plus de voix que chacun des deux autres. Des organisateurs, dont la stratégie est de faire montre d'optimisme, assurent que leur candidat «est tout seul», c'est-à-dire seul concurrent sérieux et qu'il va «passer comme du beurre dans la poêle».

Les candidats qui n'obtiendront pas une certaine proportion du suffrage exprimé vont perdre le cautionnement exigé pour se présenter. On dira qu'ils ont perdu leur «dépôt». En 1973, il y avait un candidat nommé Dépôt justement. Il n'avait pas perdu son «dépôt» mais les blagues avaient été abondantes.

Dans les comtés ruraux surtout, les organisateurs vous disent presque systématiquement qu'ils «ne voient pas» leurs adversaires. C'est souvent une façon de déceler qui est le plus craint car c'est lui qu'on voit le moins. Si, par exemple, le libéral a peur de l'unioniste, il vous dira que le péquiste est «un bon petit gars mais pas connu dans le comté» et qu'on n'entend pas parler de l'unioniste. «On ne le voit pas.»

C'est l'aveuglement électoral. Et il est réciproque; c'est la cécité contagieuse parce que l'unioniste, curieusement, se demande où est le libéral.

C'est là qu'on parle de «machine» pour signifier l'organisation. «Sa machine est divisée», dira un organisateur de son adversaire. Et puis les feuillets ou brochures publicitaires qui sont des «pamphlets» et les slogans qui, il me semble, ont perdu en couleurs avec les années. On se fait dire que «c'est le temps des bleuets», le temps de s'en aller. On apprend qu'il nous faut «un vrai gouvernement» comme si l'actuel était un gouvernement pour rire. D'autres nous encouragent à «prendre nos responsabilités» et à voter pour une équipe responsable, laissant entendre que les autres sont toutes des irresponsables.

Et les slogans personnels sont moins pratiqués. Je me souviens, au Témiscamingue en 66, d'un candidat du nom de Gagnon dit Plante dont le slogan était «Gagnons avec Plante» et qui répétait que les «rouges allaient se faire planter».

Dans Terrebonne, il y a quelques années, un gros organisateur d'Eddy Monette, après quelques nuits d'insomnie et de cruels froncements de sourcils, avait pondu le slogan: «Aidez Eddy à vous aider». C'était peut-être pas la trouvaille du siècle mais c'était du solide, du concret; Eddy avait été magistralement battu néanmoins.

Si c'était un candidat médecin, on avait droit au slogan: «C'est le doc qu'il nous faut», ou encore le slogan par prénom: «Un vote pour Marcel c'est un vote pour le progrès» ou bien: «Fernand, il est capable».

Ça se perd et je trouve cela dommage. Les déclarations intempestives aussi. Un candidat d'Abitibi, propriétaire d'une blanchisserie, répétait que le gouvernement était un valet au service d'Ottawa mais en toutes lettres sur la façade de son établissement à La Sarre on lisait son nom suivi de «valet service».

Un autre avait promis, il y a seulement dix ans, que les «chars d'assaut communistes ne passeraient pas dans Charlevoix»; c'était son combat contre le RIN de l'époque. On se marrait.

Et naturellement celui qui avait déclaré: «Le Québec est au bord du gouffre actuellement mais nous, nous allons le faire avancer.»

Cette année tout est plus discret, plus filtré, plus intellectuel en quelque sorte. Les imaginations fonctionnent au ralenti. Ce doit être le froid. On ne fait pas des élections le 15 novembre dans un pays où l'été dure environ du 10 au 12 juillet.

3 novembre 1976

Carrefours polaires

Juste à l'entrée de Chicoutimi, à la croisée du boulevard Talbot et de la route conduisant au lac Saint-Jean, il y a un gars qui a intitulé son restaurant «Le Palmier vert». Mais croyez-moi, par les temps qui courent, le sapin blanc sur fond de ciel gris est énormément plus en vigueur que le palmier vert.

Et plus loin, comme pour enchaîner, il y a le motel «Parasol», lui aussi dans sa neige, bordé d'arbres chétifs qui font penser à des patères en chômage.

Mais malgré ces titres trompeurs, c'est l'hiver. C'est là que la poésie de Vigneault prend toute sa signification et sa vérité.

L'hiver est là pour rester. Il est déjà rigoureux, venteux, crispant, hostile avec parfois un rare rayon de soleil effacé, blême et givré.

Nous sommes au royaume de la pelle, du chasse-neige, du congère; au pays des vitres «thermos», des isolants, des isolés, des séparés et des séparatistes. Car ça vote pour le PQ en abondance à Chicoutimi dont la ville forme, à elle seule, la circonscription électorale. Pas étonnant. Quand on réussit à planter des palmiers verts et à ouvrir des parasols à ces carrefours polaires, c'est déjà un bon début d'indépendance.

Curieux, ce rêve québécois. On habite le pôle nord et on a des boutiques «Soleil», des hôtels «Miami» et des restaurants «Riviera». En France, il me semble, les choses restent à leur place. Le restaurant «Mistral» est à Toulon et la Place du Bûcher est à Rouen si je ne m'abuse.

Il serait temps qu'on ait ici des discothèques «La Souf-
fleuse», «La Poudrerie» ou «L'Engelure», qu'on ouvre des
hôtels «Polar Inn», qu'il y ait, par exemple, des Auberges
du Congère, des «Frigid Bars», des restaurants «La Congélation» (ce qui serait tout de suite plus franc) et des tavernes «Des Surgelés» (ce qui ferait plus vrai).

Donc le Parti québécois est l'adversaire de taille dans
les cinq comtés du Saguenay-Lac Saint-Jean et depuis
1973, il détient le siège de Chicoutimi où le député péquiste
sortant, Me Marc-André Bédard, est en quête d'un
deuxième mandat.

Tout laisse croire qu'il devance ses adversaires mais
au deuxième étage du comité du PQ, rue Lamarche, les
organisateurs craignent essentiellement trois choses: l'excès d'optimisme entraînant un manque d'ardeur des troupes dans la dernière semaine, l'absentéisme des jeunes de
dix-huit à vingt-cinq ans, et la perte de vitesse de l'Union
nationale au profit des libéraux.

Ce dernier facteur constitue la carte maîtresse du candidat libéral Roch Bergeron. Au grand comité libéral de la
rue Racine, au milieu de l'affiche, du slogan et de la photo
de M. Robert Bourassa, parmi les dames qui préparent des
listes et répondent au téléphone en servant le café, l'organisateur libéral, M. Gervais, fait le calcul suivant pour la
énième fois.

En 1973, Marc-André Bédard avait obtenu une majorité de 1 031 voix. Il avait gagné 12 359 votes par rapport
à 11 328 au libéral Marcel Claveau. Mais le député sortant
était nul autre que M. Jean-Noël Tremblay, représentant
l'Union nationale. M. Tremblay avait récolté plus de 4 000
votes.

Les libéraux se disent que parmi ces 4 000 votes, il y
avait plus de 2 000 «X» en faveur du candidat et non du
parti. C'était un électorat acquis à Jean-Noël Tremblay à
cause de son prestige personnel. Or la grosse question est
la suivante: «Où vont aller les votes de Jean-Noël?» Les

libéraux se sont accaparé l'organisateur personnel de Jean-Noël, M. Léo Bergeron et son équipe, qui courtisent les anciens partisans de M. Tremblay. Ce dernier ne se présente plus, naturellement, et le candidat unioniste est un certain Paul Decoste, ancien échevin de Chicoutimi. Si les libéraux et les péquistes maintenaient leur clientèle, mais que les libéraux allaient chercher un surplus de 2 000 votes chez les anciens unionistes, Me Bédard pourrait être battu.

Mais la grève de l'Alcan se poursuit. Elle prive depuis cinq mois 7 000 travailleurs de la région de revenus qui font vivre 35 000 autres personnes. Chicoutimi est une ville de services et de commerce et même si les hôtels dressent leurs «parasols» et que les «palmiers verts» proposent des raviolis en «spécial», le commerce souffre. C'est la révolte anti-alcanique, la huée au gouvernement, le poing levé à Bourassa et il se trouve que le candidat libéral est un des cadres de l'Alcan.

Ajoutons que Me Bédard a bien représenté son comté, que tout le monde parle de Marc-André Bédard à Chicoutimi comme si c'était un ami, que ce comté n'a pas été libéral depuis quarante ans et qu'une tempête de neige le 15 novembre aurait pour effet non seulement de blanchir le palmier, mais d'empêcher de voter les plus âgés, qu'on considère plus largement acquis au parti libéral.

À Jonquière, où le comté se ramène lui aussi à la ville, le ministre du Travail, M. Gérard Harvey, est frappé durement par l'alcanite. Il a été pris à partie lors de l'ouverture de la campagne et c'est à cette occasion qu'il a sacré en public. Gros scandale local. Mais il avait une majorité de 4 000 voix. On s'accorde toutefois à dire que le PQ, après Chicoutimi, est le plus menaçant dans Jonquière. Viennent ensuite Lac-Saint-Jean, Dubuc et Roberval, selon les péquistes. Il semble qu'à moins d'une vague péquiste, il n'y aura pas de changement dans les cinq comtés si ce n'est un affaiblissement des majorités libérales. Il convient de répéter que je me trompe assez souvent dans mes prévisions. Et puis moi, «Le Palmier vert», en guise de premier contact avec Chicoutimi, ça m'a sidéré. Que voulez-vous, je vois cela comme une nouvelle école littéraire: la poésie-audace, le genre-provocation, le style-défi, la nomenclature-rêve, l'illusionnisme nordique, le symbole polaire. J'aime.

4 novembre 1976

Deux mondes

À l'instar du messager du tsar qui traversait nuitamment la steppe dans sa troïka, entre Omsk et Irkoutsk, muni de son pot d'huile en feu pour éloigner les loups, le voyageur solitaire moderne qui affronte la route 155 entre Chambord et La Tuque a le temps de penser.

Moi je pense soudainement à mon ami Petros, restaurateur grec de son état, ayant pignon sur l'avenue du Parc, à Montréal, et dont vingt-deux de ses vingt-six dents restantes sont en or massif.

Lui, Petros, ce n'est pas son silence mais sa parole qui est d'or, bien qu'elle soit exclusivement grecque et anglaise, et il affirme qu'il ne vote pas au provincial parce qu'il ne reconnaît pas le gouvernement du Québec. Il rêve que tout le monde fasse comme lui pour que le gouvernement provincial soit effacé une fois pour toutes et qu'on n'en parle plus.

Petros, il est Canadien et cela lui suffit amplement. Il est allé à Québec une fois en quinze années d'aubergines farcies et son seul commentaire a été qu'il y faisait plus froid qu'à Montréal.

Ces propos, à première vue, peuvent paraître extra-électoraux, mais cette semaine passée à l'extérieur de Montréal à la faveur de la campagne en cours m'amène à constater plus que jamais la distance psychologique qui sépare la région métropolitaine du reste de cette province.

Montréal c'est sale, c'est gros, c'est vite, c'est étranger et ça baigne dans l'anhydride sulfureux. Beaucoup de chauffeurs de taxis sont arméniens ou unilingues slovaques.

Les rues sont jonchées de sacs à ordures les lundis et jeudis soirs, le meurtre y est une activité très pratiquée et la rue Saint-Jacques s'intéresse plus à la chute de la livre sterling qu'à une grève d'Hydro-Québec ou à une conférence fédérale-provinciale.

Nos restaurants grecs, chinois et portugais sont tenus par de vrais Grecs, Chinois et Portugais; ce sont de vrais Indiens derrière les comptoirs des boutiques hindoues; il y a des vrais Hassidim à barbiches et à calottes (kippah) sur la rue Esplanade, les synagogues sont peuplées de Juifs authentiques et les danseuses arabes sont de vraies Canadiennes françaises.

Alors les étrangers ça nous connaît. Le Montréalais, il est de toutes les origines et de toutes les langues, en s'accommodant de l'anglais comme dénominateur commun. La Loi 22, elle est présente dans sa vie, et l'immigration et l'indépendance du Québec constituent pour lui des sujets constants de conversation. Il vit dans sa ville comme l'abeille dans sa ruche et le reste est une abstraction. Le Québec, à l'exception de Montréal, il se le représente plus en chiffres, sous forme de produit national brut, de kilowatts-heure, de tonnes de fer, de bois de pâte et de minots.

En province, la Loi 22 on n'en parle même pas. L'immigration ne préoccupe personne et l'indépendance du Québec n'est pas chose urgente. On ne se rend pas bien compte que la région de Montréal, territoire cosmopolite et monstrueux, concentre environ la moitié de toute la population québécoise.

Et sans le dire trop fort, on n'aime pas Montréal. On y vient de temps à autre, histoire de se mettre à jour avec les dernières destructions de parcs et les plus récentes constructions de gratte-ciel, mais on en a vite marre. On retourne chez soi seulement un peu plus convaincu que l'anglais est un atout dans la vie.

Quand ma femme m'a dit textuellement au téléphone:

«As-tu vu ce que Bourassa a fait? Il va maintenant falloir apprendre l'anglais en 3e année,» c'était de la rigolade à Roberval. Ma femme parle parfaitement anglais; alors dans son univers montréalais elle se lance à la défense du français, c'est normal. Mais en province, au contraire, on souhaite assez un bon apprentissage de l'anglais. Il n'y a pas de problème, pas de menace, pas de quoi fouetter un chat.

Le «recul du premier ministre»? Où ça? Quand? Quoi?

Et puis le Montréalais se sent étranger malgré tout avec son ridicule complexe de supériorité en région éloignée de sa ville. On fait semblant de s'intéresser à la querelle en cours entre deux maires, au langage emporté d'un ministre local, à la dernière tempête. Seulement, comme ça nous prend au moins un Boeing 747 s'écrasant sur la Place Ville-Marie pour ressentir un début d'étonnement et un éveil lent de l'intérêt, le cœur n'y est pas.

Deux mondes dans un. Deux sociétés divergentes où la symbiose ne paraît même pas pensable. On comprend les partis politiques lorsque leurs assertions changent de sens selon qu'elles s'adressent à des milieux anglophones ou francophones. Bientôt, il y aura les langages montréalais et les autres.

Nous, ça ne nous suffit pas d'être différents du reste du Canada il faut que nous soyons différents entre nous.

Sur le bord des routes du Québec, il n'y a plus de faiseurs de chaloupes, mais les fabricants de roulottes et de maisons mobiles pullulent comme si on était devenu un peuple nomade qui ne se sent plus bien chez lui et qui se dit qu'il est temps de partir. Il me semble qu'il serait plus important de se rapprocher.

5 novembre 1976

Hommage aux indécis

Les sondages d'opinion publique font partie des campagnes électorales.

Jusqu'à ces derniers temps, ils disaient sensiblement la même chose, quelle que soit leur origine, la méthode devant être scientifique pour être crédible. Il y a bien ce qu'on a appelé la «guerre des sondages» lorsque les maisons CROP et IQOP ont commencé à se contredire, mais leurs chiffres au fond se ressemblent et s'ajusteront sans doute au dernier moment.

Les sondages répondent au besoin naturel qu'ont les gens de savoir à l'avance, à cette curiosité, cette horreur du vide, cette aversion pour l'inconnu. Et il paraît de plus en plus certain que les sondages scientifiques, menés par des maisons reconnues, traduisent de plus en plus des reflets exacts de l'opinion. On risque bientôt de connaître prématurément la couleur des vainqueurs. Par bonheur, cela demeurera impossible tant qu'il y aura des indécis. La vérité des sondages restera partielle, incomplète et conséquemment, modifiable.

Ô braves indécis qui maintenez le suspense jusqu'à la fin et nourrissez généreusement la supputation et la supposition parmi nos populations avides de vérité! Protecteurs bien aimés de la question, de l'interrogation et de l'inconnu! Défenseurs opiniâtres et courageux de l'inattendu et de la surprise! Mystérieux bienfaiteurs de l'attente! Sans vous, nous saurions déjà tout. Chacun pourrait repartir chez soi tranquille. Qui sait si un jour les élections ne seraient pas bêtement remplacées par des sondages sans couleurs, sans paroles et sans éclat. Vous contrôlez les sondages en sauvegardant leur mystère. Vous êtes ce point d'interrogation qui leur confère leur véritable intérêt.

Si vous avez fait votre choix en cachette (comme je vous soupçonne), continuez de ne pas le dire et répondez toujours et à jamais «indécis». Tenez-vous. Soyez nombreux et gardez-la jalousement jusqu'au bout, cette belle indécision dont il nous tarde tant de connaître la nature.

Le soir des élections, on ne parlera que de vous. On étudiera votre décision. Les experts mesureront votre énigmatique répartition. On vous attribuera des peurs, des courages, des idées que vous n'avez pas. Vous serez les étoiles de la soirée, les grandes vedettes de l'électorat. Merci.

Entre-temps, les sondages disent toutes sortes de choses qui ne manquent pas d'intérêt et qui peuvent permettre aux partis politiques de «rajuster leur tir», comme on dit. Moi, ce qui me frappe et m'amuse, c'est la personnalité de la clientèle des partis.

Par le dernier sondage CROP, on apprend par exemple que plus un électeur est âgé, plus il est acquis au Parti libéral. D'autre part, plus un électeur est instruit, plus il est porté sur le Parti québécois. C'est une donnée constante et ascendante selon l'âge et le degré d'instruction. Enfin, toujours à l'examen de la clientèle, on note que les anglophones sont majoritairement libéraux, tandis que les francophones penchent davantage pour le PQ.

Il est possible que les universitaires d'aujourd'hui qui font du calcul modulaire, de l'extrapolation paramétrique et de la prospective, et pour qui il y a longtemps que deux plus deux ne font plus quatre mais douze, naturellement, en arriveront à des conclusions différentes des miennes. Mais l'étude des tableaux dont il est ici question me conduit en ligne droite à cette conclusion saugrenue: l'électeur idéal et par excellence libéral est l'octogénaire analphabète anglais.

Comme quoi les sondages peuvent comporter des exa-gérations dans leurs données prises globalement et peuvent aussi avoir des effets insoupçonnés sur l'électorat.

Et puis tout ça ne nous dit pas ce qui peut se passer dans chacun des comtés pris un à un.

Ce qui fait que présentement, les gageures vont encore bon train, de même que les cagnottes pour les meilleures prédictions, dans les bureaux, les tavernes et les divers lieux de travail. On a peut-être hâte de savoir mais on ne sait pas et c'est bien comme ça.

8 novembre 1976

«Les Anglais»

Il n'y a pas si longtemps, dès qu'un Montréalais avait traversé le pont Jacques-Cartier vers la Rive-Sud, il se sentait déjà loin.

La ville était derrière lui, de l'autre côté du fleuve, et Longueuil ressemblait encore à une quelconque petite municipalité de province avec sa rue Saint-Charles, son clocher et ses vieilles maisons riveraines.

L'époque n'est pas loin où il fallait prendre les autobus de la Provincial Transport pour s'y rendre.

Aujourd'hui, Longueuil n'est plus qu'un prolongement de Montréal relié à celle-ci par le métro. Autour de la station de métro, des édifices d'appartements se sont dressés comme des champignons et on peut lire en lettres lumineuses vertes dans les portiques de ces édifices le nom des locataires.

Il y a des Nguyen machin, des Abdul truc, des descendants de maharajahs, des Silver et des Gold, le tout parsemé de quelques rares Lalonde, Desmarais ou Simard; ces gens-là ont tous une vue imprenable sur Montréal, où ils vont travailler quotidiennement. C'est un îlot, majoritairement anglophone, de 4 000 personnes. C'est là que les libéraux du comté de Laporte, qui englobe Longueuil, l'ancienne Ville Jacques-Cartier et une tranche de Saint-Lambert, avaient obtenu une majorité en 1973.

Les anglophones peu nombreux de Saint-Lambert et qui appartiennent à cette circonscription avaient aidé également le candidat André Déom à battre son adversaire péquiste Pierre Marois par la fragile majorité de 372 votes.

Dans tous les bureaux de scrutin majoritairement francophones, Marois avait la majorité. Bref, les libéraux avaient
été élus grâce aux anglophones qui composent 11% de
l'électorat de ce comté au nom tragique du ministre assas-
siné. Cette année, renversement de situation. Le Parti québécois est en quête d'Anglais, tout simplement parce qu'ils
annoncent du bleu à l'horizon. Il y a du Lord Biron local
dans les conversations à l'ouest du comté, ça annonce
«unioniste sévère» du côté anglophone et on voit mal où
les libéraux pourraient être majoritaires.

Les anglophones n'ont plus cet œil glacé et réproba-
teur vis-à-vis le candidat péquiste. Ils lui disent aimablement qu'ils vont voter pour l'Union nationale. On leur dit:
«Thank you les gars. We shall remember.» Ce n'est pas
exactement l'alliance mais ce n'est plus la guerre. Les
Anglais ont cédé la place. Ils se sont retirés du combat. Ils
ne font plus partie du duel et laissent l'arène aux vrais
antagonistes. Les Anglais sont devenus des tiers, des pro-
testataires.

Alors, au moins pour le comté de Laporte, mon
comté, en voulez-vous une prédiction courageuse? Pas du
genre «les libéraux seraient menacés» ou «un comté qui
sera à surveiller» ou encore «un gain possible du PQ»: c'est
facile ça et ça n'engage à rien. Moi, j'annonce carrément
que Pierre Marois sera élu sous la bannière péquiste par au
moins 1 000 voix de majorité dans Laporte. C'est clair?

«Maudit que j'aimerais donc pouvoir être élu sans les
anglophones», se lamente M. Jean-Jacques Lemieux,
quarante-trois ans, président de la Société d'habitation du
Québec depuis cinq mois, mais qui a démissionné de son
poste pour briguer les suffrages sous la bannière libérale
dans le comté de Laporte. Sympathique, bien vu de tous,
citoyen de Longueuil, irréprochable, M. Lemieux n'est pas
le rêveur en couleurs. Il a abandonné toute idée de faire «la
strip», c'est-à-dire faire campagne dans ville Jacques-
Cartier où les électeurs sont massivement péquistes. Pas

trop d'illusions non plus du côté des anglophones dont on espérait qu'ils changent d'idée à la dernière minute. Eux qui avaient été le bienfait, la quiétude et le bien-être des libéraux, ils leur sont devenus la bête noire, l'épine du pied, l'urticaire. M. Lemieux se concentre dans son quartier de Bellerive et Normandie où, en 1973, les péquistes avaient été majoritaires.

Chose certaine, les libéraux veulent éviter les manifestations d'un folklore électoral jalousement conservé sur la Rive-Sud et qui consiste à convaincre par le bâton de base-ball et la mise à sac des comités adverses. En 1973, les arrestations au sein de l'organisation libérale avaient nui à M. André Déom, honnête mais légèrement naïf, et qui avait dû sacrifier une carrière politique de ministre et une partie de ses affaires personnelles à cause d'indésirables dont il n'avait nul besoin, mais qui s'étaient glissés dans son organisation à son insu.

Quant à Pierre Marois, trente-six ans, avocat, c'est le détenteur d'un record au Parti québécois. Il est le seul à se présenter pour la quatrième fois à titre de candidat péquiste. Il était là en 1970, dans le comté de Chambly, alors que la circonscription de Laporte n'existait pas. En 1971, à l'élection partielle déclenchée par suite du décès de Pierre Laporte, il était candidat, de même qu'en 1973 et cette année.

Et cette année, il peut compter sur 4 000 anglophones. C'est étrange, voire inconvenant, mais c'est comme ça. Il semble que le même phénomène puisse intervenir dans d'autres comtés, notamment dans la région de Montréal. Pour le PQ, ici, Bourassa est devenu la «garantie du succès».

9 novembre 1976

L'âme

Pendant que le vent léger du matin secoue mollement les gerbes de quenouilles givrées sur le bord des routes rurales et que les enfants à capuchons attendent l'autobus scolaire autour des boîtes aux lettres, l'horizon, planté de clochers, de silos et d'arbres spectraux, se dévoile à la vue.

Sous les rayons d'un soleil hésitant, dans ce jour encore mal éveillé, les terres jaunies, longues et plates, qui se perdent dans les orées lointaines, s'endorment pour l'hiver en exhalant leur reste de vie: une vapeur qui s'élève comme la sourde rumeur du mécontentement agricole.

C'est ici, dans ce silence sournois et sépulcral, que l'Union nationale, tenue pour morte, est ressuscitée. Elle a repris la vie qu'elle y avait vécue, notamment sous Daniel Johnson, dont ce comté porte aujourd'hui le nom.

Au lendemain de l'élection de 1973, l'Union nationale, devenue l'Unité-Québec, avait perdu, outre son nom, son argent, ses députés et ses militants. Mais c'est ici qu'elle s'est remise à vivre en 1974, à l'élection partielle déclenchée par suite de la démission du député libéral Jean-Claude Boutin. Maurice Bellemare reprenait le comté de Johnson sous la bannière bleue. Il avait été le nouveau père de l'Union nationale; son rebâtisseur parti de rien, le premier barreau de son échelle aujourd'hui solide et imprévisible. Il avait été l'âme de ce parti presque disparu.

Mais pas une âme ordinaire. Une âme de soixante-cinq ans, qui a failli mourir elle aussi plusieurs fois à l'hôpital, qui porte des chaussures de cuir véritable, un costume rayé avec veste assortie, et des lunettes plaquées or;

une âme rougeaude, bedonnante, grisonnante et frisée; une âme joviale, rieuse, contente; une belle âme.

Maurice Bellemare c'est ça et beaucoup plus. C'est ancien et c'est moderne, c'est rural et urbain, c'est amusant et redoutable et, comme le dit son slogan, ça fonce, ça attaque et ça dénonce.

À son bureau de député de la rue Saint-André, à Acton Vale, les murs en préfini ne disent rien, sinon qu'il «faut battre les rouges». Maurice Bellemare se déplace rapidement derrière son bureau ministre. Sur le ton paternaliste ou admiratif, il adresse de temps à autre la parole à Louise ou à l'honorable. Louise, c'est la jolie Louise Bertrand, fille de l'ancien premier ministre Jean-Jacques Bertrand, secrétaire de M. Bellemare à Québec et qui avoue ne pas pouvoir suivre son patron tant il est actif. L'honorable, c'est Théo Ricard, ancien député fédéral de Saint-Hyacinthe, et qui agit à titre d'organisateur personnel de l'âme. «C'est quoi la population de Saint-Hyacinthe, honorable?» demande M. Bellemare. Et Théo, qui n'a pas changé, dans son petit costume gris, l'air gêné, répond avec empressement.

Je le confesse, ce comité organisateur a été le seul où je me suis vraiment senti à l'aise depuis le début de la campagne électorale. C'est chaleureux, tranquille, cordial et puis, ce n'est pas rempli de calculateurs impétueux qui griffonnent des chiffres compliqués sur des listes qu'on glisse en vitesse sous les bureaux à la vue du premier journaliste venu. Ce n'est pas non plus ce comité d'un autre parti où l'organisateur de service m'a dit qu'il ne pouvait pas me voir parce que lui, il s'occupait surtout des médias. *Le Devoir*, ce n'est peut-être pas le *Daily Mirror*, mais il a le droit d'être un média lui aussi il me semble.

Non, chez Maurice Bellemare les calculs sont gros, massifs, vengeurs. Les chiffres sont à la mesure du personnage et ils sont les suivants. «On prend 1,5 million de votes», explique le Dr Grondin de l'Union nationale.

D'abord 30% du vote anglophone, ensuite 50% des 800 000 votes accordés aux partis de MM. Samson et Dupuis en 1973. «On conserve nos 200 000 électeurs de 1973 mais on récupère 90% du million de voix qu'on a perdues.»

Selon lui, 1,5 million de votes, c'est le pouvoir ou presque, à cause du partage des voix et aussi parce que l'UN a plus de chances de succès que le PQ dans les comtés ruraux, d'après ses calculs. «Montréal, on vous le donne, dit-il. Au plus fort de Duplessis on n'a jamais eu plus de six sièges sur les trente comtés montréalais.» Il ne parle pas du PQ; il a passé le mot d'ordre de ne pas attaquer les péquistes; «On a l'argent et on va dépenser notre budget légal», informe-t-il. «Mais les élections ça ne se gagne pas seulement avec de l'argent.» C'est ici qu'il aime à répéter sa maxime d'organisateur hors pair: «Ce n'est pas la grosseur de la masse qui compte, c'est le swing du manche.»

Ne le mésestimons pas: Rodrigue Biron est à la hausse dans les contrées et l'âme souffle puisamment. Bellemare, lui, il n'a jamais été battu en sept élections depuis 1944. Il a été le premier à défaire un député du parti au pouvoir dans une élection partielle. Pour lui, les libéraux sont en très mauvaise posture. «C'est la première fois, explique-t-il, depuis la Confédération, qu'un parti perd vingt et un députés dont quatre ministres à la veille d'une élection (ceux qui ne se représentent pas); c'est la première fois qu'un parti fait dépenser vingt-cinq millions de dollars pour une élection où il est certain d'être affaibli et c'est la première fois depuis Godbout qu'un premier ministre se fait huer partout où il passe. Voilà des signes qui ne mentent pas.»

On fait valoir que les sondages prédisent à l'UN presque le triple des votes qu'elle avait eus en 1973 et que la véritable remontée unioniste s'est produite après les derniers sondages. «Au début, confie Louise Bertrand, on avait des assemblées de trente-cinq personnes; on se consolait avec cinquante. Aujourd'hui, on réunit des trois cents et quatre cents personnes, Biron est acclamé partout et on reçoit vingt téléphones d'invitation par jour.» M. Bellemare se promène partout dans la province. Il a tenu jusqu'à présent quarante-trois assemblées en plus de faire son porte à porte et d'orchestrer la campagne. À l'UN, on sent que le temps a un peu manqué. Il aurait fallu plus de rodage, plus de mise au point.

L'UN réclame son droit à la vie et les ressuscités parlent fort. Nul ne sait ce qui peut advenir mais moi je pressens comme une surprise de ce côté-là. Et puis j'aime cette renaissance de l'Union nationale. Je trouve cela sympathique et ça met de la couleur dans le paysage électoral.

L'âme s'anime: «Et puis cette année on n'a pas une équipe de pee-wee. Vous verrez!»

10 novembre 1976

La révolte agraire

L a bouche a vieilli. Elle s'est creusée et transformée avec le temps, de sorte que le dentier ne s'y retrouve plus, ne fait plus corps avec elle, n'arrive plus à suivre les paroles trop rapides et marque un temps de retard à chaque remontée de mâchoire.

Voilà un dentier qui n'autorise plus les éclats de rire, ne permet pas les cris du cœur et interdit formellement tout langage emporté. Un dentier qui pacifie son porteur, l'oblige à la pondération et à la modération et qui se prête mieux, depuis longtemps déjà, aux exercices de la pensée qu'à ceux de la parole.

C'est le côté mordant, si l'on peut dire, de ce personnage qui, n'étaient les défaillances de sa mécanique dentaire, en aurait beaucoup à dire sur les élections du 15 novembre prochain.

À travers les chocs mandibulaires de ces appareils en plastique qui retombent comme des guillotines en folie, qui se heurtent et qui rebondissent intempestivement, l'homme déclare que l'enjeu de l'élection générale du 15 novembre n'est autre chose que l'agriculture.

Et pourtant lui, il n'est pas agriculteur mais camionneur saisonnier dans le comté de Saint-Hyacinthe, et il est actuellement aux prises avec un biscuit Dad's, dans un restaurant-épicerie non loin de Saint-Liboire. Il parle de quotas de lait industriel, d'amendes à la surproduction, d'écœurement général, de gaspillage, d'irresponsabilité et d'abandon des fermes. «Si ça continue, on n'aura plus rien à manger dans la province et il faudra tout acheter aux

États ou en Ontario,» claque ce maskoutain tout aussi buc-
cal que bucolique dont la dentition, par sa régularité, n'est
pas sans rappeler un épi de maïs.

J'ai tout à coup l'impression qu'il est créditiste.
J'ignore si vous pensez comme moi, mais il me semble qu'il
y a des signes extérieurs d'allégeance politique. Le cheveu
court et grisonnant peut par exemple être avant-coureur de
l'option libérale. La barbe touffue peut annoncer le
péquiste, et le port du chapeau chez l'homme dans la trentaine peut trahir l'unioniste. La Renault est d'abord
péquiste tandis que la Pontiac a un air plus libéral.

Je ne sais trop pourquoi mais le dentier qui a perdu le
pas fait tout de suite plus créditiste à mes yeux. Mais non!
Mon homme n'est rien de tout cela. C'est-à-dire qu'il est
nettement anti-libéral, mais affirme ne pas avoir fait
encore son choix parmi les autres formations politiques. Il
vante le programme de l'Union nationale de telle manière
qu'on peut y deviner ses sentiments, mais pour lui ce qui
compte c'est de remplacer au plus vite M. Trudeau par M.
Clark à Ottawa. Il est wagnérien.

Quoi qu'il en soit, ce camionneur, à mon sens, exprime fort bien toute l'importance qu'a prise la question
agricole au cours de cette campagne électorale. À Montréal, comme toujours, la production agricole ne retient
pas assez l'attention mais je ne me souviens pas d'avoir
vécu une campagne électorale où, non seulement pour les
cultivateurs mais pour tous les consommateurs de l'extérieur de Montréal, la question agricole ait été aussi primordiale. Ce n'est pas par manque de flair que Camil Samson,
leader créditiste, a axé sa campagne sur le marasme agricole. L'Union nationale, elle, grâce notamment à la présence de M. Clément Vincent, organisateur en chef du
parti et ancien ministre de l'Agriculture du Québec, ne rate
pas l'occasion de soulever l'ire des populations québécoises
contre les politiques agricoles actuelles que le PQ dénonce
aussi avec vigueur en proposant des programmes d'aide et

de revalorisation. Il convient de ne pas minimiser cette question. Les gens sont plus sensibles à la mise en marché des œufs qu'à celle du minerai de fer, et il aurait été politiquement plus rentable, sinon plus intelligent, d'imposer des quotas aux usines d'amiante plutôt qu'aux producteurs laitiers. Quand on met un gars à l'amende parce qu'il a trop travaillé et qu'on l'oblige à vendre du bétail pour la boucherie, c'est une atteinte personnelle, vexante, impardonnable et toute la communauté, même urbaine, qui entoure cette victime, crie vengeance, comme cet homme au sourire-maïs rencontré à une croisée maskoutaine.

À Montréal, entre vitrines et béton, à force de bouffer des produits à base de glutamate monosodique, de silicate de calcium, de dextrose et de levure séchée, le tout avec un soupçon de colorant artificiel, on oublie forcément le lien entre l'alimentation et l'agriculture. Il faut faire un effort pour se dire que le carré d'agneau, le steak haché, la saucisse et le *baloney* ne tombent pas du ciel sur nos tables de fins gourmets; que les carottes et les tomates ne sortent pas directement des laboratoires de la CIL, et que le lait doit bien avoir quelque utilité alimentaire.

Seulement, chez M. Boire, à Wickham, avec une production de 250 000 poulets par semaine, ça picore vilain dans la place. Et ça mange quoi, un poulet? Du grain. En été comme en hiver. Alors quand les subventions au transport des grains de provende sont diminuées ou même abolies, il y a une augmentation du coût de production qui ne se rattrape pas toujours facilement, et la moulée coûte plus cher aussi aux éleveurs de porcs de Saint-Valérien, par exemple.

C'est au Lac-Saint-Jean qu'il y a eu des carnages de veaux; c'est dans les Cantons de l'Est que les producteurs en colère ont jeté leur lait dans les fossés, et ce n'est pas au Zaïre qu'il y a eu des défilés de tracteurs dans les rues. Mais on dirait que cela n'impressionne plus les villes. Mon clapet anarchique, lui, ça l'émeut, et la dent qu'il a contre les gouvernements n'est pas artificielle, je vous prie de me croire.

La crise agricole est, je pense, un facteur important du mécontentement étonnant qui s'élève de partout au Québec, et qu'on sent tout de suite en sillonnant la province. Je vous le dis: si la rage anglaise du West Island montréalais peut, à la dernière minute, être renversée par la peur du PQ et ne pas se tourner contre le parti au pouvoir, la révolte rurale, elle, peut faire basculer des sièges.

11 novembre 1976

Rien de certain

À trois jours des élections, les certitudes sur le scrutin sont encore rares. Tout le monde se dit perplexe, personne ne sait au juste ce qui va se produire malgré les sondages.

On voit ça notamment par les prédictions que les gens aiment à faire; celles qu'on écrit sur des bouts de papier, qu'on met dans des boîtes qu'on ouvrira le soir des élections. Ces prévisions maison faites au gré des tendances de chacun, des souhaits non avoués et des perceptions personnelles.

En 1973, il y avait une sorte de consensus dans ces prévisions; on prédisait les libéraux très forts mais on accordait au Parti québécois plus de sièges qu'il n'en a eu. Cette année, la boussole des profanes est en folie. On parle de gouvernement minoritaire, de bouleversement, de changement, de balayage. Certains au contraire, comme un avocat de mes amis, ne voient que peu de changement. Lui, il prédit quatre-vingt-dix libéraux et neuf péquistes.

Un courtier d'assurances de la Rive-Sud donne trente-six sièges à l'Union nationale sur son papier et prédit une victoire fragile du PQ. Il y a des gars qui procèdent comté par comté, d'autres qui prédisent globalement. La plupart des gens accordent d'abord un certain nombre de sièges à un parti et après, ils déduisent mathématiquement pour les autres. Mais rien ne se confirme, rien de clair ne ressort, c'est bizarre. La campagne a été brève et relativement peu tapageuse bien que les gens en parlent beaucoup. Il y a eu la rage des anglophones, la révolte des agriculteurs, la montée «bironienne», le lot des indécis, le début de l'hiver, la publicité péquiste et la huée à Bourassa. Lui, le premier ministre, il a soudainement incarné tout ce mécontentement. Il est devenu cible et une cible, ce n'est pas exactement la position idéale pour attaquer. Il a fallu qu'il se défende, qu'il fasse front, qu'il relève le défi. Ç'a été dur pour lui. Mais on ne voit pas encore clairement comment se répartira le vote. C'est l'élection où l'on répète plus que jamais que «tout peut arriver», et où on parle de «vague possible». Mais une vague ça reste vague justement, et personne ne peut préciser s'il s'agira d'un froissement de surface ou d'une lame de fond.

Alors, forcément, il y a des «si» dans les conversations. «Si les indécis se décident, s'il y a une vague, si les Anglais disent vrai, s'il y a une tempête de neige le 15, etc., etc.»

Le soir du 15, il y aura des déceptions amères chez plusieurs candidats. Des quelque cinq cent cinquante en lice, il y en a peut-être trois cents qui, dans ce flottement de l'opinion, peuvent entretenir des «espoirs légitimes», mais il n'y en aura que cent dix d'élus.

Des épouses qui ont suivi leur bonhomme jusqu'au bout, qui se sont habillées de neuf pour la campagne, qui ont serré plus de mains en quinze jours qu'elles ne le feront le reste de leur vie, et qui imaginent déjà leur pied-à-terre à Québec, retourneront vite fait dans leur cuisine. C'est comme ça, c'est le côté inhumain de l'aventure politique.

La plupart des candidats se présentent parce qu'ils pensent qu'ils vont gagner mais cette campagne électorale ne leur donne pas de balises, de signes concrets qui leur serviraient à se préparer le moral pour la défaite ou la victoire. Et dans plusieurs circonscriptions, les majorités seront si minces que les victoires seront aussi incertaines que chanceuses. Je vois d'ici les recomptages.

Pour ceux qui se sont promenés dans le paysage comme moi, la campagne électorale a une fois de plus été l'occasion de mesurer l'immensité de cette province et le caractère à la fois discret et mystérieux de ses habitants. Leur mécontentement évident, les Québécois peuvent l'exprimer parfois mieux par le vote que par la parole mais ils peuvent aussi refroidir les joies précoces des adversaires trop optimistes du gouvernement.

C'est difficile à dire et puis il y a encore le week-end avec son sprint final et les gens qui se retrouvent à la maison pour repenser leur choix et prendre leur décision ultime.

Le peuple va bientôt parler, mais bien malin celui qui peut deviner tout de suite ce qu'il dira.

12 novembre 1976

L'agression ultime...

Alors là, ce dernier week-end, ce n'était pas rien au chapitre de la politique télévisée. Heureusement que dimanche, les partis n'avaient plus le droit de se manifester, ni au petit écran ni à la radio, parce qu'on aurait assisté à un débordement furieux, aux opérations de sollicitation *in extremis*.

Et tout ça, encore une fois, à cause des soi-disant indécis que chaque parti veut conquérir à la dernière minute. Parce que les décidés, eux, qu'ils soient «self avowed separatists» comme les appellent parfois les journaux anglais, ou libéraux ou unionistes ou autres, n'ont rien à faire de ces efforts ultimes justement parce que leur décision est prise.

L'assaut électronique les ennuie. S'ils sont péquistes et aperçoivent M. Garneau, le visage crispé, la voix rejoignant l'ultra-son, le geste accusateur, annoncer la fin du monde si le PQ est élu et parler de fraude électorale et d'hypocrisie, ils ne marchent pas et parlent de panique libérale. Si, en revanche, ils sont libéraux, par exemple, parce que ce sont surtout ces deux partis qui nous ont attaqués dans nos salons samedi soir, et qu'ils voient un René Lévesque écumant, fumant et fulminant, la bouche tordue par l'horreur, entretenir les gens de la corruption générale du gouvernement et de la route qui nous mène à l'abîme et à la stagnation, ils crient: «Menteur!»

C'est trop. On devrait s'arrêter au moins deux jours avant celui du scrutin en se disant que les réquisitoires émus et les plaidoyers vibrants qu'on diffuse à un rythme

effréné, dans les dernières heures, ne servent probablement qu'à renforcer les convictions acquises dans l'esprit
de chacun. C'est comme les positions déclarées par les
journaux. Pour les libéraux, *The Gazette* est devenu
depuis vendredi matin le détenteur de toutes les vérités, la
voix dans les ténèbres, le guide à suivre. Mais *Le Devoir*,
lui, qui jusque-là semblait satisfait, devient tout à coup
déroutant, surprenant, décevant aux yeux de certains libéraux, tandis que pour les péquistes, il apparaît plus potable. Mais encore là, chacun y voit la justification de sa
pensée, de son idée.

Les films présentés successivement samedi soir à la
télé par le PQ et le Parti libéral n'étaient sans doute pas
mauvais d'un point de vue publicitaire. Chacun était à
l'image de ce qu'a été la campagne électorale. Celui du PQ
plutôt pondéré, présentant M. René Lévesque comme le
«chef», ici coiffé d'un casque protecteur et bavardant avec
des travailleurs, là en chemise et travaillant tard le soir
dans son bureau, plus loin s'entretenant avec des agriculteurs. Curieux ce film publicitaire. Il était fait exactement
comme si M. René Lévesque était premier ministre depuis
longtemps. Le genre de films que les gouvernements montrent aux visiteurs étrangers; on se serait cru en pleine
réclame gouvernementale. Le film libéral était construit de
séquences de la présente campagne. Il montrait les vedettes
du parti dans des extraits de discours-chocs. Beaucoup
plus agressif, le film faisait plus électoral, plus conquérant.
Il voulait persuader par la parole grave, l'appel déchirant
et c'était loin d'être mauvais à mon avis.

Deux bons documents publicitaires mais dont les
effets mesurables dans l'immédiat ne sont que saturation et
ennui auprès des téléspectateurs. Moi en tout cas j'ai pré-
féré la performance de Michel Plasse, gardien de but des
Rockies du Colorado au Forum. D'abord parce que mon
idée est faite depuis longtemps, et puis parce que la journée
avait été tissée de messages radiophoniques, de spots de
toute allégeance, de «temps retenu par les partis» ou «mis

gracieusement à la disposition des partis par Radio-Canada». Le tout agrémenté de chansons-thèmes , de musique, de sigles, de symboles.

Il y a eu les accusateurs comme MM. Garneau et Saint-Pierre, les tragiques comme M. Bourassa, les sincères comme M. Jean Cournoyer qui disait: «Toutes les promesses que je vais faire vous allez les payer.» Il y a eu les moments de vérité comme la huée à M. Jean Marchand qui disait que le Québec était une petite nation, puis ses mots d'explication et les applaudissements. Il y a eu Camil qui disait qu'on ne pourrait jamais négocier avec les péquistes quand il ferait soleil, s'ils étaient élus, «parce que, mesdames, mesdemoiselles et messieurs, ils n'administrent que la nuit puisqu'ils ont été incapables d'administrer *Le Jour*». (Rires). Il y a eu ce producteur de lait qui pense que «ça vaudrait la peine d'essayer le PQ», Mme Lise Payette en pleine assemblée de cuisine, un gars qui a tout l'air d'avoir été attrapé au hasard et qui nous assure que «ça prend un vrai gouvernement», le tout ponctué des appels non moins sincères de Rodrigue Biron sur un ton conservateur, assuré, bienveillant, aimable.

Et comme si tout cela ne suffisait pas, il y a des petits gars qui enfouissent des brochures de parti dans vos boîtes à lettres, et même des gens qui vous téléphonent, histoire de faire une dernière fois leur «pointage».

Fallait-il fuir? Faire comme celui qui vient de gagner un million et qui cherche à se défaire des profiteurs? S'enfermer? Quoi qu'il en soit, c'est passé maintenant; respirons et rendons-nous là où cette campagne nous mène malgré ses apparences, c'est-à-dire à l'isoloir. C'est là qu'il faut simplement se rappeler cette phrase du grand homme d'État dont je ne me souviens plus du nom: «En politique comme en mathématiques les zéros sont précieux, à conditions qu'ils soient en dernier et non pas à la tête.»

15 novembre 1976

Table

PAYS

BATEAUX

MON CARNET ÉLECTORAL

CET OUVRAGE
COMPOSÉ EN PALATINO RÉGULIER CORPS 12 sur 14
A ÉTÉ ACHEVÉ D'IMPRIMER
LE VINGT AVRIL MIL NEUF CENT QUATRE-VINGT-SEPT
PAR LES TRAVAILLEUSES ET TRAVAILLEURS DES PRESSES
DE L'IMPRIMERIE GAGNÉ
À LOUISEVILLE
POUR LE COMPTE DE
VLB ÉDITEUR.

IMPRIMÉ AU QUÉBEC (CANADA)